Elogios ao livro *A Reconexão*

"Assim que recebi A Reconexão, *sentei-me e li o livro inteirinho em uma noite. Fiquei encantada. Era como um bom romance. No entanto, diferentemente de um romance, este livro é a verdade – a verdade sobre uma nova maneira revolucionária de curar e ser curado, acessível a qualquer pessoa. Cheio de humor, discernimento e da profunda compreensão e humildade que surge apenas com a maturidade de um bom clínico e cientista, Eric Pearl conta a história de como ele foi transformado pela energia reconectiva e de como todos nós podemos fazer o mesmo. Se você encara seriamente a saúde e a cura, leia este livro!"*

— **Christiane Northrup**, médica, professora clínica assistente da OB/GYN, University of Vermont College of Medicine; autora de *Women's Bodies, Women's Wisdom* e *The Wisdom of Menopause*

"Muitos esperaram décadas pelo que o dr. Eric Pearl nos deu em seu primeiro livro – uma maneira nova e elegante de ensinar cura e transformação. A verdadeira revelação desta obra, contudo, é que ele está contando os segredos! Este livro não apenas é gostoso de ler, como esse curador atentamente divertido e curioso mostra a naturalidade na qual a verdadeira energia de cura pode ser reconhecida e ativada no íntimo de todos nós. Já não era sem tempo!"

— **Lee Carroll**, canalizador de Kryon e autor de vários livros com suas mensagens. Coautor de *A Grande Mudança*, publicado pela Editora Cultrix

"A Reconexão, do dr. Eric Pearl, é simplesmente o melhor livro sobre cura transpessoal e remédio espiritual a surgir em muitos anos. É um presente do Universo e uma contribuição extraordinariamente empolgante para a mudança de paradigma mundial que ocorre em nossos dias. Se você pretende ler apenas dois livros este ano, certifique-se de que esta joia seja um deles."

– **Hank Wesselman**, Ph.D., autor de livros sobre xamanismo, como *Spiritwalker*, *Medicinemaker* e *Visionseeker*

"Eric escreveu um livro sobre cura maravilhoso, instigante e prático. Ele nos conta não apenas suas descobertas e experiências com a graça da cura, como também fornece técnicas úteis para tornar possíveis as curas de que todos necessitamos na nossa vida – não apenas para nós mesmos, mas para os outros. O humor de Eric e sua sinceridade fazem deste livro uma leitura obrigatória."

– **Ron Roth**, Ph.D., filósofo, autor de *Holy Spirit for Healing*

"Reconectar-se à Fonte é o segredo de toda cura. Eric explica como fazer isso melhor do que qualquer autor que já li."

– **Dr. Wayne W. Dyer**, psicoterapeuta, autor de *best-sellers* sobre autoajuda

A RECONEXÃO

DR. ERIC PEARL

A RECONEXÃO

Cure os Outros
Cure a Si Mesmo

Tradução
MARIA THEREZA ORNELLAS

Editora
Pensamento
SÃO PAULO

Título do original: *The Reconnection*.

Copyright do texto © 2001 Eric Pearl.
Copyright da edição brasileira © 2012 Editora Pensamento-Cultrix Ltda.
Capa © Christy Salinas

Publicado originalmente em 2001 por Hay House Inc. USA.

1ª edição 2012.
10ª reimpressão 2020.

Todos os direitos reservados. Nenhuma parte desta obra pode ser reproduzida ou usada de qualquer forma ou por qualquer meio, eletrônico ou mecânico, inclusive fotocópias, gravações ou sistema de armazenamento em banco de dados, sem permissão por escrito, exceto nos casos de trechos curtos citados em resenhas críticas ou artigos de revistas.

A Editora Pensamento não se responsabiliza por eventuais mudanças ocorridas nos endereços convencionais ou eletrônicos citados neste livro.

Coordenação editorial: Denise de C. Rocha Delela e Roseli de S. Ferraz
Revisão técnica: Anna Sharp
Revisão: Claudete Agua de Melo
Diagramação: Join Bureau

Dados Internacionais de Catalogação na Publicação (CIP)
(Câmara Brasileira do Livro, SP, Brasil)

Pearl, Eric
   A reconexão : cure os outros : cure a si mesmo / Eric Pearl ; tradução Maria Thereza Ornellas. – São Paulo : Pensamento, 2012.

   Título original: The reconnection : heal others, heal yourself.
   ISBN 978-85-315-1804-1

   1. Cura 2. Curandeiros – Califórnia – Biografia 3. Medicina energética 4. Pearl, Eric 5. Quiropráticos – Califórnia – Biografia I. Título.

12-09411   CDD-615.851

Índices para catálogo sistemático:
1. Cura transpessoal : Medicina energética : Terapias alternativas   615.851

Direitos de tradução para o Brasil
adquiridos com exclusividade pela
EDITORA PENSAMENTO-CULTRIX LTDA.
Rua Dr. Mário Vicente, 368 — 04270-000 — São Paulo, SP
Fone: (11) 2066-9000
E-mail: atendimento@editorapensamento.com.br
http://www.editorapensamento.com.br
que se reserva a propriedade literária desta tradução.
Foi feito o depósito legal.

Aos meus pais, por me darem a vida e a coragem para viver a sua verdade.

A Aaron e Solomon, por me darem o discernimento e a confiança de que eu precisava para seguir em frente.

A Deus/Amor/Universo, pela dádiva.

Para Sua Proteção

Este livro vai lhe apresentar informações que podem ajudá-lo em suas interações iniciais com a Cura Reconectiva. No entanto, somente o fato de ler este livro não fará de você um especialista em Cura Reconectiva ou um especialista em Reconexão, nem permite que você ensine Cura Reconectiva ou Reconexão ou que se apresente como um praticante de Cura Reconectiva ou Reconexão ou como professor de uma ou das duas modalidades. A conclusão com êxito dos seminários ministrados pelo próprio Eric Pearl é um requisito para se tornar esse tipo de profissional.

No momento, Eric Pearl é o único instrutor autorizado a ensinar a Cura Reconectiva e a Reconexão. As informações sobre os seminários do Programa de Instrução podem ser encontradas no site do autor em inglês. Você também poderá obter essas informações entrando em contato com A Reconexão no e-mail abaixo. É essencial que se tenha concluído com êxito os dois cursos básicos de fim de semana, antes de se candidatar ao treinamento para se tornar um praticante com certificado, professor assistente e mentor, ou para ingressar no Programa de Instrução.

Para sua proteção, por favor, entre em contato conosco, em inglês, por meio do endereço eletrônico info@TheReconnection.com antes de comparecer a qualquer seminário cujo objetivo seja o treinamento em Cura Reconectiva ou A Reconexão ministrados por outra pessoa que não seja Eric Pearl. Nós o avisaremos se se trata de um seminário ministrado por um instrutor qualificado.

Sumário

Prólogo 13
Prefácio 19
Agradecimentos 23

Parte I: A DÁDIVA 25
Capítulo 1 Primeiros passos.. 27
Capítulo 2 Lições da vida depois da morte 34
Capítulo 3 Coisas de criança... 49
Capítulo 4 Um novo caminho de descoberta.......... 65
Capítulo 5 Abrindo novas portas, acendendo a luz ... 77
Capítulo 6 À procura de explicações 92
Capítulo 7 A dádiva da pedra 97
Capítulo 8 Compreensão: presente e futuro............ 109

Parte II: A CURA RECONECTIVA E SEU SIGNIFICADO .. 129
Capítulo 9 Conte-me mais 131
Capítulo 10 Cordas e cadeias.. 134
Capítulo 11 As grandes questões 142
Capítulo 12 Para dar, você tem que receber 154
Capítulo 13 Saia do caminho 161
Capítulo 14 Estabelecendo o ritmo 180
Capítulo 15 Questões a considerar 191

Parte III: VOCÊ E A CURA RECONECTIVA 201
Capítulo 16 Reconfortando-se no grupo da Energia Reconectiva .. 203
Capítulo 17 O espaço terapêutico dos curadores 209
Capítulo 18 Ativando o curador em você 220
Capítulo 19 Encontrando a Energia 232
Capítulo 20 O terceiro elemento 238
Capítulo 21 Interagindo com seus pacientes 262
Capítulo 22 O que é curar? 273

Pensamentos finais 285

Prólogo

Você está prestes a ler um livro sobre um clínico corajoso e generoso, o dr. Eric Pearl, que descobriu que o segredo para a saúde e a cura é aquilo que ele chama de *Reconexão*. Quando o ouvimos pela primeira vez no Programa em Medicina Integrativa do dr. Andrew Weil, na Universidade do Arizona, ficamos imediatamente impressionados por sua sinceridade e franqueza. Ali estava um homem disposto a desistir de um dos mais lucrativos consultórios quiropráticos em Los Angeles para embarcar numa viagem espiritual de cura, de modo a tratar algumas das mais importantes e controversas questões da medicina e cura contemporâneas:

Será que a energia, e a informação que ela transporta, desempenha um papel central na saúde e na cura?

Será que nossa mente é capaz de se ligar a essa energia e será que podemos aprender a controlá-la de modo a curar a nós mesmos e aos outros?

Haverá uma realidade espiritual mais vasta, composta de energia viva, com a qual podemos aprender a nos conectar, e que não só pode estimular nossa saúde pessoal como a cura do planeta como um todo?

Imaginamos se o dr. Pearl teria enlouquecido. Ou se teria se reconectado com a sabedoria dentro do seu próprio coração e com o coração de energia viva do cosmos.

A verdade é que, quando nos encontramos pela primeira vez com o dr. Pearl, nós não sabíamos. No entanto, o dr. Pearl estava empenhado em "colocar a teoria em prática". Isso incluía levar suas afirmações – e os seus talentos – para um laboratório de pesquisa cujo lema é: "Se é real, será revelado; e se é falso, descobriremos o erro".

O Laboratório de Sistemas de Energia Humana da Universidade do Arizona dedica-se à integração da medicina mente-corpo, da medicina energética e da medicina espiritual. Nosso objetivo ao trabalhar com o dr. Pearl não era provar que a Cura Reconectiva funciona, mas dar ao processo de Cura Reconectiva a oportunidade de ser comprovada.

Uma Conexão Histórica à Reconexão

Minha [de Gary] relação pessoal com o conceito de reconexão remonta ao programa de doutoramento na Universidade de Harvard no final da década de 1960. Fui apresentado a uma pesquisa original sobre autorregulação e cura dirigida por um dos cientistas-médicos mais íntegros do primeiro terço do século passado.

Em 1932, o professor Walter B. Cannon da Universidade de Harvard publicou o clássico: *The Wisdom of the Body*. O Dr. Cannon descreveu como o corpo mantinha sua saúde fisiológica por meio de um processo que denominou "homeostase". Segundo Cannon, a capacidade do corpo para manter sua integridade homeostática exige que os processos de *feedback* em todo o corpo estejam conectados, e que a informação que viaja nessa rede de rodovias de *feedback* seja fluida e precisa.

Por exemplo, se você ligar um termostato a uma fornalha, de maneira que sempre que a temperatura da sala descer abaixo do nível definido no termostato, o sinal do termostato ligue a fornalha e vice-versa, a temperatura na sala será mantida. O termostato fornece o *feedback*, o resultado é a homeostase entre você e sua sala.

O que faz tudo isso funcionar são as conexões apropriadas dentro do sistema. Se você desligar o *feedback*, a temperatura não será mantida. Isso, em suma, é a ideia de conexão de *feedback*.

Como jovem professor assistente do Departamento de Psicologia e Relações Sociais da Universidade de Harvard, deduzi a lógica que levou à descoberta de que as conexões de *feedback* são fundamentais não só para a saúde e integridade fisiológica, mas para a saúde e integridade em todos os níveis na natureza. A conexão de *feedback* é fundamental para a integridade – seja ela energética, física, emocional, mental, social, global e, sim, até astrofísica.

Sugeri que a "sabedoria do corpo" de Cannon poderia refletir um princípio universal mais amplo. Chamei a isso de "a sabedoria de um sistema" ou, mais simplesmente, "a sabedoria da conexão":

Quando as coisas estão conectadas – sejam elas:

1. oxigênio conectado ao hidrogênio por vínculos químicos na água;
2. o cérebro conectado aos órgãos fisiológicos por mecanismos neuronais, hormonais ou eletromagnéticos no corpo; ou
3. o Sol conectado à Terra pela gravidade e influências eletromagnéticas no sistema solar...

...e a informação e a energia circulam livremente, qualquer sistema tem a capacidade de ser saudável, permanecer íntegro e evoluir.

Quando eu era professor de psicologia e psiquiatria na Universidade de Yale, em meados dos anos 1970 até o final dos anos 1980, publiquei ensaios científicos que aplicavam esse princípio da conexão universal não só à integridade da mente-corpo e à cura, mas à integridade e cura em todos os níveis da natureza (p. ex., Schwartz, 1977; 1984). Meus colegas e eu sugerimos que havia cinco passos básicos para alcançar a integridade e a cura: *atenção, conexão, autorregulação, ordem e bem-estar*.

Passo 1: *Atenção* voluntária. É tão simples como conhecer seu próprio corpo e a energia que flui dentro dele e entre você e seu ambiente.

Passo 2: A atenção cria a *conexão*. Quando você permite que sua mente, consciente ou inconscientemente, vivencie a energia e a informação, esse processo promove conexões não só no interior do seu corpo, mas entre o corpo e o ambiente.

Passo 3: A conexão estimula a *autorregulação*. Como uma equipe de atletas ou músicos que atinge a maestria no esporte ou no jazz, as conexões dinâmicas entre os integrantes permitem que a equipe se organize e controle a si própria (o que se denomina "autorregulação"), com a supervisão de treinadores e maestros.

Passo 4: A autorregulação promove a *ordem*. Aquilo que você percebe como integridade, sucesso, ou mesmo beleza, reflete um processo organizador possibilitado por conexões que permitem a autorregulação.

Passo 5: A ordem exprime-se no *bem-estar*. Quando tudo está devidamente conectado e as partes (os integrantes) podem desempenhar seus respectivos papéis, o processo autorregulatório pode ocorrer sem esforço. O processo flui.

O inverso também é verdade. Há cinco etapas básicas para alcançar a desintegração e a doença: *desatenção, desconexão, desregulação, desordem e doença*.

Se a pessoa está *desatenta* ao seu corpo (Passo 1), isso cria uma *desconexão* dentro do seu corpo e entre o corpo e o ambiente (Passo 2), promovendo a *desregulação* do corpo (Passo 3), que seria mensurada como *desordem* no sistema (Passo 4) e sentida como *doença* (Passo 5).

Em suma, a conexão conduz à ordem e ao bem-estar; a desconexão conduz à desordem e à doença.

À medida que ler o livro do dr. Pearl, você verá esses passos de conexão ganharem vida em todos os níveis – do energético, passando pela mente-corpo, ao espiritual. A chave para compreender esse novo nível de cura é o prefixo "re" – a cura pela *re*atenção, *re*conexão, *re*-regulação, *re*ordenação.

Descobrindo a Sabedoria da Reconexão

No musical de Stephen Sondheim, *Sunday in the Park with George*, sobre o pintor pontilhista George Seurat, a criação da beleza é descrita como um processo de conexão. Seurat era um mestre em organizar e conectar pontos coloridos, criando imagens belas que até hoje nos encantam. Sondheim relembra-nos a importância desse processo com sua simples canção: "Conecte, George, conecte".

Durante a leitura deste livro, você tomará parte de uma viagem de cura conectiva. Sua mente e seu coração se ampliarão e se unirão à medida que o dr. Pearl conecta os pontos da vida dele. Você entrará na alma de um agente de cura talentoso, que suportou as dúvidas pessoais e a dor à medida que descobria o processo da reconexão, e testemunhará as profundas bênçãos e a satisfação que ele sentiu quando viu seus pacientes se curarem.

Não pretendemos sugerir que tudo o que está escrito neste livro é cientificamente reconhecido. E tampouco o dr. Pearl faz isso. Ele conta suas experiências, oferece *suas* conclusões e deixa que *o leitor* chegue às suas próprias conclusões. A viagem continua.

O dr. Pearl tem um compromisso de longo prazo com a medicina baseada em provas. Os estudos científicos básicos desenvolvidos em nosso laboratório até o momento são surpreendentemente consistentes com suas previsões e futuros estudos clínicos já foram planejados. Como sugere nosso livro *The Living Energy Universe*, a sabedoria para a cura pode estar à nossa volta, à espera de ser usada para servir aos seus objetivos mais elevados.

Que você, leitor, fique tão esclarecido e inspirado por este livro quanto nós ficamos.

– **Dr. Gary E. R. Schwartz** e **Dra. Linda G. S. Russek.**

Gary E. R. Schwartz, Ph.D. – é professor de psicologia, medicina, neurologia, psiquiatria e cirurgia; e é diretor do Laboratório de Sistemas de Energia Humana da Universidade do Arizona. É também vice-presidente para pesquisa e educação na Fundação para o Universo de Energia Viva. Recebeu o seu Ph.D. da Universidade de Harvard em 1971 e foi professor assistente de psicologia em Harvard até 1976. Foi professor de psicologia e psiquiatria na Universidade Yale, diretor do Centro de Psicofisiologia de Yale e codiretor da Clínica de Medicina Comportamental de Yale até 1988.

Linda G. S. Russek, Ph.D. – é professora assistente de medicina clínica e codiretora do Laboratório de Sistemas de Energia Humana na Universidade do Arizona. É também presidente da Fundação para o Universo de Energia Viva e dirige a série de conferências *Celebrating the Living Soul* (www.livingenergyuniverse.com).

Prefácio

"Todos têm um propósito na vida... um dom único ou um talento especial para oferecer aos outros. E quando combinamos esse talento único com a assistência às outras pessoas, sentimos o êxtase e a exaltação do nosso próprio espírito, que é o objetivo final de todos os objetivos."
— DEEPAK CHOPRA, MÉDICO

Recebi muitos dons maravilhosos na minha vida. Um deles é a capacidade extraordinária de realizar curas – que, como você verá ao folhear estas páginas, não compreendo inteiramente (embora esteja cada vez mais perto). Um segundo dom foi minha descoberta de que verdadeiramente existem mundos além deste. Um terceiro dom é a oportunidade que me foi dada de escrever este livro e partilhar a informação que adquiri até agora.

O que é tão maravilhoso no que se refere ao primeiro dom é o fato de que, por meio dele, percebi que tinha um propósito na vida e que fui abençoado não só por ser capaz de *reconhecer* esse propósito, mas por vivê-lo de modo ativo e consciente. Entre os dons da vida, esse é seguramente um dos maiores.

O segundo dom deu-me a capacidade de reconhecer o meu verdadeiro *Eu* – de compreender que sou um ser espiritual e que minha experiência humana é apenas isto: minha experiência *humana*. Não é senão *uma* experiência da pessoa que sou. Existem outras. Assim como vejo a presença do meu espírito em tudo o que faço, sou capaz de vê-lo – e tocá--lo – nos outros também. Isso é um dom extraordinário e, embora tenha estado bem na minha frente o tempo todo, eu nunca reparara nele até agora. Esse segundo dom deu-me uma perspectiva sobre o meu propósito.

O terceiro dom deu alento a um novo elemento de vida nos primeiros dois. Até há pouco tempo, eu apenas tinha partilhado o dom de cura com outras pessoas, uma de cada vez. Embora eu adorasse o que fazia, sabia que tinha de partilhar com mais pessoas. Não estava agindo bem guardando-o para mim... e não o fazia intencionalmente. Via-o como um dom (que de fato é) e, portanto, supunha que não podia ser dado por mim a outros (embora possa).

O meu dom foi paciente comigo. Sabia que eu logo reconheceria a situação geral. À medida que se revelava sua capacidade de ser despertado nas outras pessoas, comecei a dar seminários em que grupos maiores de pessoas podiam interagir com esse dom diretamente. Descobrir que esse dom pode ser ativado nos outros por meio da televisão foi também muito empolgante. Quanto à palavra escrita – bom, parece trazer uma dimensão inteiramente nova à sua transmissão. O que há de tão estimulante na comunicação por meio da imprensa e da radiodifusão é que isso permite que muitas pessoas experimentem a ativação dessa capacidade de cura em si próprias. Percebi que já era tempo de uma mudança na nossa compreensão; de o gênero humano ver que – e não quero parecer religioso demais – onde quer que dois ou mais se encontrem reunidos, podemos ajudar uns aos outros. Podemos tornar mais fácil a cura do outro. E agora podemos fazer isso em níveis nunca antes acessíveis para nós.

Constatei que meu dom não se destinava apenas a ajudar os *outros,* mas a ajudar os *outros* a ajudar os outros. Isso me deu um veículo amplo para começar a realizar meu propósito.

Este livro é uma combinação do manual de instruções que nunca tive... e uma ativação para iniciar o leitor no seu caminho.

Se for sua intenção *se tornar* um curador, elevar sua capacidade atual de cura a níveis superiores – ou simplesmente tocar as estrelas para saber que elas realmente existem –, então este livro foi escrito para você.

Mas ele também foi escrito para mim. É uma expressão do meu objetivo na vida, que finalmente encontrei. Ou, talvez eu deva afirmar, foi meu objetivo que me encontrou. Espero que ele também o ajude a encontrar o seu.

– **Dr. Eric Pearl**

Agradecimentos

Gostaria de agradecer a:

Sonny e Lois Pearl, meus pais, pelo apoio que me deram em todos os sentidos.

Chad Edwards, cuja integridade, incessante energia e dedicação sem reservas à verdade salvaram este livro.

Hobie Dodd, cujo extraordinário afeto, lealdade, amizade e fé – bem como sua capacidade para cuidar da minha vida pessoal e profissional – me permitiram conseguir o tempo para me sentar e escrever este livro.

Jill Kramer, cujo trabalho de edição encontrou a essência do meu livro e garantiu que os outros fossem capazes de encontrá-la também.

Robin Pearl-Smith, minha irmã, por fazer a manutenção do meu site, por rever incessantemente este livro (juntamente com meus pais, Hobie e Chad – antes de ter chegado às mãos de Jill), e por ajudar a trazer ao mundo a compreensão de A Reconexão.

John Edward, por todo o seu apoio nos bastidores.

Lorane, Harry e Cameron Gordon, que me abriram seus corações e me deram a minha família-além-da-minha-família e o meu lar-além--do-meu-lar, ajudando-me a ser tudo o que poderia ser.

Lee e Patti Carroll, cuja amizade e fé me ajudaram a me sustentar no processo de redação deste livro.

John Altschul, que educadamente tentou ignorar isso até ter sua própria cura.

Aaron e Solomon, pela sua compreensão desinteressada.

Fred Ponzlov, por doar generosamente a si mesmo e seu tempo.

Mary Kay Adams, pelo seu firme apoio e encorajamento.

Gary Schwartz e Linda Russek, pelo tempo e energia que investiram na pesquisa e documentação da Cura Reconectiva, e pelo seu belo Prólogo a este livro.

Reid Tracy, pelo modo como lidou com este projeto e por me tratar com amabilidade e respeito.

Todo o pessoal da Hay House, inclusive Tonya, Jacqui, Jenny, Summer e Christy, por apoiarem e, maravilhosamente, fazerem tudo por este livro, sempre que necessário.

Susan Shoemaker, que preparou incontáveis xícaras de chá enquanto lia o livro inteiro em voz alta para mim – *duas vezes!*

Joel Carpenter, que me acolheu em sua casa e sempre garantiu que eu parasse de escrever o tempo suficiente para comer.

Steven Wolfe, por ser um elemento de firmeza e estabilidade na minha vida.

Craig Pearl, o meu irmão, por não rir.

E a Deus, o Único neste livro
Que não se importa com o modo como escrevo o Seu Nome.

PRIMEIRA PARTE

A Dádiva

*"Quanto tempo mais você deixará sua energia adormecida?
Quanto tempo mais permanecerá indiferente à
sua própria imensidão?"*
– A CUP OF TEA, DE BHAGWAN SHREE RAJNEESH

Capítulo Um

Primeiros Passos

"Há apenas duas maneiras de viver sua vida. Uma é acreditar que nada é um milagre. A outra é acreditar que tudo é um milagre."
— Albert Einstein

O Milagre de Gary

Como é que esta pessoa consegue subir os degraus?, eu pensei, enquanto olhava através da janela panorâmica, ao lado da entrada do meu consultório. Meu novo paciente estava chegando à parte mais alta da escadaria. Movia-se dando uma série de passinhos intercalados por pausas, durante as quais olhava fixamente para o próximo degrau, preparando-se para o esforço. Uma vez mais me perguntei se iniciar uma clínica quiroprática no segundo andar de um edifício sem elevador teria sido a melhor opção. Não seria como abrir uma oficina de consertos de freios na baixada de uma colina íngreme?

Eu não tinha muitas opções na época em que comecei a exercer a profissão, em 1981, e aparentemente tinha agora ainda menos... embora as razões houvessem mudado. Durante os doze anos que passei ali, meu gabinete quiroprático tornou-se um dos maiores da cidade de Los Angeles. Como eu podia simplesmente levantar acampamento e me mudar?

Decidi não sair para ajudar aquele homem a subir os últimos degraus. Não queria diminuir o seu iminente sentimento de satisfação. Podia ver em seu rosto a resoluta determinação de um alpinista escalando a última encosta do Monte Everest. Quando, finalmente, ele deu uma guinada para o último degrau, não pude deixar de me lembrar da intrépida subida do Corcunda de Notre Dame à torre do sino.

Uma breve olhada à ficha do paciente revelou que ele se chamava Gary. Viera até mim devido a uma prolongada dor nas costas. Isso não era nenhuma surpresa. Embora fosse jovem e saudável, ele tinha uma postura torta que se tornou evidente no momento em que vi seu corpo. Sua perna direita era vários centímetros mais curta que a esquerda e seu quadril direito estava bem mais acima que o esquerdo. Devido à sua deformidade, ele mancava fortemente, balançando o quadril direito para fora a cada passo, empurrando depois o corpo para a frente, para alcançá-lo. O pé direito se virava para dentro e se apoiava sobre o esquerdo de modo que ambas as pernas agiam como uma única perna maior, equilibrando o peso da parte de cima do corpo. Para não cair, suas costas arqueavam para a frente até um ângulo de aproximadamente trinta graus, dando a impressão de que ele se preparava para mergulhar numa piscina. Sua postura e seu jeito de andar resultaram em intensos problemas nas costas, da infância ao presente.

Daí a pouco, Gary me contava sua história. Descobri que, de certo modo, ele vinha lutando com escadarias desde o momento do seu nascimento. O médico cortou-lhe o cordão umbilical cedo demais, interrompendo o fluxo de oxigênio para seu cérebro infantil. Quando seus pulmões começaram a funcionar, o mal estava feito: o cérebro fora afetado de um modo tal que o lado direito do seu corpo não conseguiu desenvolver-se de forma simétrica.

Gary explicou que aos 14 anos já visitara mais de vinte médicos, numa tentativa de remediar sua situação. Foi submetido a uma cirurgia para correção da postura e do andar por meio do alongamento do tendão de aquiles do calcanhar direito. Não deu certo. Deram-lhe sapatos ortopédicos e cintas para as pernas. Nenhuma melhora. Quando os espasmos que incomodavam sua perna direita se tornaram mais e mais violentos, foram-lhe prescritas poderosas drogas antiespasmódicas. Os espasmos pareciam aumentar com a medicação, que, por outro lado, o entorpecia e desorientava.

Por fim, Gary foi parar no consultório de um especialista famoso e muito bem recomendado. Se alguém podia ajudá-lo, Gary estava certo de que era esse homem.

Após um exame detalhado, o médico sentou-se, olhou-o nos olhos e disse que não poderia fazer nada. Afirmou que Gary sempre teria problemas nas costas, acrescentando que os problemas aumentariam com a idade, seus ossos iriam continuar a se deteriorar e finalmente ele teria que passar a viver numa cadeira de rodas. Gary limitou-se a olhar para o médico.

Ele depositara todas as suas esperanças e expectativas nesse profissional, mas deixou seu consultório mais abatido do que nunca. Foi nesse dia que, segundo conta Gary, ele "desistiu mentalmente da medicina convencional".

Treze anos se passaram. Enquanto estava se exercitando ao ar livre com uma conhecida, Gary por acaso mencionou que vinha sentindo fortíssimas dores nas costas. Curiosamente, ela fora minha paciente dois anos antes, depois de um grave acidente de motocicleta. Ela recomendou que Gary fosse ao meu consultório.

E ali estava ele.

Absorvido na sua história, levantei o olhar do papel onde tomava notas e perguntei:

– Você sabe o que acontece aqui?

Gary olhou para mim, um pouco confuso com a pergunta:

– Você é um quiroprático, certo?

Disse que sim com a cabeça, decidindo conscientemente não dizer mais nada. Havia no ar uma sensação de expectativa. Seria eu o único a senti-la?

Após levar Gary para outra sala, deitei-o numa maca e ajustei seu pescoço. Instruindo-o a voltar depois de 48 horas, para reavaliação, informei que a primeira visita havia terminado.

Dois dias mais tarde, Gary voltou.

Tal como antes, deitei-o na maca. O ajuste demorou apenas alguns segundos. Dessa vez, pedi que se descontraísse e fechasse os olhos... e não os abrisse antes de eu pedir. Passei as mãos, com as palmas para baixo, a uns trinta centímetros acima do seu tronco, notando lentamente as sensações ainda incomuns que sentia enquanto levava as mãos mais para cima, em direção à sua cabeça. Virando as palmas para dentro, continuei a levá-las para cima até ficarem de frente para cada uma de suas têmporas. Enquanto as mantinha ali, observei os olhos de Gary movendo-se muito, com rapidez e força, de um lado para o outro, com uma intensidade que indicava que ele estava tudo menos dormindo.

Fui instintivamente compelido a levar as mãos para a zona dos pés de Gary. Mantive as palmas suavemente viradas para suas solas. Minhas mãos pareciam estar suspensas por uma estrutura de suporte invisível. Devido à deformação de nascença de Gary, sua perna direita permanecia o tempo todo virada para dentro, mesmo quando ele estava deitado de costas. Ao olhar as pontas dos seus pés com meias, não fazia ideia daquilo que iria testemunhar. Foi como se os seus pés voltassem à vida. Vivos, não exatamente como estão vivos os pés de todos nós, mas como se tivessem se tornado duas entidades vivas distintas, distintas uma da outra – e claramente *não* Gary. Fascinado, observei o movimento dos seus pés. Quase parecia presente em cada um deles uma consciência independente.

Subitamente, o pé direito de Gary iniciou um movimento com um padrão semelhante a um leve "bombear" de um acelerador. Enquanto esse "bombeamento" continuava, um segundo movimento foi acrescentado – um movimento de rotação para fora que levou seu pé direito da posição original, pousado sobre o esquerdo, até uma posição com os dedos para cima, apontando para o teto, tal como estavam no pé esquerdo. Sem saber se eu ainda respirava, olhei fixamente em silêncio enquanto os olhos de Gary continuavam a mover-se como um veloz metrônomo sobre um piano de cauda.

Depois seu pé, sempre bombeando, rodou para trás e ficou na sua posição original. O padrão se repetiu. Fora. Dentro. Fora. Dentro. Depois pareceu parar. Esperei. E esperei. E esperei. Parecia que nada iria acontecer.

Dei por mim caminhando ao longo da maca até ficar de pé do lado direito de Gary. Mesmo não sendo meu costume tocar o corpo de uma pessoa quando fazia aquilo, senti-me compelido a pousar as mãos muito suavemente em seu quadril direito, a mão direita acima da esquerda, ainda que não diretamente uma sobre a outra. Olhei para baixo, para os pés de Gary. O pé direito recomeçou a mover-se, primeiro bombeando, depois retomando sua rotação. Fora. Dentro. Fora. Dentro. Fora.

Esperei. E esperei. Parecia que nada mais iria acontecer.

Retirei as mãos do quadril de Gary e depois, suavemente, com dois dedos, toquei seu peito:

– Gary? Creio que terminamos.

Os olhos de Gary ainda dardejavam, embora eu pudesse ver que ele tentava abri-los. Cerca de trinta segundos depois, quando abriu os olhos, Gary parecia um pouco confuso.

– Meu pé se mexeu – ele disse, como se eu não tivesse visto. – Pude sentir, mas não consegui pará-lo. Senti muito calor em volta e depois uma espécie de energia sobre a barriga da perna. Depois... você vai pensar que é loucura, mas senti como se mãos invisíveis estivessem virando meu pé, embora de modo algum parecessem mãos.

– Já pode se levantar – disse eu, fazendo o possível para não parecer perplexo, ainda tentando assimilar tudo. Gary levantou-se, pela primeira vez nos seus 26 anos e 1,80m de altura, com duas pernas independentes.

Com grande assombro, observei Gary ali de pé: sua coluna vertebral estava reta e seus quadris nivelados e equilibrados. Sua expressão começou a refletir seu próprio entendimento do que tinha acabado de acontecer. Ao tentar dar alguns passos, vi que ainda mancava um pouco, mas nada do anterior movimento oscilante das pernas. Muito pelo contrário.

Gary deixou meu gabinete com um enorme sorriso na face, e eu o observei descendo graciosamente os degraus.

Sinais

Naquele dia a energia se elevou claramente a um nível inteiramente novo. Por quê? Não sei dizer. Ela simplesmente se elevava a novos níveis, às vezes todas as semanas, outras quase diariamente e outras ainda várias vezes num mesmo dia. Mesmo assim, eu sabia que, embora a energia viesse *através* de mim, eu não a criava e nem mesmo a dirigia. Alguém fazia aquilo, alguém mais poderoso do que eu. Embora ultimamente eu tenha lido bastante, o que estava acontecendo comigo não se encaixava em nenhuma das "curas energéticas" que eu aprendera naqueles livros. Era algo mais do que simples "energia". Trazia consigo a vida e a inteligência por trás das muitas "técnicas" que enchem as prateleiras e as publicações Nova Era. Era algo diferente. Era algo muito real.

O que aconteceu naquela tarde com Gary não mudou apenas a vida *dele*, mas estava prestes a mudar também a minha. Não que Gary fosse o único paciente com o qual eu trabalhara daquela maneira – movendo as mãos acima do corpo deles. Isso acontecia há mais de um ano. Também não fora ele o único paciente a melhorar notavelmente durante a experiência. No entanto, ele representou de longe o caso mais extremo – o paciente que começara mais profundamente incapacitado e que saíra do meu gabinete com os resultados mais impressionantes e mais óbvios. Quase duas dúzias dos mais cotados médicos do país tinham sido incapazes de corrigir – ou mesmo melhorar – o modo de andar, a postura ou a rotação do quadril e da perna de Gary e, no entanto, essa anomalia, e a dor que estava associada a ela, praticamente desapareceram. Numa questão de minutos. Desapareceram.

Uma vez mais, perguntei por que essa energia escolhera fazer sua aparição através de *mim*. Quero dizer, se eu estivesse sentado numa nuvem vasculhando o planeta à procura da pessoa certa a quem pudesse conceder uma das mais raras e mais desejadas dádivas do universo, não sei se teria esticado a mão através do éter, apontado o dedo por entre as vastas multidões e dito:

— Aquele! É aquele. Concedam-lhe esta dádiva.

Talvez as coisas não tivessem acontecido bem assim, mas é assim que eu as sentia.

Eu certamente não passara a vida sentado no topo de uma montanha no Tibete, contemplando o meu umbigo e comendo tigelas de porcarias com pauzinhos. Passara doze anos desenvolvendo minha clínica e tinha três casas, um Mercedes, dois cães e dois gatos. Era um homem que ocasionalmente se mostrava tolerante demais, passava horas e horas vendo televisão e pensava estar fazendo tudo que "devia" fazer. Ah, eu tinha a minha quota de problemas – na realidade, haviam alcançado seu apogeu imediatamente antes de esses acontecimentos bizarros terem começado – mas, de um modo geral, minha vida corria de acordo com os planos.

Mas, planos de *quem*? Essa era a pergunta que eu agora tinha de fazer a mim mesmo. Porque, quando olho para trás, vejo que houve alguns sinais ao longo da estrada da minha vida – ocorrências estranhas, coincidências e acontecimentos – que, embora individualmente não tenham grande importância, todos juntos, e com a vantagem da visão retrospectiva, indicam que nunca caminhei verdadeiramente ao longo da estrada que julgava ter escolhido.

Onde estava o primeiro sinal? Até onde recuava a evidência? Se perguntássemos à minha mãe, percorreria todo o caminho até o dia em que saí do seu ventre. O meu nascimento havia sido, nas suas palavras, "incomum". Naturalmente, a maioria das mães recorda sua primeira experiência de dar à luz como especial e única, mas não se trata da mesma coisa. Algumas mulheres passam dias de torturante trabalho de parto, outras dão à luz na mata ou no banco de trás de um táxi. Minha mãe? Ela morreu na mesa de parto durante o meu nascimento.

Mas não foi morrer o que a incomodou. O que a incomodou foi ter de voltar à vida.

Capítulo dois

Lições da vida depois da morte

"Há uma razão lógica para tudo que está acontecendo neste mundo e fora dele – e tudo isso faz perfeito sentido. Um dia você compreenderá o propósito divino do plano de Deus."

– Lois Pearl

O hospital

Quando nascerá este bebê?, agonizava ela. Na sala de parto, Lois Pearl, minha mãe, fizera seus exercícios respiratórios e empurrara para baixo, empurrara para baixo... mas não acontecera nada. Nenhum bebê. Nenhuma dilatação. Só dor e mais dor, e a médica entrando e saindo para verificar seu estado no intervalo de outros nascimentos. Ela tentou não chorar; estava decidida a não fazer uma cena. Afinal de contas, aquilo era um hospital. Havia gente doente ali.

Ainda assim, da próxima vez que a médica apareceu, minha mãe olhou para ela com ar suplicante e, com as lágrimas escorrendo, perguntou:

– Será que isso um dia vai acabar?

Preocupada, a médica pousou firmemente a mão no abdômen da minha mãe para ver se eu havia "descido" o suficiente para nascer. Seu rosto mostrou que ela não estava muito convencida disso. Mas, tendo em conta a dor excruciante que minha mãe sentia, voltou-se para a enfermeira e, com relutância, disse:

– Leve-a para dentro.

Minha mãe foi colocada numa maca e conduzida à sala de parto. Enquanto a médica continuava a pressionar-lhe o abdômen, minha mãe percebeu que a sala fora subitamente tomada pelo som de alguém gritando muito alto. *Puxa,* pensou, *essa mulher está mesmo fazendo um papelão!* Então ela compreendeu que ela e o pessoal médico eram as únicas pessoas na sala – o que significava que os gritos estavam vindo dela mesma. Afinal, ela estava fazendo uma cena. Isso a aborreceu bastante.

– *Quando* isso vai acabar?

A médica lançou-lhe um olhar reconfortante e uma curta borrifada de éter. Foi como pôr um *band-aid* num membro decepado.

Vamos perdê-la...

Minha mãe mal conseguiu ouvir a voz por causa do roncar de motores – motores enormes, como os que poderíamos encontrar numa fábrica, não num hospital. Não haviam começado tão alto. O som, acompanhado por uma sensação de formigamento, começara em torno das solas dos seus pés. Depois, começou a subir pelo corpo como se os motores estivessem se movendo para cima, soando cada vez mais alto à medida que progrediam, desligando a capacidade de sentir numa área antes de se deslocar para a próxima. Na sua esteira ia ficando apenas dormência.

Acima do som dos motores, a dor do parto continuava com enorme intensidade.

Minha mãe soube que recordaria aquela dor para o resto da vida. Sua ginecologista – uma médica sisuda e de mentalidade rural – acreditava que a mulher devia experimentar a "completa expressão" da maternidade, o que significava nada de anestesia, nem mesmo durante o nascimento, a menos que contássemos as borrifadinhas de éter no pico das contrações.

Estranhamente, nenhum dos médicos ou enfermeiras parecia perturbado. Ali estava aquele som de trovão, embora ninguém na sala de parto parecesse notá-lo. Minha mãe ficou imaginando: – *Será possível?*

Portanto, os motores, e a dormência que deixavam para trás, deveriam ter sido um alívio. Mas como passaram roncando pela pélvis da minha mãe até a sua cintura, ela foi atingida pela consciência do que sabia que ia acontecer quando alcançassem seu coração.

Vamos perdê-la...

Não! Ela foi inundada por uma sensação de resistência. Com dor ou sem dor, ela não queria morrer – imaginou as pessoas de quem gostava de luto. Mas apesar de sua luta, os motores não voltariam atrás. Continuavam a subir, adormecendo alguns centímetros de cada vez, como se estivessem apagando sua existência. Ela era incapaz de fazer com que parassem. Quando minha mãe chegou a esse nível de compreensão, algo de extraordinário aconteceu. Embora continuasse a não *querer* morrer, uma espécie de paz caiu subitamente sobre ela.

Vamos perdê-la...

Os motores atingiram o seu esterno. O ronco enchia sua cabeça.

E então ela começou a *subir...*

A viagem

Não era o *corpo* da minha mãe que se erguia no ar. Era aquilo que ela podia apenas pensar como sendo sua *alma.* Ela estava sendo puxada para cima, gravitando propositadamente *em direção* a alguma coisa. Não olhou para trás. Já inconsciente do ambiente físico à sua volta, ela sabia ter deixado para trás a sala de parto e os seus motores. Continuou a subir, a mover-se para cima. E, embora não tivesse conhecimento consciente da vida depois da morte, ou de qualquer coisa "espiritual", isso não era muito importante. Não é necessário um conhecimento espiritual para reconhecer o momento em que nossa essência fundamental deixa nosso corpo e começa a se elevar. Só pode haver uma explicação para isso.

A última percepção da mesa de parto tida pela minha mãe foi a de que, embora estivesse deixando para trás tudo quanto lhe era familiar, *ela não se importava mais*. A princípio, isso a surpreendeu. Assim que deixou de lutar e "relaxou", sua viagem começou. A primeira coisa que percebeu foi uma sensação de paz total, de tranquilidade e de total ausência de qualquer responsabilidade mundana. Nenhum dos aborrecimentos do dia a dia para afundá-la no lodo. Nada de prazos para cumprir, nenhum compromisso social, nenhuma expectativa, nenhum limite a ser definido. *Nada de medos do desconhecido*. Um a um, todos haviam se dissolvido... e que alívio foi. Que *grande* alívio! Ao mesmo tempo, um sentimento mais leve apossava-se dela, que tomou consciência de estar *flutuando*. Sentia-se tão leve com o desaparecimento de todas as responsabilidades mundanas que se elevou a um nível ainda mais alto. E assim começou a ascensão da minha mãe, parando apenas para absorver conhecimento de um ou outro tipo.

Ela se elevou através de uma sucessão de diferentes níveis – ela não se recorda de um "túnel" diferente, como relataram outros que tiveram experiências semelhantes. Do que ela de fato se lembra é de ter encontrado "outros" no caminho. Estes eram mais que simples "pessoas". Eram "seres", "espíritos", "almas" daqueles cujo tempo terminara aqui na Terra. Estas "almas" falaram com ela, embora *falar* possa não ser a palavra mais apropriada. A comunicação foi não verbal, uma espécie de transmissão de pensamentos que não deixava qualquer dúvida do que estava sendo veiculado. Ali não existiam dúvidas.

Minha mãe aprendeu que a linguagem verbal, como a conhecemos, é não tanto uma *ajuda* quanto uma *barreira* à comunicação. É um dos obstáculos que temos de contornar como parte da nossa aprendizagem pela experiência aqui na Terra. É igualmente parte do que nos mantém no limitado horizonte de compreensão em que funcionamos a fim de obtermos o domínio das nossas outras lições.

Minha mãe tomou consciência de que a alma – o "cerne" de uma pessoa – é a única coisa que sobrevive ou tem importância. As almas exibem sua natureza claramente. Não havia rostos, corpos ou qualquer coisa escondida por trás deles e, contudo, ela reconheceu cada um – por aquilo que eram. Sua fachada física já não fazia parte deles. Fora deixada para trás como recordação do papel que um dia desempenharam na vida dos seus entes queridos, para serem consagrados em memória da sua existência. Esse testamento da verdade do seu antigo ser físico é tudo que permanece aqui na Terra. A sua verdadeira essência transcendera.

Minha mãe aprendeu como são pouco importantes nossa aparência exterior e os maneirismos físicos e como é superficial nosso apego a tais valores. A lição que ela tinha de aprender nesse nível era a de nunca julgar as pessoas pela sua aparência – incluindo raça ou cor – nem pelos seus credos ou nível de instrução, mas descobrir quem realmente *são*, ver o que está por dentro, ultrapassar o exterior e observar sua verdadeira identidade. E, embora essa fosse uma lição que ela já sabia *aqui*, de certo modo, a iluminação ganha *além* era infinitamente mais intrincada, infinitamente mais vasta.

Era impossível avaliar a passagem do tempo. Minha mãe sabia que estava ali tempo suficiente para subir através de todos os níveis. Sabia também que cada nível ministrava lições diferentes.

O primeiro nível era o das almas confinadas à Terra – aquelas que não estão prontas para partir. Estas são as que têm dificuldade em separar-se do que lhes era familiar. São habitualmente espíritos que sentem ter tarefas para terminar. Podem ter deixado entes queridos doentes ou deficientes cujos cuidados eram de sua responsabilidade (e estão relutantes em abandoná-los), demorando-se neste primeiro nível até se sentirem capazes de se livrar de seus vínculos terrenos. Ou então eles podem ter sofrido uma morte súbita ou violenta que não lhes tenha proporcionado tempo para compreender que morreram, assim como o processo pelo qual terão de passar para seguirem o caminho da ascensão. De qualquer modo, eles ainda sentem fortes ligações com a vida e não estão prontos para partir. Até alcançarem a compreensão de que já não podem atuar nesse plano, que já não pertencem a ele, e que já não são dessa dimensão, os espíritos permanecerão no primeiro nível – o mais próximo da sua vida anterior.

As memórias da minha mãe relativas ao segundo nível parecem um tanto vagas, embora as do terceiro sejam bastante vívidas.

Quando ascendeu ao terceiro nível, ela se lembra de ter experimentado um sentimento muito opressivo. Sentiu muita tristeza quando compreendeu que aquele era o nível dos que tinham tirado a própria vida. Essas almas estavam agora no limbo. Pareciam ter sido isoladas, não se movendo nem para baixo nem para cima. Não tinham direção. Havia uma característica de falta de propósito na presença deles ali. Será que poderiam se elevar até algum ponto para poderem completar sua lição e evoluir? Ela não conseguia aceitar que não pudessem. Talvez isso fosse apenas demorar mais para eles, mas, ela sentiu, isso era pura especulação. Essa não foi uma resposta que minha mãe pôde trazer de volta. Fosse qual fosse o caso, essas almas não estavam em repouso – e a experiência desse nível era bastante desagradável, não só para os que passavam ali o seu tempo, mas também para os que estavam de passagem. A lição a extrair dali, do terceiro nível, era clara e indelével: *Tirar a própria vida interrompe o plano de Deus.*

Lições adicionais

Houve outras lições que minha mãe pôde trazer de volta. Foi-lhe mostrada a futilidade de ficar de luto por aqueles que morreram. Se havia algum pesar experimentado pelos espíritos que passaram, era a dor sentida por aqueles que deixaram para trás. Eles querem que nos alegremos na sua passagem, que os festejemos em casa, porque, quando morremos, estamos onde queremos estar. Nosso luto é pelas *nossas* perdas, a perda na nossa vida do lugar uma vez ocupado por aquela pessoa. Sua existência, quer sentida como agradável ou desagradável, foi parte do nosso processo de aprendizagem. Quando essas pessoas morrem, perdemos essa "fonte" de lições. Felizmente, ou já aprendemos tudo o que tínhamos de aprender, ou, ao refletir sobre como essas vidas se entrelaçaram com a nossa, acabaremos por ter condições de aprender. Ela entendeu que a passagem do tempo – desde que deixamos o céu para vivermos nossa vida na Terra até nosso regresso – não é senão um estalar de dedos na nossa consciência eterna e que estaremos todos juntos "muito em breve". É então que compreendemos que tudo foi concebido para ser dessa maneira.

Foi-lhe igualmente mostrado que, não importa que coisas aparentemente terríveis ou injustas aconteçam às pessoas aqui na Terra, *não é culpa de Deus*. Quando crianças inocentes são mortas, pessoas boas morrem após doenças prolongadas ou quando alguém é ferido ou desfigurado, isso nada tem a ver com *culpa* ou *falha*. Essas são as *nossas* lições a aprender – as que estão no *nosso* plano divino – e concordamos em carregá-las conosco. São lições para nossa evolução – para os emissores e os receptores.

No quadro maior, *essas ocorrências estão sob a orientação e o controle da pessoa que as experimenta*. A ação, ou sua execução, é apenas a nossa orquestração dos acontecimentos. Compreendendo isso, ela pôde verificar como é inadequado perguntar como Deus pôde deixar tais coisas acontecerem, ou, com base nesses acontecimentos, questionar a real existência de Deus. Minha mãe entendia agora que havia uma explicação perfeitamente lógica para tudo isso. Era *tão* perfeita que ela se perguntou por que não tinha entendido desde o começo. E, de certo modo, vendo o quadro completo, ela compreendeu que tudo – *tudo* – é como deveria ser.

Minha mãe também aprendeu que a guerra é um estado temporário de barbarismo – um modo ignorante e inepto de resolver diferenças e que, em alguma época, deixará de existir. Essas almas veem a paixão humana pela guerra não apenas como primitiva, mas como ridícula – jovens enviados para combaterem as batalhas dos velhos pela aquisição de terra. Um dia a espécie humana vai rememorar a totalidade do conceito, e perguntará: *Por quê?* Quando houver um número suficiente de almas evoluídas muito inteligentes para resolverem os problemas, a guerra terminará de uma vez por todas.

Minha mãe descobriu até a razão pela qual as pessoas que, segundo todas as aparências, fizeram coisas "horríveis" durante a vida eram recebidas ali sem julgamento. Suas ações tornavam-se lições a partir das quais elas deviam aprender e a partir das quais deviam se tornar seres humanos mais perfeitos. Elas evoluíam a partir do nível das suas escolhas. Naturalmente, teriam de voltar à Terra mais de uma vez até absorverem o conhecimento derivado do grande alcance das consequências do seu comportamento. Deverão passar pelo ciclo de nascimento e renascimento durante o tempo que for necessário para evoluírem e, finalmente, voltarem para Casa.

Quando as lições estavam completas, minha mãe ascendeu ao nível superior. Uma vez lá, parou de subir e começou a deslizar para a frente sem esforço, puxada firme e premeditadamente em direção a certo tipo de força. As mais belas espirais de cores e formas passavam por ela de todos os lados. Eram como paisagens campestres, a não ser... que não havia terra. De certo modo, ela sabia serem flores e árvores, embora de modo algum fossem como qualquer coisa aqui na Terra. Essas cores e formas únicas e indescritíveis, inexistentes no mundo que havia deixado para trás, encheram-na de admiração.

Gradualmente, minha mãe teve consciência de deslizar sobre uma espécie de estrada, um caminho estreito onde se enfileiravam almas conhecidas de ambos os lados – amigos, parentes e pessoas que ela conhecera de muitas outras vidas. Elas tinham vindo recebê-la para guiarem-na e lhe assegurar de que tudo estava bem. Foi uma sensação indescritível de paz e felicidade.

No fim da estrada, minha mãe viu uma luz. Era como o sol, tão brilhante que ela teve medo que lhe queimasse os olhos, embora sua beleza fosse deslumbrante. Ela não conseguia afastar o olhar. Surpreendentemente, mesmo quando foi atraída para mais perto, seus olhos não sentiram dor. O estranho brilho da luz parecia-lhe familiar – de certo modo confortável. Achou-se rodeada pelo seu halo e soube que a luz era muito mais que uma simples radiação: era o âmago do Ser Supremo. Ela havia alcançado o nível da Luz da completa sabedoria, da suprema importância, da total aceitação e do amor incondicional. Minha mãe soube que estava em *Casa*. Ao lugar a que pertencia. Era dali que tinha vindo.

Então, a Luz se comunicou com ela sem palavras. Com um ou dois pensamentos não verbais, transmitiu-lhe informação suficiente para encher volumes. Estendeu diante dela a sua vida – *esta* vida – em imagens. Foi maravilhoso ver aquilo; quase tudo que alguma vez ela havia dito ou feito era mostrado com clareza. Ela podia sentir realmente a dor ou a alegria que havia proporcionado aos outros. Por meio desse processo, ela estava recebendo suas lições – *sem nenhum julgamento*. Contudo, mesmo não havendo julgamento, *ela soube* que tinha tido uma boa vida.

Passado algum tempo, minha mãe soube que ia ser enviada de volta. Mas ela não *queria* voltar. É engraçado que, apesar de toda a luta, a princípio, para não morrer, agora de modo algum ela queria voltar. Estava tão maravilhosamente em paz – aninhada em seu novo ambiente, em seus novos conhecimentos e com seus velhos amigos! Queria ficar eternamente. Como alguém poderia esperar que ela partisse dali?

Em resposta a esses apelos silenciosos, minha mãe foi levada a compreender que ainda não havia terminado sua tarefa na Terra: tinha de voltar para criar o filho. Parte da razão pela qual ela havia sido levada para lá fora para adquirir especial compreensão do modo como fazer isso!

Repentinamente, minha mãe sentiu-se retirada do âmago da Luz e puxada para trás ao longo do caminho anteriormente percorrido. Mas agora ela ia na direção oposta e sabia estar voltando à sua vida na Terra. Deixar as almas conhecidas, as cores e as formas e a própria Luz a fez sentir uma profunda ansiedade e uma grande tristeza.

À medida que se afastava da Luz, a sabedoria da minha mãe começou a se desvanecer. Ela sabia que fora *programada* para esquecer; não era para *lembrar-se*. Ela tentou desesperadamente ligar-se ao que ficara, sabendo que de modo algum se tratava de um sonho. Ela lutou para se agarrar às memórias e às sensações, muitas das quais já haviam sumido, e sentiu uma perda terrível. Contudo, sentiu uma paz interior, agora insuflada pelo conhecimento de que, quando chegasse o momento de voltar para Casa, seria recebida com amor. Isso, ela sabia que iria recordar. Nunca mais temeria a morte.

Nesse momento, minha mãe ouviu o distante som de motores. Dessa vez eles principiaram no alto da sua cabeça e começaram a caminhar para baixo. Por trás do ruído ela começou a ouvir vozes – vozes humanas – e, depois, o batimento do seu próprio coração.

A maior parte da dor, notou, havia desaparecido.

Os motores moveram-se para baixo, mais para baixo, sempre mais para baixo... o seu ronco diminuindo de intensidade. Logo nada mais restava dos motores a não ser um zumbido nas solas dos seus pés. E depois, nem isso. Acabara-se. Ela tinha voltado ao que as pessoas gostam de pensar como o mundo "real".

Inclinada sobre ela, a médica, com ar muito aliviado, sorria:
– Parabéns, Lois – ela disse. – Você tem um lindo menino.

O significado de tudo isso

Ainda não haviam me mostrado à minha mãe. Antes tinham de me limpar, pesar e contar os dedos dos pés. Portanto, ela foi para seu quarto no hospital. Enquanto a conduziam pelo corredor, ficou subitamente submersa pelas sensações que experimentara e absorvera. Sabia intuitivamente que já tinha esquecido muitos dos conhecimentos que ainda há pouco eram seus: por que o céu era azul, a grama verde, o mundo redondo e como acontecera a criação – a lógica perfeita de tudo isso. No entanto, ela sabia com certeza que *há* um Ser Supremo. *Há* um Deus.

Ela trouxe igualmente com inequívoca clareza a compreensão de que: *Fomos colocados aqui para aprendermos lições que nos tornam almas mais completas. Temos de viver este plano neste nível antes de estarmos prontos para avançar para outro nível. É por isso que algumas pessoas são almas velhas enquanto outras são almas jovens.*

Hoje em dia você pode encontrar muita informação desse tipo em livros de metafísica, mas naquela época isso não era verdade. As livrarias não tinham seções Autoajuda e essas lições não eram seguramente ensinadas como fazendo parte das nossas tradições religiosas básicas. Minha mãe não tinha amigos que falassem dessas coisas nem havia entrado no hospital para procurar iluminação – queria apenas tirar um feto muito relutante de dentro de seu corpo antes de enlouquecer de dor!

Contudo, não havia qualquer dúvida de que ela tinha mudado. Ela sentia isso – e sabia que, ironicamente, parte dessa mudança era o resultado de ter deixado para trás a memória de tantas lições. A vida toda ela havia sido compulsiva, uma perfeccionista. Agora, ao descobrir que estava desejosa de encarnar cada um dos princípios que lhe foram ensinados, descobriu que não conseguia lembrar-se da maioria deles. Como podemos praticar aquilo de que não lembramos?

Por isso, minha mãe decidiu que era hora de ser tolerante consigo mesma... e com os outros. Isto é, talvez tenha concordado com um pouco de pó dentro de casa, não tenha levado, nas viagens de férias, uma garrafa de água sanitária para limpar o interior das privadas nos banheiros de hotel e tenha começado a aceitar as coisas como elas são.

Enquanto a maca era levada pelo corredor, meu pai apareceu ao lado da minha mãe, acompanhando-a. Ela gesticulou pedindo-lhe que se aproximasse.

– Quando voltarmos para o quarto – ela cochichou – tenho uma coisa para lhe contar que fui programada para esquecer.

Quando estavam juntos no quarto, em companhia de apenas duas mulheres deitadas em macas, minha mãe sussurrou:

– Não conte nada do que eu disser, Sonny. As pessoas vão pensar que estou louca.

– Não vou contar.

Começou a relatar tudo aquilo de que ainda conseguia se lembrar, tentando salvar os poucos grãos de areia que se agarravam aos seus dedos. Meu pai a ouvia em silêncio, e ela tinha a certeza de que ele não duvidava de uma única palavra que dizia. Sabia que ela jamais inventaria uma história tão louca.

Quando terminou, a exaustão começou a conduzi-la ao sono. Ela insistiu que meu pai fosse para casa e escrevesse tudo o mais depressa possível. A informação era preciosa demais para se perder. Ele concordou.

Depois de acordar, ela se encontrou olhando para a mulher da maca vizinha. Minha mãe reconheceu-a do dia anterior. Seu primeiro pensamento foi um vacilante: *Puxa! Que mulher feia!* E depois disse para si mesma:

"Espere aí. Você acabou de descobrir que a aparência de uma pessoa não interessa." A ironia daquilo fez com que sorrisse.

– Quando veio da sala de parto, você falou a noite toda – disse a companheira de quarto.

– É mesmo?

– Estava citando as Escrituras.

– Que foi que eu disse?

– Não sei. Falou em outras línguas.

Outras línguas? Minha mãe não sabia qualquer idioma estrangeiro ou antigo; por sinal, ela conseguia apenas recitar o Salmo 23 – e só em inglês.

Ela se recostou na cama. Tantas perguntas. Se antes tivera algumas dúvidas quanto ao que lhe acontecera na véspera, agora não tinha mais. Algo muito pouco habitual ocorrera naquela sala de parto. Ela sabia que não fora um sonho, porque os sonhos não nos modificam, pelo menos não de uma maneira tão profunda. Como podemos entrar num sonho com medo da morte e sair dele não apenas sem medo, mas, na realidade, à vontade com isso – e sabendo que *sempre* nos sentiremos assim?!

Minha mãe queria aprofundar sua experiência. Queria principalmente saber exatamente o que tinha acontecido na sala de parto com seu corpo, enquanto sua consciência esteve em comunicação com seres de pura luz.

Depressa descobriu que não seria assim tão fácil.

Quando perguntou à médica se algo "estranho" tinha acontecido na sala de parto, recebeu como resposta:

– Não, foi um parto normal.

De acordo com a médica, a única complicação, mas de pouca importância, fora a necessidade de usar fórceps para colocar o bebê na posição de nascimento – uma prática muito comum na época.

Código de silêncio

Um parto normal?

Não podia ser verdade. A expressão "parto normal" não coincidia com "Vamos perdê-la".

Mais tarde, minha mãe consultou as enfermeiras que estavam presentes tanto na sala de trabalho de parto como na sala de parto, mas não conseguiu encontrar uma sequer que se lembrasse de tê-la ouvido falar em várias línguas ou admitisse a existência de qualquer problema.

– Correu tudo bem – elas disseram.

Se as médicas e as enfermeiras eram as únicas pessoas presentes durante o parto, esse teria provavelmente sido o fim de tudo aquilo. Mas então minha mãe se lembrou de uma auxiliar de enfermagem que também estivera presente na sala de cirurgia durante meu nascimento. As auxiliares de enfermagem ficavam em segundo plano. Faziam seu trabalho em silêncio, com eficiência e sem alarde. Não se percebia a presença delas e quase sempre eram subestimadas. *As auxiliares de enfermagem não têm muitas razões para esconderem a verdade quando as coisas correm mal.*

Portanto, minha mãe confrontou a auxiliar de enfermagem dizendo:
– Sei que alguma coisa me aconteceu naquela sala de cirurgia.

Após uma longa pausa, a moça deu de ombros.
– Não posso falar disso, tudo quanto posso lhe dizer é que... *a senhora teve... sorte.*

Vamos perdê-la?

Teve sorte?

Foi o suficiente para confirmar o que minha mãe já sabia: alguma coisa especial *havia* acontecido a ela naquele dia na sala de parto, alguma coisa que foi muito além da alegria de me pôr no mundo sem os benefícios da anestesia. De fato, as médicas *a haviam* perdido. Ela tinha morrido – e voltado. Na verdade, ela começou a pensar no que lhe acontecera não como uma experiência "de quase-morte", mas como uma experiência de "vida após a morte". "Quase-morte" é um termo muito fraco. Minha mãe não havia estado *quase* morta. Ela havia *morrido*. E assim como outros que morreram e regressaram, voltara uma pessoa diferente. Ela agora compreendia que, fosse qual fosse seu caminho na vida, "bom" ou "mau", ele seria exatamente aquilo de que sua alma precisava naquela época para progredir. *"Você vai voltar... até compreender bem."* É parte da evolução.

Essa lição acabou sendo bastante apropriada e oportuna. Ela tinha acabado de me dar a vida e, aos seus olhos, eu era fora do comum desde o momento do meu nascimento.

Foi um típico exagero de mãe? Talvez, exceto pela insistência da minha mãe em ter vislumbrado que eu era fora do comum desde que pôs os olhos em mim, no dia seguinte ao do meu nascimento. Eu era o único recém-nascido na enfermaria quando ela entrou com uma mamadeira com leite na mão, se aproximou do meu berço e espreitou lá para dentro. Eu estava deitado de bruços, acordado.

– Olá, pequeno desconhecido – cumprimentou. – Somos você e eu contra o mundo. Você e eu.

Ao som da sua voz, elevei-me nos antebraços e erguendo a cabeça bamboleante, virei-me lentamente para a esquerda e, depois, muito devagar, para a direita, como se para me familiarizar com o meu novo ambiente. Minha mãe ficou maravilhada com essa cena. Seria possível? Sempre lhe haviam dito que os músculos do pescoço de um recém-nascido eram fracos demais para fazerem algo desse tipo.

Minha mãe ia colocar a mamadeira numa mesa próxima, mas então hesitou. Quem sabe que germes haveria na superfície da mesa? Ela podia vê-los precipitando-se para dentro da mamadeira através do bico, contaminando o leite. Mas não tinha igualmente acabado de aprender que seria melhor ignorar algumas dessas obsessões sem importância que habitualmente a consumiam – que há uma razão e um equilíbrio para tudo?

Quase. Minha mãe optou pelo meio-termo, dobrando um pano e colocando-o entre a mamadeira e o tampo da mesa, enquanto se debruçava para me apanhar. Apaixonou-se por mim no momento em que me viu.

Mais tarde, quando a médica veio examiná-la, mamãe contou-lhe como eu erguera a cabeça. A médica disse-lhe firmemente:

– Eles não conseguem fazer isso.

Depois saiu para me examinar no berçário.

Um segundo mais tarde, mamãe ouviu a voz da médica vinda da enfermaria, na sala ao lado:

– *Ó, psst* – disse a médica, em tom de quase censura. – Você não devia fazer isso...

Naquele instante, minha mãe teve certeza de que alguma coisa de extraordinário estava acontecendo ali.

꧁ ꧂

Capítulo três

Coisas de criança

"As crianças dizem as coisas mais surpreendentes."
– Art Linkletter

Quando eu era criança, disseram que eu aprendia depressa, mas que me aborrecia muito facilmente. Era imaginativo e caprichoso, pensativo e indiferente, amoroso e egoísta. Como a maioria das crianças mais novas, estava convencido de que o mundo girava em torno de mim e das minhas necessidades. E por que não? Na minha mente, havia poucos limites entre o que desejava e o que esperava obter. Acreditava que tudo devia ser à minha maneira. Tudo.

Incluindo os planejamentos familiares.

Minha mãe sentiu no útero os primeiros movimentos de uma vida nova quando completei 2 anos. A sensação chegou na forma de dois "batimentos" diferentes e, por isso, ela ficou convencida de que carregava gêmeos. Uma equipe de ginecologistas insistia em que ela estava errada, mesmo quando sua barriga começou a crescer... a crescer... a crescer. Ela era uma mulher alta e magra. Por trás, apenas se via sua silhueta esbelta e alta, mas quando se virava de lado, aparecia um perfil tão exagerado que se poderia pousar confortavelmente uma bandeja sobre sua barriga.

Eu adorava me aproximar e ouvir as batidas dentro da barriga da minha mãe. Quando punha o ouvido nela, as coisas pareciam bastante ativas lá dentro. Isso me fascinava.

Alguns meses mais tarde, minha mãe voltou à sala de parto, mas dessa vez deram-lhe anestesia. Não ouviu motores e não entrou em viagens cheias de aventuras.

– Força – disseram os médicos por entre um nevoeiro quase impenetrável. Ela fez, e depois adormeceu. Acordaram-na passado pouco tempo.

– Parabéns. A senhora tem uma menina linda. – Contente (e drogada), ela acenou com a cabeça e voltou a adormecer. Alguns minutos mais tarde, voltaram a acordá-la.

– Força.

– Certo – ela pensou. – Eu sabia que isso ia acontecer. – E fez força de novo.

Aquilo que se lembra de ter ouvido a seguir foi:

– Parabéns. A senhora teve um belo menino. – Sabendo que havia terminado, deu a si própria permissão para deslizar para um sono profundo.

Logo voltaram a acordá-la:

– Força.

– Outro não!

Eles riram:

– Não, não, dessa vez é para expelir a placenta.

Quando, finalmente, os gêmeos chegaram em casa, ela ficou surpresa ao descobrir que seu primeiro filho, eu, parecia tudo menos contente.

– Qual é o problema? – ela perguntou.

– Eu não queria os dois – disse eu.

– Mas você disse que queria – respondeu ela vivamente.

– Não, não queria.

– Você disse que queria um irmão e uma irmã.

De pernas abertas, punho direito firmemente pousado no quadril, olhei minha mãe nos olhos:

– Eu disse que queria um irmão *ou* uma irmã. *Oooooouu* uma irmã. Pode devolver um.

Mal sabia eu das dificuldades que iria encontrar para me acostumar a partilhar com meus irmãos um espaço que até então fora apenas meu. Esse seria um enorme desafio (está bem, lição para crescer) durante os anos seguintes.

Abrir a porta

A questão acerca do comportamento precoce é a seguinte: às vezes é uma gracinha, outras vezes não. Desde pequenininho eu tinha dificuldade em lidar com a autoridade e uma dificuldade ainda maior em lidar com o aborrecimento. Era uma combinação complicada. Se havia uma frestinha que eu sabia que não devia examinar, lá estava eu. Se havia alguma coisa que não deveria fazer, era muito provável que fizesse. Nas palavras da minha mãe, para me manter ocupado, tornei-me bastante hábil nos "truques" e nas explicações. Cair no sono era apenas um modo de rejuvenescer. E mesmo assim, tinha medo de perder alguma coisa enquanto dormia.

Um exemplo de um dos meus truques envolvia minha avó materna, "Nana". Um dia, não muito tempo depois de meus irmãozinhos terem vindo para casa, Nana veio tomar conta de nós, o que proporcionou à minha mãe um merecido descanso. Meus irmãos estavam em seus berços e eu estava temporariamente ocupado com a televisão. Três grandes panelas de alumínio, uma cheia de fraldas e as outras duas, de mamadeiras, ferviam ativamente no fogão da cozinha e um carregamento de roupa acabara de secar no porão. Nana desceu para buscar a roupa. Trabalhadora incansável, rápida e prática, Nana tentava se apressar, pois sabia que deixar-me sozinho muito tempo não era a coisa mais inteligente para se fazer. Com os braços carregados de roupa quente, que acabara de secar, dobrada e habilidosamente disposta numa grande pilha, ela começou a subir as escadas. Espreitando por cima da pilha de roupa, viu repentinamente a porta do porão começar a se fechar. Ela tentou andar depressa, mas a porta fechou-se antes de ela alcançá-la. A fechadura fez clique.

Encostada à porta, segurando a pilha de roupa, Nana libertou uma mão e tentou a maçaneta. Não girava.

– Abra a porta, Eric – disse ela, numa voz doce e controlada.

Numa voz ainda mais doce, repliquei:

– Na-não.

– Ande logo, abra a porta.

– Na-não.

Nana sabia que gritar comigo não dava resultado, mas não queria ser vencida por uma criancinha, ainda que precoce – sobretudo com três panelas de água fervendo num cômodo e dois bebês dormindo em outro. Assim sendo, tentou uma abordagem diferente:

– Aposto que você não é capaz de girar a maçaneta – disse ela, jogando com a minha teimosia.

– Sou, sim.

– Aposto que não.

Fez-se silêncio.

Nana começou a suar. Ela quase podia ouvir o som do meu cérebro girando a toda velocidade, testando a situação. Finalmente, tal como ela previra, eu tive que me pôr à prova. Empurrei a maçaneta ligeiramente. Ela a ouviu ressoar suavemente.

– Aposto que você não é capaz de abri-la – disse ela.

– Sou sim.

Uma vez mais veio o desafio docemente disfarçado:

– Aposto que não.

Seguiu-se nova pausa longa. As roupas começavam a pesar-lhe nos braços. A fechadura consistia numa pequena maçaneta que você empurrava para dentro e rodava. Quando se soltava, emitia um leve *clique*, e Nana esperava por esse som. Tinha de se mexer com rapidez. Não queria me machucar abrindo a porta depressa demais, mas essa podia ser sua única oportunidade.

Não consegui resistir.

Clique.

Nana empurrou rapidamente a porta que se abriu mais depressa do que ela esperara. A roupa ainda quente e acabada de dobrar voou pelo chão. Fui derrubado antes de poder fugir. Abalado, fiquei ali chorando.

Nana apressou-se a desligar o fogão e depois veio confortar-me.

Eu tinha apenas 2 anos e meio e já então Nana sabia que, para ela, a carreira de babá havia terminado.

Nas nuvens

Nana era a mãe da minha mãe e "Bubba", a do meu pai. Bubba era uma avó animada e forte, ao estilo do velho mundo, que dava aqueles grandes beijos na bochecha com sucção, à moda europeia – do tipo que fazia um aspirador se sentir inferiorizado. Era cheia de vida, transbordante de energia e de um senso de humor inconveniente, envergonhando muitas vezes os familiares mais "conservadores". Sentava-me ao seu lado nos jantares festivos; e, quando eu passava as noites na casa dela, de manhã levava-me para o quintal para apanhar morangos e outras frutas e, depois, preparava um enorme e fantástico café da manhã. Mais tarde, carregava-me num braço como se eu fosse uma pena enquanto limpava, espanava o pó, passava aspirador e falava ao telefone. Eu adorava todo esse movimento, a sensação de viajar pelo espaço sem usar os pés. Mais e mais rápido, era aquilo que eu queria. Puxa, eu a adorava.

Num dia de janeiro, Bubba foi para o hospital e nunca mais voltou.

Aparentemente, deitada na cama do hospital, ela sentiu uma dor no peito, tentou alcançar o botão para chamar a enfermeira – e não conseguiu.

Meus pais tiveram de lidar com a súbita partida da Bubba da minha vida.

– Ela foi dormir – disseram-me – e nunca mais vai acordar.

Refleti nisso durante algum tempo e depois rejeitei a situação:

– Posso acordá-la – disse eu. – Aposto que se pusermos três aspirinas na boca de Bubba e eu saltar para cima e para baixo sobre a barriga dela, ela vai acordar. – Saltar para cima e para baixo sobre o seu estômago era a minha estratégia adicional, uma coisa auxiliar para o caso de o gosto das aspirinas se dissolvendo em sua língua não ser suficiente para fazer com que abrisse os olhos e voltasse à vida.

Que eu me lembre, essa foi uma das poucas vezes em que vi meu pai chorar.

O funeral realizou-se logo a seguir. Não me deixaram assistir. Meus pais sentiam que, aos 5 anos de idade, seria muito traumático para mim ver o corpo sem vida da minha avó. Bubba partiu e todos foram se despedir dela menos eu.

À noite, eu pensava nela deitado na cama. E às vezes chorava em silêncio. Sentia sua falta e, embora na época não compreendesse o conceito, senti que não tinha havido uma *conclusão*.

Entretanto, eu sabia que, mesmo não tendo podido me despedir de Bubba, ela não se esquecera de *mim*. Sabia exatamente onde ela estava, e sabia que tomava conta de mim como sempre fizera. Sabia porque ela tinha me ajudado quando *necessitei* – como na vez em que estava brincando no quintal com meus amigos e começou a chover. Todos tinham que ir para casa e o jogo ia terminar, portanto, eu disse a eles:

– Esperem aqui. Eu já volto.

Enquanto eles se amontoavam no terraço, corri para o lado da casa em que ninguém podia me ver. Então, olhei para o céu e disse:

– Bubba, você pode fazer parar a chuva, por favor?

E muitas vezes a chuva parava. Parece que, afinal de contas, minha Bubba não tinha me deixado.

Em desacordo com a escola

Logo chegou o momento de eu frequentar o jardim de infância. Desde que passei pela porta de entrada, a escola aborreceu-me mortalmente. A maior parte do tempo, eu passava sonhando acordado, mas não com as típicas fantasias de um menino – jogando bola, sendo um herói, combatendo monstros (bem, às vezes combatia um ou dois tornados gigantes... mas não é o que todo mundo faz?). Muito mais vezes imaginei ser o oráculo de Delfos. Não sabia exatamente o que era ou quem era o oráculo de Delfos, embora de certo modo me tenha visto sentado numa caverna longínqua para onde se dirigiam bandos de pessoas que viajavam longas distâncias para procurarem meu conselho.

Considerei também atos que *sabia* poder executar, tal como passar as mãos através de paredes. Tinha a certeza de que, se me fechasse no meu quarto durante três dias, podia descobrir como fazer isso. Estranhamente, ninguém me deixava fazer isso. Provavelmente já tinham tentado aquilo quando eram crianças e decidido que era uma perda de tempo.

Se os professores desaprovavam meus devaneios, provavelmente gostavam ainda menos da minha falta de atenção. Eu era frequentemente insubordinado: comportava-me mal e chamava atenção sobre mim ou ignorava-os e me perdia no meu próprio mundo. Antes de o meu primeiro ano terminar, eu tinha me metido em encrencas tantas vezes que minha mãe não aguentou mais, chorando em frente do diretor da escola.

– Quando é que isso vai acabar? – ela soluçou, fazendo inadvertidamente eco das palavras que usara quando nasci.

– Quando ele se interessar por alguma coisa – disse o diretor.

– Quando isso vai acontecer?

– Pode acontecer a qualquer momento. – O diretor fez uma pausa e, depois, deu uma gargalhada de impotência. – Com o *meu* filho *só* aconteceu na universidade.

Não é que não tivesse interesses; simplesmente eles não se manifestavam na escola. Quando meu avô me deu uma caixa de relógios velhos e quebrados, fiquei fascinado. Isso foi na época em que os relógios eram intrincados mistérios de pecinhas interagindo (antes da revolução digital). Sempre que um dos seus relógios parava de funcionar, se a relojoaria não conseguia consertá-lo, ele o colocava numa velha caixa de charutos, junto com os outros que tinham tido o mesmo destino. Um dia ele me trouxe essa "arca do tesouro" de relógios quebrados. Nenhum deles funcionava e, claro, eram todos grandes demais para que eu pudesse usá-los, mas isso não me aborreceu. Queria brincar com eles de qualquer maneira. Foi o que fiz. Peguei um, e ele começou a funcionar. Peguei em outro que também começou a funcionar, depois parou. A corda de um terceiro não funcionava, por isso sacudi-o um pouco. Durante alguns minutos, agarrei firmemente aquele que funcionara e depois parara. Ele recomeçou a funcionar e continuou. Segurei aquele que sacudira e ele começou a funcionar. Dentro de pouco tempo, eu estava "consertando" os relógios velhos dos meus amigos. Acho que isso é o oposto seja de qual for o princípio que faz com que os relógios se quebrem quando certos indivíduos os usam.

Mas, para algumas pessoas, a capacidade de consertar relógios sem abri-los não era tão importante como a capacidade de colorir sem ultrapassar as bordas do desenho e recitar a cartilha. Minhas falhas acadêmicas foram consideradas tão graves que, quando eu estava no segundo ou terceiro ano, uma assistente social foi à minha casa para inspecionar o ambiente e verificar por que razão eu não obtinha bons resultados na escola. Pouco tempo depois de sua chegada, perguntei-lhe se era capaz de me explicar o conceito de infinito.

Desconcertada, ela se levantou depressa e saiu porta afora.

– Tenho que conversar com o diretor sobre isso – ela gritou por cima do ombro.

Se isso aconteceu, ela nunca me disse o que havia descoberto.

Dessa vez, uma conclusão

Havia uma boa razão para contemplar coisas de uma natureza infinita, porque na mesma época eu estava prestes a sofrer uma nova perda: minha cadela, Silk, uma doberman pinscher, tinha já 2 anos de idade quando nasci, embora suportasse com elegância meu comportamento infantil, incluindo o hábito de usar o seu beiço inferior como ponto de apoio para me pôr de pé e me manter firme agarrado a ela ao aprender a andar. Ela estremecia de dor, mas nunca me mordia ou sequer rosnava. Sabia de alguma maneira que eu era uma criança e que precisava do seu amor e da sua proteção.

Eu adorava a sensação das coisas frias ao tato, incluindo as orelhas de Silk. Quando ela dormia ao lado da minha cama, eu deixava cair o braço para o lado e prendia suavemente sua orelha fria entre dois dedos. O contato acabava aquecendo a orelha (não que eu quisesse) e, nesse caso, eu mudava para a outra orelha, voltando à primeira quando esta ficava muito quente. Quando ambas as orelhas ficavam quentes demais para serem interessantes, eu punha Silk para fora para elas esfriarem outra vez. Depois de uns dez minutos, ela vinha latir à porta da frente – o seu sinal – e eu sabia que estava pronta para entrar e recomeçar. Após dois ciclos completos desse ritual, eu adormecia.

Quando eu tinha 10 anos, Silk tinha 12 (84 em idade de cachorro) e a saúde dela estava declinando. Minha mãe e meu pai haviam concordado que, quando nada mais pudesse ser feito por ela, não a deixariam sofrer; iriam sacrificá-la.

Esse fora o ano mais difícil para Silk. Havia momentos em que, embora tentasse, essa cadela que me havia ensinado a andar não conseguia mais ficar de pé. Ver isso era perturbador para um adulto, e mais ainda para uma criança. Isso abalou todo o meu mundo. Chegara a hora de levá-la ao veterinário, e estávamos sinceramente convencidos de que seria *a* visita.

Era véspera do dia de Ação de Graças. Decidimos esperar um dia ou dois dias, até passar o feriado. No dia de Ação de Graças, minha mãe deu a Silk um grande prato de peru com molho, purê de batata e recheio. Silk, cuja dieta consistia em muito pouca comida de "gente", hesitou. Aparentando alguma confusão, olhou para nós em busca de aprovação e, depois, decidiu não questionar a situação e comeu sua última refeição.

No dia seguinte, levamos Silk ao veterinário. Dessa vez minha mãe ficou em casa. Relembrando a falta de uma conclusão envolvendo a perda de Bubba, insisti em ir junto com meu pai. Sentado na sala de espera com o cheiro dos medicamentos e com as gravuras de cães jogando baralho ao estilo Norman Rockwell, tudo parecia muito frio. Meu pai saiu para me dizer que havia chegado o momento: iriam pôr Silk para dormir. Será que eu queria assistir? Segui meu pai e o veterinário enquanto levavam Silk através do velho corredor e saíam pela porta dos fundos para um quintal. Disse-lhe adeus e depois observei o veterinário enquanto lhe dava a injeção. Passados alguns segundos ela sucumbiu suavemente. Silk foi então levantada do chão e colocada numa unidade de cremação.

Nessa noite e em muitas noites seguintes voltei a chorar por um ente querido. Dessa vez, contudo, houve uma conclusão. O infinito não parecia tão longe, nem a eternidade tão longa.

Natureza/Criação

Quando passei do jardim de infância para o primário, meu senso de eu se expandiu um pouco. Ainda me aborrecia facilmente e passava muito tempo sonhando acordado, mas numa rara ocasião, quando tive um professor verdadeiramente inspirador e de pensamento instigante, eu ultrapassei todas as expectativas. Infelizmente, naquela época como hoje em dia, tais professores são a exceção e não a regra.

O ambiente em casa me permitiu um desenvolvimento superior ao da minha idade. Meus pais lidavam comigo como um adulto: não me tratavam de modo superior, mas me incluíam nas conversas e nas decisões, reconhecendo-me como uma pessoa cujas opiniões eram importantes.

Todos os dias, eu aguardava com ansiedade o momento de voltar para casa. Parecia haver sempre pessoas fascinantes para conhecer. Meus pais recebiam uma grande variedade de amigos com uma formação interessante: antropólogos, psicólogos, artistas, médicos, advogados e assim por diante. (E para tornar as coisas ainda mais maravilhosas, esse grupo diversificado criava um conjunto de deliciosos pratos acompanhados por agradáveis sabores e aromas.)

E porque minha casa era de mentalidade assim tão aberta, e eu me expunha a pessoas tão diversas, era natural que eu continuasse a desafiar a autoridade unilateral, ditatorial – ou, devo dizer, a autoridade unilateral, ditatorial continuava a me desafiar.

A administração da escola secundária era rigorosa com os horários de entrada dos alunos. Embora eu morasse perto da escola, de manhã chegava quase sempre atrasado. Um minuto aqui, um minuto ali – nada de importante, exceto para a administração. Se os estudantes chegavam à escola depois do sinal, deveriam procurar um passe para entrar.

O problema é que a escola só dava passes aos alunos que trouxessem de casa uma justificativa para o atraso. Eu fazia o percurso tão em cima da hora que nunca sabia quando ia chegar atrasado e, assim, não podia ter uma justificativa sem voltar para casa e pedir à minha mãe. Portanto, ia perdendo de modo constante a metade do começo do primeiro período de aulas. Por que para mim era tão difícil sair de casa apenas quinze minutos mais cedo? Não fazia sentido – mas também eu não mudava. Parecia apenas não operar sob o mesmo conceito de tempo que todos os outros; imaginava que, se saísse de casa às oito horas e um minuto da manhã e andasse bem depressa, podia chegar à escola cerca das sete e cinquenta.

Finalmente, perguntei à minha mãe se ela se importaria se, nessas manhãs, eu escrevesse minhas próprias justificativas e as assinasse com o nome dela, se necessário. Considerando que a alternativa era eu perder toda a matéria por ter de andar para cá e para lá todas as manhãs, ela concordou com relutância.

Um dia, o inspetor da escola me pegou escrevendo minha própria justificativa. Era um pretensioso, tipo ex-militar, cujo filho podia ser a personificação da criança com problemas de comportamento (dá o que pensar, não?). Apontando para o bilhete que eu estava escrevendo, rosnou com indignação pretensiosa:

— O que está fazendo?

— Estou escrevendo uma justificativa de atraso para mim — foi minha calma resposta.

— Você terá que ficar de castigo por falsificar a assinatura de sua mãe.

— Não, não tenho. Falsificar é sem conhecimento ou consentimento, e eu tenho ambos.

Respostas como essa não me tornavam querido dos meus professores.

— Qual é o seu nome? — perguntou o inspetor.

— Eric Pearl. — Levantei-me, peguei minhas coisas e olhei o homem nos olhos. — P-E-A-R-L. — Depois virei-me e fui para a aula.

Assim, em meio a esses acontecimentos — essas lições — minha jovem vida prosseguia. Meu pai era sócio e operador de uma empresa de máquinas de autosserviço, com o irmão e o pai. Era também um policial voluntário. Mamãe ficava em casa e criava os três filhos. Era também modelo meio período e organizava desfiles de moda. Papai, às sete da manhã, estava fora de casa, quando então mamãe empurrava o café da manhã pelas nossas gargantas abaixo, tal como uma mãe-pássaro alimentando os filhotes. Não era possível sair sem um bom café da manhã e a lancheira com uma refeição completa — "todos os quatro grupos alimentares" (nessa época, ainda um paradigma aceito pelos pais). Aos 13 anos, tive o meu *bar-mitzvah*. Às vezes, aos domingos, ia à igreja com os amigos.

Jardim da infância, escola primária, ciclo preparatório, secundário: novos amigos, exames, baile de formatura, tirar a carteira de habilitação, prestar vestibular e, finalmente, colação de grau e universidade...

Seguindo em frente

Rapidamente descobri que concluir o ensino secundário não significava "liberdade": meus pais estavam determinados a me manter por perto. Mas, como de costume, eu tinha outras ideias. Por que ficar em Nova Jersey? Queria ir para a universidade na Califórnia. Parecia que eu tinha dito "o Polo Norte".

– É longe demais – insistiram meus pais. Uma discussão razoável transformou-se numa divergência crescente, que se transformou numa completa gritaria.

No fim, chegamos a um meio-termo: eu poderia frequentar a universidade em Miami, na Flórida. Meus pais acharam que era um plano seguro – não apenas Miami era duas vezes mais perto de casa que a Califórnia, como o meu avô paterno, Zeida – o que me havia dado a caixa dos relógios quando eu era criança – havia se mudado para lá pouco tempo depois da morte de Bubba. A ideia era que Zeida podia manter um olho sobre o filho pródigo. Eu era, afinal, o primeiro filho do primeiro filho.

Foi assim que os meus pais me perderam por um ano inteiro.

Matriculei-me na Universidade de Miami.

Meus pais sempre me haviam dito que eu podia ser *tudo* que quisesse, que podia fazer *tudo* que me determinasse a fazer. Foi um conceito poderoso durante o crescimento, mas, para mim, essa falta de uma bússola interior tornou-se cada vez mais um problema à medida que eu me tornava mais velho e começava a pensar em encontrar uma carreira. *Ser tudo e fazer tudo* não me dava grande orientação. A questão era: nada me interessava, por isso não havia nada que eu me "determinasse a fazer".

Dediquei-me imediatamente... a um plano de estudo completamente incoerente. No espaço de um ano, considerei nada menos que três áreas: psicologia, estudos preparatórios de Direito e dança moderna. Não tinha a menor ideia do que queria fazer e, como sempre, nada prendia minha atenção por muito tempo.

Zeida chamou a atenção para o fato de que, por morar sozinho em Miami, eu estava evoluindo – e ele queria ver esse processo continuar. Sem pedir autorização aos meus pais, abriu a porta à possibilidade de passar meu segundo ano no Mediterrâneo. Era uma perspectiva muito empolgante. Enquanto visões de Roma e Atenas flutuavam em minha mente, Zeida passou a "definir" *Mediterrâneo*. Tinha um nome familiar para isso: *Israel*. Estando, como de costume, um passo à frente da situação, Zeida apresentou um folheto para um curso de um ano em Jerusalém, um programa para estudantes americanos. Depois se ofereceu para subsidiar a aventura. Como meus pais poderiam dizer não?

Mais que Leite e Mel

A maioria dos estudantes que viajavam para Israel ia na expectativa de ver Deus descer dos céus e leite e mel fluindo nas ruas. Ficavam desapontados. Contudo, eu fui esperando pouco mais que um ano fora dos Estados Unidos; portanto, sem expectativas fantasiosas intrometendo-se no meu caminho, e acabei por me apaixonar por *tudo*. Até então, a viagem à Terra Santa era o ano mais intenso da minha vida. Desde então, acordo de sonhos nos quais estou ainda lá entre as pessoas, os velhos templos e as vistas de tirar o fôlego do Monte Sinai.

Quando regressei aos Estados Unidos, voltei exatamente para a mesma vida que havia deixado para trás. Seja o que for que tenha encontrado na Terra Santa, não revelou o meu verdadeiro desígnio – ou, se revelou, não percebi. Agora estava de volta para enfrentar meu dilema: escolher um curso.

No ano anterior ao da minha viagem, havia-me ocorrido uma ideia. Durante o ano passado em Miami, eu tivera uma experiência com *Rolfing*, um tipo de massagem profunda nos tecidos concebida para descomprimir os músculos do corpo. Alguns amigos meus haviam concluído as dez sessões de Rolfing prescritas e eu vira as mudanças físicas ocorridas neles. As fotografias que os mostravam antes e depois foram tudo de que precisei para decidir tornar-me também um "rolfista".

As sessões acabaram por mudar o modo como eu me via e parecem ter-me aberto uma forma mais expansiva de ver o mundo. Baseada no conceito de unidade mente-corpo, a teoria por trás do Rolfing é a de que ele descomprime os músculos, e no processo, libera a dor acumulada – física e emocional, antiga e nova. Muitas vezes, durante as sessões, libertamo-nos de experiências passadas como se o seu desconforto nos deixasse. Como resultado, frequentemente nosso corpo e nossas emoções se transformam. Essa nova existência, livre de muitas das dores mais antigas, permite-nos mover, ser e nos ver de modo diferente. E, quando nos vemos de modo diferente – quer dizer, quando ocupamos um espaço físico diferente – ocupamos também um espaço emocional diferente.

Impressionado tanto pelo conceito como pelos resultados, pensei em tornar-me um rolfista. Mas meus pais sentiam que o Rolfing podia ser uma coisa passageira, sair de moda e deixar-me profissionalmente num beco sem saída. Talvez, sugeriram, eu devesse considerar uma área dos cuidados de saúde mais comprovada: a quiroprática. Em última análise, teria pelo menos uma licenciatura a que recorrer.

Concordei em viajar para Brooklyn e falar com um quiroprático ao qual fora apresentado por um amigo da família. O médico relatou a filosofia básica por trás da arte e da ciência da quiroprática. Explicou que existe uma inteligência universal que mantém a organização e o equilíbrio do universo; e que existe uma extensão dessa inteligência, chamada *inteligência inata,* dentro de cada um de nós, mantendo-nos vivos, saudáveis e equilibrados. Essa inteligência inata, ou força vital, comunica-se com o resto do nosso ser físico em grande parte através do cérebro, da medula espinhal e do restante do sistema nervoso – o sistema de controle do nosso corpo. Enquanto a comunicação entre o cérebro e o corpo está aberta e fluindo livremente, permanecemos no estado de saúde potencialmente ótimo.

Quando uma das vértebras se desloca ou sai da sua posição, pode resultar daí uma pressão sobre os nervos, inibindo ou cortando a comunicação entre o cérebro e a parte de nós suprida por esses nervos específicos. Como resultado dessa interferência, nossas células começam a morrer e nossas resistências podem enfraquecer, permitindo a falta de bem-estar, a antecessora da doença. O que um quiroprático faz, então, é remover as interferências causadas por esses desalinhamentos (chamados subluxações) na nossa coluna vertebral e permitir que nossa vitalidade regresse novamente, trazendo-nos de volta a um estado de saúde equilibrado. Em outras palavras, isso é curar por meio da remoção da causa e não mascarando ou tratando o sintoma.

Quando, subitamente, descobri que as dores de cabeça das pessoas não eram resultado de carências congênitas de aspirina no sangue – como os anúncios de televisão querem nos fazer crer – e que havia algo que eu podia fazer para ajudar, decidi que seria um quiroprático. Não parei para pensar na enormidade desse passo, nem previ o papel que, em última análise, viria a ter na minha vida. A sincronicidade não era um conceito conscientemente considerado.

De repente, alguma coisa fez "clique". Fui inundado por memórias de fantasias da infância – ou seriam visões? – em que ajudava as pessoas como o oráculo de Delfos. Talvez para mim fosse uma maneira de efetivamente fazer alguma coisa nessa área. Tudo quanto sabia nesse momento era que alguma coisa dita pelo médico mexera comigo. Alguma coisa aí parecia perfeita – e para mim foi o suficiente. Estava prestes a dar meu primeiro passo numa nova direção – um passo que finalmente me aproximaria do meu destino.

Capítulo quatro

Um novo caminho de descoberta

"Claro que você é médium; apenas não tem consciência disso."
— MINHA AMIGA DEBBIE LUICAN

De volta à escola

O quiroprático de Brooklyn com quem falei recomendou-me a Cleveland Chiropractic College, em Los Angeles. Candidatei-me e fui aceito.

Portanto, as coisas aconteceram de modo que, afinal, meus pais perderam um filho – e perderam-no para a Califórnia, para onde eu sempre quisera ir. Por outro lado, acabaram ganhando um doutor; logo, creio que tudo ficou equilibrado.

Recordarei para sempre meu primeiro dia na faculdade de quiroprática. A turma de calouros era grande, mais de oitenta alunos. Uma parede teve de ser derrubada temporariamente para podermos nos espalhar por uma segunda sala. O instrutor pediu a cada um de nós que, numa declaração breve, dissesse a razão pela qual queria ser quiroprático.

Começou pelo aluno sentado mais à esquerda da primeira fila, o que estava mais afastado do lugar onde eu me sentava, no canto da última fila do lado direito. Partindo dali, o contar de histórias atravessou as filas de alunos. Fiquei sentado e ouvi história após história como, por exemplo, a do aluno que deixou de ser paralítico numa visita a um quiroprático; o câncer de outro aluno desapareceu; um teve a visão restaurada; outro foi libertado de uma vida inteira de enxaquecas – e assim sucessivamente, uma infindável litania de curas permanentes por trás do reino do qual ninguém que não seja quiroprático ouve habitualmente falar. Especialmente eu. Zeida ainda chamava os quiropráticos de *quebra-costas*.

Finalmente, chegou minha vez de falar. Oitenta e três cabeças se viraram para ouvir minha história – a última do dia. Iria a minha realmente ter um clímax tão épico que lançaria os outros alunos para fora da sala para seus novos e brilhantes caminhos na vida? Penso que não. Eu era a única pessoa na sala que nunca havia sequer consultado um quiroprático. Aliás, eu nem sabia muito bem o que era um quiroprático. Lembrava-me apenas de momentos e fragmentos daquilo que o médico me havia dito nos vinte minutos que passamos juntos – qualquer coisa acerca de eliminar as interferências e ajudar o corpo a se curar sozinho. A premissa fez tanto sentido para mim quando foi explicada que nunca me dei o trabalho de verificá-la, analisá-la, falar com outros a respeito. Levantei-me, olhei para a multidão e ouvi-me dizendo:

– Bem... me *pareceu* uma boa ideia.

Se você não consegue descobrir, é porque está se esforçando demais

E ali estava eu, de volta à escola – mas dessa vez as coisas eram um pouco diferentes. Para começo de conversa eu estava numa escola e num curso que eu *havia* escolhido. Isso fazia um mundo de diferença.

Não sendo um rato de biblioteca, divertia-me socializando, indo a festas e explorando minha nova cidade. Arranjei um emprego de meio período numa loja de calçados porque, embora meus pais me mandassem dinheiro para cobrir as despesas com minha educação, eu queria ganhar mais alguns dólares para as coisas que *queria* fazer. Um dia, um cliente – um pesquisador de um laboratório de sismologia – veio comprar sapatos. Enquanto fazia a compra, acabou por mencionar que, no laboratório, previam um tremor de terra para a região sul da Califórnia dentro das próximas 24 horas.

– O senhor contou a algum dos outros funcionários da loja? – perguntei.

– Não, não contei.

– Ótimo. Não conte nada. – Sorri e ele devolveu-me o sorriso, cúmplice, depois pagou os sapatos e saiu.

Poucos minutos depois de ele sair da loja, fingi ter tido uma premonição e anunciei aos meus colegas ter o *pressentimento* de que haveria um tremor de terra dentro dos próximos três dias.

Tal como tinha "previsto", aconteceu. Todo mundo sentiu e deu no noticiário. Meus colegas ficaram muito impressionados.

Alguns dias depois, e sem a intervenção de nenhum sismólogo, tive o pressentimento de que iria ocorrer um novo tremor de terra. Corajosamente, arrisquei e anunciei também este.

Acredite ou não, tivemos mais um.

Foi como se alguma coisa tivesse sido disparada dentro de mim. Durante os dois ou três anos seguintes previ com precisão 21 de 24 terremotos.

Uma tarde, meu colega de quarto chegou em casa e encontrou um bilhete que eu havia lhe deixado: *A terra vai começar a tremer.* Mais tarde ele me contou que o terremoto se iniciara no exato momento em que estava lendo o bilhete. Sua namorada estivera o tempo todo em pé ao seu lado... aos gritos.

No outro dia, enquanto jantava sozinho num restaurante, senti o início de outro tremor de terra, do tipo que faz um movimento "ondulante". À medida que sua intensidade aumentava, eu olhava ao redor do salão. Ninguém mais reagia. Nenhum copo de água tremia; os lustres pendiam do teto, imóveis. Ainda assim, ao mesmo tempo, eu podia vê-los balançando. Isso era real para *mim*. Levantei-me e saí apressadamente para a rua. Não conseguia compreender por que razão ninguém mais fugia, por que razão a vida à minha volta continuava com a utópica normalidade monótona de uma cidadezinha do interior.

Parecia impossível. A terra ainda tremia; eu podia *sentir*. Foi o mais longo terremoto desse tipo que já tinha vivido; contudo, a combinação desse movimento surreal com o fato de que mais ninguém parecia se dar conta da situação me fez concluir que, afinal, nada estava acontecendo. Voltei envergonhado ao restaurante. Fiquei contente por estar jantando sozinho; explicar meu abrupto voo para a rua poderia ter sido um pouquinho... difícil.

Mas, se não fora um terremoto verdadeiro, então deveria ter sido outra premonição. Não havia outra explicação.

No caminho do restaurante para casa, parei na lavanderia para pegar minha roupa e disse aos proprietários que a terra ia tremer naquela noite. Todos riram.

Mais tarde, ao anoitecer, o terremoto atingiu-nos. O seu epicentro foi em Culver City, precisamente onde moravam os donos da lavanderia.

Algumas semanas mais tarde, depois de ter acumulado roupa suja suficiente para encher meia dúzia de fronhas grandes, voltei à lavanderia. Lutando para ver por cima do primeiro conjunto de três fronhas que carregava nos braços, procurei abrir a porta com o pé. Mantendo-a cuidadosamente aberta com o cotovelo, estava concentrado no processo de tentar localizar o balcão com os dedos dos pés. Subitamente, uma voz soou tão alto que quase atirei os três sacos de roupa suja pelo ar.

– É ele! É este! – gritou a mulher por detrás do balcão num acentuado sotaque russo-judeu. – Aqui está meu endereço – disse ela, enquanto metia na minha mão um pedaço de papel rabiscado às pressas. – Quero que você me telefone antes do próximo!

Daí em diante, sempre que entrava naquele estabelecimento, perguntavam-me quando seria o próximo terremoto. E eu também deveria tentar adivinhar – mas parecia não funcionar dessa maneira. Não podia forçar os acontecimentos; as premonições só apareciam quando eu estava absorvido nos meus assuntos.

Sem tomar consciência disso, aprendi uma verdade profunda: *Se você não consegue descobrir, é porque está se esforçando demais.*

Ressurreição

De vez em quando, eu conseguia juntar dinheiro suficiente do meu orçamento de estudante para assistir a uma sessão dupla no cinema perto da esquina do meu apartamento. Uma tarde, cheguei precisamente a tempo de ver o segundo, um filme B, *Ressurreição*, protagonizado por Ellen Burstyn. Evidentemente, era um filme B apenas no posicionamento, porque Ellen Burstyn viria a ser nomeada para um Prêmio da Academia de melhor atriz por seu papel no filme.

Ressurreição é baseado na história de uma mulher chamada Edna Mae que, depois de um acidente de automóvel, morre na sala de cirurgia... apenas para voltar à vida. Passado algum tempo, ela descobre que tem o poder de curar – uma espécie de "imposição de mãos". Apenas tocando nas pessoas e entrando simultaneamente num estado de amor, elas ficavam curadas. Às vezes, ela adquiria suas enfermidades – removendo-as das outras pessoas – e, então, liberava os sintomas do seu próprio corpo. Outras vezes, as curas pareciam ocorrer como que por milagre, sem ela ter de fazer nada.

Fiquei tão fascinado, que, após assistir o primeiro filme – fosse ele qual fosse – vi a *Ressurreição* de novo. Depois levei meus amigos para verem. Mais tarde levei mais amigos. Eu não fazia ideia da razão por que me sentia compelido a ver esse filme várias e várias vezes. Na época, embora o aspecto da cura no filme fosse interessante, o que realmente me cativou foi a semelhança entre a descrição feita no filme da experiência de quase-morte de Edna Mae e aquilo por que passou minha mãe no dia do meu nascimento. Eu nunca vira ou lera nada sobre o assunto, e esse filme descrevia muito fielmente a experiência de minha mãe. Sempre que o via, sentia como se estivesse tendo uma visão de algo de certo modo muito familiar. Era quase como se eu pudesse ver alguma coisa, quase lembrar alguma coisa. Alguma coisa...

Outras pistas

Durante meu tempo de exploração, descobri também aquilo a que se chama *psicometria,* a capacidade ou a arte de reunir informações sobre uma pessoa tocando ou segurando um objeto seu, normalmente uma joia que tenha usado. Após ter visto alguém fazer isso, tentei fazer eu mesmo e descobri que isso me abria à recepção de um conhecimento notavelmente exato das pessoas, algumas das quais eu nunca conhecera. Durante minha breve incursão nesse processo, descobri dois "segredos": quanto mais consistentemente eu movia os dedos sobre a joia, mais concentrado ficava e, quanto mais rapidamente falava, mais exata era a informação. A exploração persistente do objeto com os dedos parecia aquietar minha mente de forma similar ao modo como, para muitos de nós, nossa mente fica calma e descontraída quando dirigimos. Aparentemente, o discurso rápido não me dava tempo para me questionar. Através da quietude da minha mente vinham as impressões; através da velocidade da fala vinha a coragem de verbalizá-las.

Menciono esses pontos não só por serem estranhos para mim, mas porque deram a dica de "outras" influências na minha vida, mesmo nesses anos iniciais.

Além desses acontecimentos um tanto pitorescos, minha principal atividade durante esse período foi a única coisa na qual meus professores dos ensinos primário e secundário nunca teriam acreditado: assistir às aulas e estudar. Bom, minha versão de "assistir às aulas" consistia não raro em sentar-me no fundo da classe e levantar o braço suficientemente alto para dizer: *"Presente".* Ainda assim, tal como na minha carreira estudantil anterior, consegui bons resultados... e finalmente terminei o curso de quiroprático e recebi o diploma.

De modo não intencional, provei que o diretor da minha escola da infância estava certo. Eu encontrara uma coisa que me interessava e, afinal, ia fazer algo da minha vida.

Febres e visitantes

Num dia de 1983, não muito depois de ter terminado o curso, tomei consciência de estar sentindo um pouco a mudança do tempo: dores, dor de cabeça e febre. Não era grande partidário de tomar aspirina para fazer baixar a febre, pois sabia que as febres têm um objetivo e queria permitir que ela seguisse seu curso. Por isso, enfiei-me na cama, agasalhei-me bem, bebi uma grande quantidade de líquidos e vi televisão (televisão livre de culpa: o ponto alto de estar em casa na cama, doente). Mas, passados alguns dias, decidi que era hora de fazer alguma coisa mais ativa para acabar com a febre. Assim, todas as noites eu empilhava o edredom e vários cobertores, transpirava e mudava de lençóis e de pijama pelo menos duas vezes.

Todas as manhãs eu acordava sem apresentar melhoras. Finalmente, desisti e chamei um médico. Ele me prescreveu Tylenol com codeína. Deve ter sido o Tylenol com codeína número quatro – o *grandão* – porque é preciso quilos de codeína para me pôr para dormir durante uma maratona de *I Love Lucy*. Mas, deixem-me dizer-lhes, depois de ter engolido aqueles comprimidos, todo o dia reduziu-se a uma mancha de cabelo vermelho e sotaques cubanos.

Minha temperatura subia: 40, 41, 41,5. Finalmente, depois de mais uma noite de troca de lençóis e pijamas (eu tinha certeza de que, se continuasse a proceder do mesmo modo, a febre iria baixar), abri os olhos e, por um breve momento, vi que tinha "companhia". Ali, aos pés da cama, estava um grupo de "pessoas". Pareciam ser umas sete, de tamanhos e feitios variados: uns altos, outros baixos e um quase anão. Ficaram ali o tempo suficiente para que eu os visse, e para *verem* que eu os havia visto.

Então, foram embora.

Antes de a minha mente poder conscientemente processar o que acontecera, inspirei fundo. Essa inspiração foi análoga à primeira inalação de um recém-nascido, como se fosse minha primeira inspiração do dia – como se, do momento em que abri os olhos ao momento em que meus *visitantes* saíram, eu não tivesse respirado. Quando comecei a inspirar, senti – e ouvi – um som fraco e rouco no meu peito. De repente compreendi: *Estou morrendo.*

Telefonei para meu médico e disse-lhe que estava a caminho. Depois, telefonei para um serviço de táxis e pedi um carro com ar-condicionado, pois estávamos numa onda de calor de verão e, com a minha febre, eu vivia a minha própria onda de calor.

Eu mal podia ficar de pé, mas cheguei até a porta e saí para a rua. O táxi chegou... sem ar-condicionado, claro. Delirante, entrei de qualquer maneira.

No consultório, meu médico radiografou meus pulmões e disse-me para ir diretamente para o hospital.

– Não pare no caminho – disse.

Aparentemente, eu tinha uma pneumonia. Todavia, sentindo que me esperava mais que uma breve visita, tomei um táxi para casa para pegar pijamas, pasta de dentes etc.

Eu não tinha plano de saúde naquela época, por isso fiquei à espera bastante tempo no hospital público antes de ser internado. Na manhã seguinte levaram-me para um quarto onde passei dez dias de tubos, oxigênio... e comida pior que a de uma companhia aérea doméstica. Quando finalmente recebi alta, meu peso tinha caído para 62 quilos e meio – eu tenho 1,83m de altura. Mais tarde, meu médico confessou ter achado que eu não iria sair vivo dali.

Não me lembro muito do tempo que passei no hospital, mas sei que perdi boa parte da minha memória de curto prazo, provavelmente como resultado da febre tão alta.

(Por falar em cérebros superaquecidos, já repararam em como as palavras *transpiração* e *aparição* são parecidas uma com a outra? Ambas têm um "i", um "p", cinco vogais, quatro sílabas... e cada uma delas pode ser causa da outra.) Portanto, *quem* eram aquelas pessoas que vi de pé, aos pés da minha cama, em casa? Seriam guias? Espíritos? Anjos da guarda? Seria um grupo de observadores interdimensionais? Seriam aparições causadas pela febre; em outras palavras, uma ilusão? Ou seriam aparições realmente existentes, mas que apenas a febre me permitiu ver – isto é, seres que habitam num daqueles onze (até agora) planos da existência teóricos (de acordo com os princípios atuais do pensamento quântico)?

Não sei. Mas de uma coisa tenho certeza: se, no dia em que meu peito fez aqueles barulhos, eu não tivesse visto aqueles visitantes, teria continuado meu regime de sucos e agasalhos e certamente teria morrido.

Acho que isso era algo que eu não estava pronto para fazer. Tinha outros planos. E talvez, apenas talvez, alguém ou alguma coisa também tivesse planos para mim.

Ressurreição – outra vez

Como parte do processo profissional por mim escolhido, tornei-me finalmente "um residente"; na realidade, um "doutor estudante" num consultório de um quiroprático licenciado. Embora de muitas maneiras compensadora, essa fase da carreira de quiroprático novato não era exatamente lucrativa. Tal como a maioria das pessoas, eu achava que todos os médicos sabiam administrar um consultório. Estava errado. Naquele para que fui, havia muitas coisas que eles não sabiam. A relação com os pacientes estava no topo da lista. Segundo nosso acordo, eu pagava a eles cinquenta por cento do que ganhasse dos meus pacientes. Uma vez que tratavam seus próprios pacientes, digamos, menos que regiamente, não é, portanto, surpresa que tratassem os meus apenas bem pior. E, por causa da maneira como os tratavam, muitos nunca voltavam.

Com uma renda de apenas cinquenta por cento do que fazia e uma lista incerta de pacientes, eu mal conseguia pagar o aluguel do consultório e do meu apartamento. Quanto mais tempo trabalhasse como residente, mais dinheiro deveria. Quanto mais dinheiro devesse, menos poderia poupar para ir embora – depois de três anos, eu *tinha* de sair – ou desistir completamente da minha carreira.

Portanto, fui embora.

Contudo, colhi alguns benefícios secundários dessa experiência. Aconteceu que um dos meus pacientes estava estreitamente ligado ao filme *Ressurreição,* o qual, como já disse, se tornara um dos meus favoritos. Calhou que outra paciente era membro da Academy of Motion Picture, Arts and Sciences, e ela me levou à entrega dos prêmios da Academia daquele ano. E assim ali estava eu, sentado no balcão, assistindo ao desenrolar dos acontecimentos. Ao olhar em volta, vi que Ellen Burstyn, uma indicada que estivera sentada à frente, na plateia, subira e sentara-se num lugar bem atrás de mim. *"Que estranho"*, pensei. Eu não havia percebido antes que aquele lugar ficara vago.

Passado algum tempo, ela levantou-se e foi-se embora. Nunca mais a vi pessoalmente, nem pensei muito nesse quase encontro, ou em qualquer dos outros estranhos acontecimentos que marcaram minha vida: os *seres* aos pés da minha cama, a previsão dos terremotos, a psicometria, os relógios que se *consertavam* sozinhos...

Pelo menos não pensei muito neles até treze anos mais tarde, quando começaram as curas.

O fantasma de Melrose Place

Como ex-residente, sem muito tempo nem dinheiro, agarrei o primeiro lugar que cabia no meu orçamento – uma sala num apartamento modificado, com mais duas salas no piso superior, que partilhava com dois psicólogos. Melrose Place – todos os seus três quarteirões – era considerada por muitos como uma das ruas mais interessantes e mais classe alta de Los Angeles, mas, obviamente, quem fez essas avaliações nunca havia visto meu novo consultório. Obrigar os pacientes a se arrastarem por um lance de escadas acima não era o único problema. Como todos sabem, em Los Angeles ninguém vai a lugar algum sem ser de carro, e os estacionamentos em Melrose Place eram quase inexistentes, o que me levou a fazer acordos para estacionamento ao longo do quarteirão com alguns proprietários das lojas de antiguidade e de arte. E foi assim que os meus pacientes de escalão social mais elevado podiam se vangloriar de seu quiroprático ter serviço de manobrista.

Mas tudo isso veio mais tarde. No começo, meu maior problema foi imaginar o modo de transformar um quarto de solteiro num espaço útil para a quiroprática. Projetando uma série de cubículos de tratamento com forma estranha, criei três salas a partir de um quarto, transformei a "sala de jantar" em recepção e amontoei uma escrivaninha e uma recepcionista na menor cozinha que se possa imaginar. Depois contratei empreiteiros para fazerem o trabalho.

Como todos que alguma vez lidaram com obras sabem, o trabalho pode prolongar-se, ultrapassando o orçamento e o prazo. No fim, o dinheiro acabou e não consegui convencer o banco a me emprestar mais.

Todas as manhãs, eu chegava ao meu consultório meio terminado para ver pacientes e fazer duas outras coisas: ligar para o banco para pedir novo empréstimo e apertar os parafusos do meu recente sistema de iluminação. A 27 dólares por cada ponto de luz e quatro luminárias, a ideia de iluminação indireta havia ultrapassado o orçamento, juntamente com os pagamentos estimados dos empreiteiros e as datas de conclusão da obra.

Por alguma razão, todas as manhãs os parafusos do sistema de iluminação estavam "desparafusados" e cerca de um centímetro fora da posição de completamente apertados. Eu estava na esquina de uma rua de tráfego muito intenso, portanto as vibrações provocadas pelo tráfego podiam estar afrouxando os parafusos. Sempre a mesma coisa, todas as manhãs eu reapertava os parafusos. Era um ciclo: o banco dava-me um aperto e eu apertava os parafusos do sistema de iluminação.

Uma noite, já tarde, depois de meu "pessoal" (uma mulher que passava tanto tempo lixando as unhas que eu ficava surpreso por não haver sangue em tudo quanto ela tocava) ter fechado a porta e ido para casa, fiquei para tratar um paciente que chegaria mais tarde. Um movimento atraiu minha atenção e olhei para cima no momento em que um homem vagueava pelo vestíbulo, depois da entrada da sala de tratamentos. Eu sabia que a porta principal do consultório estava fechada, por isso não havia maneira de alguém ter conseguido entrar, embora eu visse esse homem muito claramente: media cerca de 1 metro e 55, tinha rosto redondo e cabelo ondulado curto. Vestia um sobretudo de tecido cinzento e parecia ter cerca de 30 anos.

Soube, sem qualquer dúvida, que se tratava de um espírito.

Na manhã seguinte, quando contei o que se passara aos psicólogos que partilhavam comigo o apartamento, fiquei espantado ao descobrir que ambos já sabiam desse visitante. Não o haviam mencionado por precisarem de uma terceira pessoa para dividir o aluguel e tinham medo de que a perspectiva de um fantasma me assustasse.

A verdade é que realmente eu não me importava com o espírito – mas parece que ele se importava comigo.

– Gente demais circulando – disse-me um médium que achou que podia fazer o espírito ir embora. – Ele não se importa com uma pessoa por hora para os psicólogos, mas você traz estranhos demais para dentro da casa dele.

Observei esse médium caminhar pelo apartamento (meu consultório), encontrar o ponto onde achava que o espírito passava a maior parte do tempo e, muito educadamente, informar-lhe que estava morto. Depois, ele lhe disse:

– Vá para a luz – ou qualquer coisa do gênero. Tudo não demorou mais que trinta segundos.

Isso foi num domingo à noite. Na manhã seguinte, entrei e prestei atenção à fixação das minhas luminárias: estavam todas aparafusadas como deviam estar e bem apertadas, e assim permaneceram até eu as retirar, cinco anos mais tarde, ao ampliar o consultório.

Foi então que tocou o telefone. Era do meu banco. O empréstimo fora aprovado.

Capítulo cinco

Abrindo novas portas, acendendo a luz

"O que está à nossa frente e o que está atrás de nós são assuntos insignificantes, comparados com o que está dentro de nós."
— Ralph Waldo Emerson

A cigana judia de Venice Beach

Doze anos se passaram e, nessa época, eu já ocupara cerca de metade do segundo andar do edifício de Melrose Place com o meu consultório. As coisas estavam se expandindo rapidamente. O consultório tinha agora oito salas de tratamento e intensa atividade com assistentes, massagistas, reflexologistas, estacionamento com manobrista e tantos pacientes quantos eu conseguia atender. Contudo, emocionalmente, eu mal me aguentava.

Terminara pouco tempo antes um relacionamento de seis anos que esperara sinceramente que durasse para o resto da minha vida. De certo modo, após terminar a relação, eu passava os dias aos tropeções, praticamente incapaz de pôr um pé diante do outro. A única coisa mais penosa que acordar de manhã para ir ao consultório era me manter animado para os pacientes enquanto lá estava.

E como se não fosse suficiente o que acontecia na minha vida pessoal, na mesma época eu também estava contratando um pessoal completamente novo. A mulher extremamente competente, que dirigira meu consultório, mudou-se para uma parte diferente do estado para ir morar com o namorado. O momento dessa mudança coincidiu com mais uma ou duas saídas de comum acordo. Em breve eu estava começando do zero. Foram necessárias duas pessoas para substituir a gerente que havia saído – uma para lidar com as coisas burocráticas, como seguros, relatórios médicos e correspondência; e outra para as relações com os pacientes e o fluxo do consultório. Essa posição era chamada atendimento ao público.

Tal como um espetáculo da Broadway (ou, neste caso, uma novela de TV), o trabalho tinha de continuar, por isso comecei a entrevistar pessoas para o atendimento ao público. Sempre gostara de *personalidade* numa recepcionista, uma vez que uma personalidade *sociável* no atendimento cria uma ligação com os pacientes, e uma personalidade *forte* impede-me de me sentir entediado.

Nunca cumprira particularmente bem a tarefa de contratar pessoas e, assim sendo, um amigo que, profissionalmente, faz esse tipo de trabalho, veio ajudar-me nas entrevistas. Uma ou duas outras pessoas ajudaram também no processo de seleção. Enquanto íamos verificando os candidatos, uma mulher fixou-se na minha mente – e nas de todos os outros. Acredite ou não, parecia, soava e *comportava-se* como a Fran Drescher, do seriado de televisão *The Nanny:* alta, cabelo escuro e atraente, tinha uma atitude irreverente, um sotaque de Nova York nasalado, de tom elevado e uma voz que podia despedaçar diamantes. Era uma já não aspirante a atriz (se é que tal coisa existe).

Todos me disseram:

– Não a contrate. Não contrate essa mulher. – Mas eu tinha de tê-la comigo. Primeiro, porque qualquer coisa nos seus olhos me lembrava Bubba. Por outro lado, não acreditava que tal pessoa pudesse existir verdadeiramente. Tentei uma última vez dizer a mim mesmo para não contratá-la, para ouvir as vozes da experiência que tinham vindo me ajudar a selecionar uma equipe de pessoal competente, mas estava fascinado por ela. Não adiantava encobrir a decisão com lógica.

A coisa transformou-se numa relação de amor e ódio. Eu a adorava, os pacientes a odiavam.

Um dia ela anunciou que, com toda a pressão a que eu andava submetido, um dia na praia me faria bem. O que isso realmente significava, era que *ela* queria ir à praia, mas não queria gastar seu próprio dinheiro em gasolina, mas não dei a mínima. Naquele sábado fomos a Venice Beach. Passamos algum tempo descontraindo na areia e, em seguida, ela foi dar um passeio. Quando voltou, disse:

– Tem uma mulher ali lendo cartas. Você tem que ir ler as suas.

Eu não tinha nada contra leitura de cartas, mas preferia realmente seguir o conselho de alguém com uma recomendação melhor.

– Não quero as minhas cartas lidas por qualquer um na praia – respondi.

Se a mulher fosse assim tão maravilhosa nas suas leituras, as pessoas iriam consultá-la, pensei com meus botões. *Ela não andaria arrastando uma mesa, a toalha da mesa, cadeiras e demais equipamentos até a calçada de uma praia superlotada numa tentativa de atrair a atenção das pessoas para lhes ler as cartas.*

Mas minha recepcionista insistiu e insistiu muito, bem ao estilo *Nanny*. Um olhar nos seus olhos disse-me que outro protesto iria ser infrutífero. Ela acabou por confessar que conhecera a mulher numa festa e lhe disse que estaríamos na praia naquele dia.

– Eu ficaria muito embaraçada se você não fosse fazer uma leitura – lamuriou-se, franzindo a sobrancelha. – Por favooooor...

Rendendo-me, segui a "Nanny" pela areia quente da praia para consultar a mulher. Lá estava ela, sentada atrás de uma mesa com as cartas espalhadas corretamente à maneira cigana. Após sermos apresentados, ela disse:

– Bubala, temos leituras de 10 dólares e leituras de 20 dólares.

Bubala? Existe realmente algo como uma cigana judia?

Por alguma razão, eu fora para a praia com apenas 20 dólares no bolso. Pensando em como estava esfomeado, disse:

– Quero a leitura de 10 dólares.

Em troca do dinheiro, recebi uma agradável, embora não memorável, sessão de leitura. Quando terminou, quase como um pensamento extra, a mulher disse:

– Há um trabalho muito especial que eu faço. Ele reconecta os meridianos do seu corpo com a grade de linhas do planeta, o que nos conecta com as estrelas e os outros planetas.

Disse-me que, por ser médico, era algo de que eu necessitava. Disse-me também que eu poderia ler acerca do assunto num livro chamado *The Book of Knowledge: The Keys of Enoch* [O livro do conhecimento: as chaves de Enoque], de J. J. Hurtak. Pareceu-me bastante interessante, por isso fiz a pergunta:

– Quanto custa?

Ela respondeu:

– 333 dólares.

Eu disse:

– Não, obrigado.

Esse é o tipo de coisa quanto a qual somos advertidos nos noticiários da tarde. Até consigo ouvir o anúncio: "Cigana judia surrupia 333 dólares de um quiroprático desavisado em Venice Beach..." Minha fotografia com a palavra *trouxa* escrita por baixo passa no monitor. "...convenceu o médico a pagar-lhe mais 150 dólares por mês para o resto da vida para acender velas para sua proteção... gravado às 11:00". Senti-me humilhado apenas por ter me interessado. Portanto, minha recepcionista e eu abandonamos o lugar e criativamente fomos descolar um almoço para dois com 10 dólares.

Vocês irão pensar que esse assunto termina aqui, mas a mente trabalha por vias misteriosas. Não conseguia tirar da cabeça as palavras da mulher. Dei comigo usando os últimos e escassos minutos de uma pausa para almoço para ir à livraria Bodhi Tree, perto do meu consultório, tentando ler rapidamente o Capítulo 3.1.7 do *The Book of Knowledge: The Keys of Enoch*. (Fora esse o capítulo que ela me havia recomendado na praia, naquele dia.) A maior lição desse dia, contudo, foi a de que, se existe um livro criado para não ser lido rapidamente, era esse. Mas li o suficiente. Aquilo iria me perseguir até eu ceder. Quebrei o cofrinho e telefonei à mulher.

O trabalho era para ser feito em dois dias separados. No primeiro, dei-lhe o dinheiro, deitei-me na maca e ouvi o tagarelar da minha mente enquanto ela baixava a intensidade da luz e punha no ar uma tilintante música *Nova Era*. *Esta é a coisa mais estúpida que já fiz,* pensei comigo mesmo. *Não posso acreditar que paguei essa quantia a uma estranha para desenhar linhas no meu corpo com as pontas dos dedos.* Enquanto eu estava deitado ali, pensando em todos os bons usos que poderia ter feito com o dinheiro, uma súbita onda de conhecimento veio até mim e ouvi-me pensar: *Bem, você já lhe deu o dinheiro. Então pode muito bem cortar a tagarelice negativa e ficar aberto para receber o que for que haja para receber.* Então, fiquei ali sossegado, pronto e receptivo. Quando acabou, minha mente anunciou que eu não havia sentido nada. *Absolutamente nada.* Contudo, eu parecia ser a única pessoa na sala a saber disso. A mulher me fez levantar como se tivesse ocorrido um evento extraordinário, dizendo-me para me apoiar nela enquanto me conduzia vagarosamente ao redor da sua sala de estar.

– Firme-se – advertiu ela. – Regresse ao seu corpo.

E depois ouvi aquela vozinha não muito sossegada dentro da minha cabeça dizer o seguinte: *Minha senhora, não sei o que pensou que aconteceu aqui, mas eu não senti nada.*

Eu havia pago ambas as sessões, por isso decidi que podia muito bem voltar no domingo para a segunda parte. Contudo, o mais estranho ocorreu naquela noite. Cerca de uma hora depois de adormecer, o abajur perto da minha cama – um que eu tinha havia dez anos – se acendeu, e eu acordei para a sensação muito real de haver gente em minha casa.

Levantei-me corajosamente – com uma faca de trinchar, uma lata de *spray* de pimenta e o meu doberman pinscher – e vasculhei a casa, mas não encontrei ninguém. Voltei para a cama com a misteriosa sensação de não estar sozinho, de estar sendo observado.

🙢 🙠

A sessão seguinte começou de modo muito semelhante à anterior. Contudo, depressa se tornou evidente que era tudo menos isso. Minhas pernas não queriam permanecer quietas. Estavam possuídas por aquela sensação de "pernas inquietas" que, muito raramente, ataca certas pessoas sempre no meio da noite. Essa sensação tomou rapidamente conta do resto do meu corpo, intercalada com arrepios quase insuportáveis. Foi tudo quanto consegui fazer para permanecer quieto na mesa. Por mais que quisesse saltar para cima e para baixo e sacudir o sentimento de todas as células do meu corpo, não me atrevi a me mexer. Por quê? Porque havia dado à mulher mais dinheiro do que havia gasto numa semana em compras no supermercado e tencionava retirar da experiência o valor de cada centavo – *eis por quê*.

Finalmente, a sessão terminou. Foi num dia de agosto opressivamente quente, estávamos num apartamento sem ar-condicionado e, todavia, eu estava quase congelado, com os dentes batendo enquanto a mulher corria para me enrolar num cobertor, e assim fiquei uns bons cinco minutos até a temperatura do meu corpo voltar ao normal.

Agora eu estava diferente. Não compreendo o que aconteceu, possivelmente nem conseguiria tentar explicar, embora não fosse mais a pessoa que era quatro dias antes. Cheguei de alguma maneira ao carro, o qual parecia saber por si mesmo o caminho para casa.

Não me lembro de mais nada do resto do dia. Nem mesmo posso dizer com toda a certeza que o resto do dia aconteceu. Tudo quanto sei é que na manhã seguinte descobri que estava trabalhando.

Minha odisseia havia começado.

Alguma coisa estava acontecendo

Minha memória voltou no momento em que entrei na recepção do meu consultório. Foi como se uma parte do meu cérebro tivesse sido retirada do crânio no dia anterior e regressasse naquele preciso momento.

Mas essa não foi a única coisa estranha. Descobri que estava antevendo uma série de perguntas imprevistas: "Que aconteceu no seu fim de semana? Você parece tão diferente! Está com um jeito tão diferente!" Certamente não ia responder dizendo: *Ah, paguei a uma cartomante, na praia, 333 dólares para desenhar linhas no meu corpo com as pontas dos dedos; por que a pergunta?*

É melhor que algumas perguntas fiquem sem resposta.

– Ah, nada – respondi casualmente, perguntando-me o que teria acontecido exatamente durante o fim de semana.

Era costume meu deixar os pacientes na maca, de olhos fechados, durante trinta a sessenta segundos após os tratamentos. Isso dava a eles tempo para se descontraírem enquanto o tratamento *assentava*. Nessa segunda-feira, sete dos meus pacientes – alguns dos quais faziam tratamento comigo há mais de uma década e um que vinha pela primeira vez – perguntaram-me se eu havia andado ao redor da maca enquanto estavam deitados. Outros me perguntaram se mais alguém havia entrado na sala, porque tiveram a sensação de haver várias pessoas em pé ou andando em torno da maca. Três disseram ter tido a sensação de haver gente *correndo* ao seu redor e dois confidenciaram timidamente que parecia que havia pessoas *voando* em volta da maca.

Eu era quiroprático havia doze anos e nunca ninguém tinha dito uma coisa assim. Agora, sete pessoas me diziam isso no mesmo dia. Não foi preciso que caísse um piano na minha cabeça. *Alguma coisa estava acontecendo!*

Meus pacientes contaram que podiam dizer onde estavam minhas mãos antes de eu tocar o corpo deles. Podiam sentir minhas mãos quando estavam afastadas deles de três a mais de trinta centímetros.

Saber com que precisão eles podiam localizar minhas mãos tornou-se um jogo. Embora se tenha tornado algo mais que um jogo quando as pessoas começaram a ser curadas. A princípio, as curas eram menos impressionantes: dores e coisas do gênero. Quando os pacientes chegavam para a quiroprática, eu tratava deles e, depois, dizia-lhes para fecharem os olhos e ficarem deitados ali até eu lhes dizer para abri-los de novo. Enquanto mantinham os olhos fechados, eu passava as mãos sobre os pacientes por um momento ou dois. Quando se levantavam e tomavam consciência de que suas dores tinham cessado, perguntavam-me o que eu havia feito.

– Nada! E não diga a ninguém! – tornou-se a minha resposta padrão. Essa ordem era quase tão eficaz como a abordagem às drogas *É só Dizer Não* de Nancy Reagan.

Logo os pacientes vinham de todo lado para essas "curas". Eu tinha uma ideia muito tênue de onde tudo isso ia dar, uma vez que ninguém viu necessidade de me deixar um livro de instruções. Claro, eu conferia regularmente a situação com a mulher de Venice Beach – tinha de falar com *alguém* porque coisas estranhas estavam acontecendo na minha casa, e também não podia mencionar o fenômeno a qualquer dos meus amigos "sensatos".

– Deve ter vindo de alguma coisa já existente em você – disse-me ela. Depois acrescentou: – Talvez tenha alguma coisa a ver com a experiência de quase-morte da sua mãe na época do seu nascimento. Isto é tão fora do comum! Nunca antes aconteceu nada parecido.

Naquele primeiro dia na praia, ela me havia sugerido que começasse a tomar "florais" e intuiu quais essências específicas queria que eu tomasse. Na realidade, intuiu seis, mas disse-me que misturasse apenas cinco delas de cada vez.

Portanto, passei pelo processo de determinar quais as cinco que tomava e a que deixava de fora. O processo de tomada de decisão podia ser muito divertido – ou muito aborrecido para qualquer um que me conhecesse na ocasião, porque... bem... vamos apenas dizer que eu não era famoso pela minha capacidade de decisão.

Finalmente, encomendei as essências e, quando elas chegaram, misturei-as na cozinha com tal cuidado que beirava a reverência. Enchi um frasco com conta-gotas de 296 mm³ que continha três quartos de água mineral. Acrescentei sete gotas de cada uma das cinco essências de flores que escolhera em cada um dos frasquinhos. Coloquei uma junto da cama, uma na pasta, outra no armário dos medicamentos e outra na gaveta da minha escrivaninha no consultório. De modo quase sacramental, colocava debaixo da língua, quatro vezes por dia, sete gotas da mistura e, como se isso não fosse suficiente, tomava um banho (água limpa, o sumo de meio limão e sete gotas da mistura) de três em três dias. Durante vinte minutos mergulhava na banheira, molhando de novo cuidadosamente todas as partes da cabeça e do corpo que poderiam ter começado a secar, tal como o nariz (o qual, compreendi mais tarde, tinha que permanecer fora de água a maior parte do tempo). As instruções da mulher eram precisas, e eu as segui de modo ainda mais preciso do que seria necessário.

Por que menciono isso? Porque parecia que nessas noites de ritual, depois de ter cumprido a rotina de fechar e refechar, ligar e religar o alarme e, finalmente, ir dormir, acordava com a sensação de ter pessoas em casa. Levantava-me com o coração batendo forte e andava pela casa sentindo que, a qualquer momento, trombaria com alguém que, quando eu tinha ido para a cama, não estava ali... apenas para descobrir que uma porta que eu fechara estava agora aberta e/ou uma luz que apagara antes de me deitar estava agora acesa.

Portas abrindo e luzes acendendo – bela metáfora. Ainda assim, eu não estava vendo a situação de uma distância suficiente para a reconhecer como tal. Sabia apenas que algo extraordinário ocorria na minha casa e queria respostas. Minha cigana não as tinha para me dar, mas não parecia preocupada com o que estava acontecendo, portanto, eu também não fiquei.

Mal sabia eu que em breve iríamos sair completamente da área que lhe era familiar.

Bolhas e Sangramentos

Alguns pacientes ainda vinham para tratamentos quiropráticos-padrão, desconhecedores das "outras coisas" que aconteciam no meu consultório. Uma paciente fora indicada por sua ortopedista, que não conseguira resolver sua dor nas costas. A mulher tinha cerca de 40 anos e há muito tempo sofria daquela dor. No dia em que a conheci sentia-se particularmente mal, mas não exatamente das costas. Disse-me que tinha uma doença degenerativa dos ossos no joelho direito desde os 9 anos de idade e que a dor era quase intolerável.

Fiz o tratamento e, então, pedi que fechasse os olhos e não os abrisse antes de eu pedir. Enquanto ela mantinha os olhos fechados, aproximei-me do seu joelho direito e coloquei as mãos cerca de quinze centímetros acima dele, movendo-as em pequenos círculos. Eu tinha notado que havia sempre uma espécie de sensação em minhas mãos quando fazia isso com alguém, e dessa vez a sensação era de calor. Foi tudo quanto notei: calor – embora talvez um pouco mais de calor que o habitual.

Depois de terminar, pedi que abrisse os olhos. Quando os abriu, disse-me que se sentia melhor. Devo admitir que, a essa altura, estava habituado a obter exatamente esse tipo de resposta. Embora estranho, isso parecia acontecer com grande regularidade. Foi, portanto, o que aconteceu a seguir que me surpreendeu verdadeiramente. Andávamos em direção à porta da frente e, quando nos aproximávamos da recepção, minha recepcionista quase caiu da cadeira.

– *Olhe!* – ela guinchou no seu modo único enquanto apontava para minha mão. Olhei para baixo. A palma da minha mão estava coberta de bolhas – pequeninas, medindo alguns milímetros. Eram umas 75, 100, talvez mais. Depois de três ou quatro horas elas haviam desaparecido.

Isso ocorreu em mais de uma ocasião. E, de certa maneira, achei-as bem-vindas – eram uma manifestação visível de qualquer coisa que, de outro modo, passaria despercebida. Era algo que eu podia mostrar às pessoas e dizer: "Estão vendo, estão vendo?"

Então aconteceu. A palma da minha mão sangrou. Não estou brincando. Em vez de bolhas, sangrava. Não jorrava em torrente, como nos filmes antigos ou nos jornais sensacionalistas, mas mais como se eu tivesse picado a palma da mão com um alfinete. Ainda assim, era sangue.

Como eu e a minha paciente olhávamos ambos silenciosamente para aquilo, outros pacientes se aproximaram.

– É uma iniciação – disse um deles.

– Em quê? – perguntei.

Ninguém sabia dizer.

E, uma vez mais, como poderiam *eles* saber? Por que *eu* não sabia? Quem saberia *realmente*?

Procurando respostas

Minha busca por explicações não apenas continuou, mas acelerou. Descobri os nomes e os antecedentes de algumas das pessoas conhecidas por serem especialistas em várias áreas dos fenômenos espirituais e dos chamados paranormais. Comprei seus audiolivros e os ouvi no carro; e cheguei a algumas perguntas que gostaria de lhes fazer.

E de vez em quando era bem-sucedido.

Quando ouvi dizer que Brian Weiss, médico, autor de *Many Lives, Many Masters* [Muitas vidas, muitos mestres], ia ministrar um seminário de um dia, arranjei imediatamente um jeito de assistir. O dr. Weiss é uma das principais autoridades mundiais em regressão a vidas passadas. Começou sua carreira como psiquiatra convencional e hipnoterapeuta, mas, durante o tratamento de certos pacientes, convenceu-se da realidade das vidas passadas e do efeito que elas podem ter na vida atual de uma pessoa.

Eu tinha a esperança de que, se assistisse ao seu seminário, conseguiria falar com ele durante uma pausa para ver se conseguia lançar alguma luz sobre o que estava acontecendo na minha própria vida outrora normal.

Bem, houve uma pausa, é certo, mas não do tipo que imaginei.

No dia do seminário, sentei-me com outras seiscentas pessoas, todas esperando avidamente para falar pessoalmente com o dr. Weiss, na esperança de não só prender-lhe a atenção com o que tinham para dizer, mas que ele tivesse tempo para falar com elas e, assim, se sentirem importantes. Aparentemente poucos percebiam – ou não se importavam – que seiscentas pessoas fazendo perguntas multiplicadas por um minuto para cada resposta é igual a dez horas, o que teria sido mais que o tempo previsto para todo o seminário.

Naturalmente, eu era uma dessas pessoas. E, tal como os outros, sentia que a minha pergunta *tinha* de ser feita. Portanto, esperei por oportunidades apropriadas para levantar a mão: pausas naturais na fluência da leitura, tópicos relacionados com a minha pergunta etc. A segunda opção deveria ter oferecido muitas brechas, uma vez que tinha de introduzir minha pergunta com uma breve história sobre o que estava acontecendo comigo – eventos que se relacionavam a quase todos os tópicos que o dr. Weiss vinha discutindo.

Contudo, as perguntas não só *não* eram respondidas, elas nem mesmo eram admitidas.

A pausa do meio-dia chegou rapidamente. O seminário estava meio concluído e eu ainda não havia conseguido uma oportunidade.

Após o intervalo, o dr. Weiss anunciou que iria proceder, no palco, a uma regressão a uma vida passada e que precisava de um voluntário. Levantaram-se 597 mãos (três pessoas deveriam ainda estar no banheiro). O dr. Weiss anunciou que iria escolher cinco pessoas da plateia para irem ao palco e ia submetê-las a uma espécie de teste no olho para determinar qual seria o melhor candidato para a experiência. Os restantes deveriam regressar aos seus lugares.

– Um, dois, três, quatro, cinco... – o dr. Weiss indicou com a mão os seus voluntários e lá foram eles, tomando, cada um, uma das cinco posições designadas. Nenhum deles era eu.

Nós que não fomos escolhidos baixamos as mãos e esperamos ansiosamente para ver o que iria acontecer a seguir... quando subitamente o dr. Weiss se voltou para o público, vasculhando-o como se tivesse perdido alguma coisa.

– Você! – Ele apontou para o meio da multidão. – Você não tinha levantado a mão?

Enquanto olhava em redor para ver para quem ele estava apontando, reparei que todos os outros olhavam para *mim*.

– Tinha – falei, muito sem graça e sem saber muito bem o que fazer. – Mas o senhor já escolheu cinco pessoas.

– Quer vir até aqui?

Claro que eu queria. Que raio de pergunta era aquela?

– Bem, sim – repliquei.

– Está bem. Então, venha – disse ele.

Confessar que agora eu só queria que a terra se abrisse e me engolisse era dizer pouco. De algum modo, parecia mais fácil ser um de um grupo de cinco do que um indivíduo solitário, sendo escolhido de maneira tão espalhafatosa.

Mas fui – depois de receber algumas cotoveladas amigáveis nas costelas e alguns olhares de desprezo não muito bem disfarçados. Eu não podia culpar essas pessoas. Todo mundo queria fazer regressão com Brian Weiss.

O dr. Weiss levou-me para o palco e descreveu o "teste do olho" que ia fazer com cada um de nós. Era basicamente um teste de suscetibilidade à hipnose em que olhávamos para cima sem mexermos a cabeça, depois fechávamos lentamente os olhos para ele poder ver o "tremular". A partir disso ele evidentemente podia determinar quem seria o mais suscetível à regressão hipnótica.

Se ainda não adivinharam, fui eu o sortudo. Talvez ele soubesse disso desde o princípio.

Ele me fez sentar em um banco, fechar os olhos, fez algumas sugestões e, depois, perguntou:

– O que você está vendo?

Percebi que estava olhando para baixo, para mim mesmo, ainda que meus olhos estivessem fechados. Vi uma pele bronzeada, mas de um tom diferente do meu – era uma tez morena-escura, de aspecto mediterrâneo. Subitamente descobri que era um garoto vivendo em algum lugar no deserto numa era longínqua. Soube também que, pelos padrões atuais, eu parecia mais velho do que realmente era. De fato, em concordância com o que disse em voz alta ao dr. Weiss e à plateia, eu era um "rapaz com idade entre os 12 e os 17 anos de idade".

Descrevi o que me rodeava: o pátio interior de um edifício enorme com colunas de pedra. Uma das colunas erguia-se no meio do pátio, elevando-se a uma altura superior à que os meus olhos podiam alcançar. Era enorme, 1,50m de diâmetro, suficientemente grande para eu poder me esconder atrás dela, que era o que eu estava fazendo. Nesse ponto, minha boca disse à plateia:

– Estou de volta ao Egito – enquanto minha mente pensava: *Meu Deus! Egito! Todo mundo diz que voltou ao Egito. Será que estou inventando isso?* Continuei, dizendo:

– Estou morando na casa do Faraó. *Claro que estou, que falta de imaginação a minha.* – Sou um familiar muito próximo do Faraó. – *Então agora sou da realeza.* – Contudo, não sou do mesmo sangue. *E agora suponho que sou Moisés. Não acredito que estou dizendo isso.*

Havia uma história se desenvolvendo no olho da minha mente e, contudo, verdade ou não, eu não conseguia parar. Disse-lhes que estava me escondendo atrás da coluna, deslocando-me em torno dela para me manter fora da vista de um guarda. Lembro-me de isso ter parecido estranho, uma vez que aquela era, afinal, a *minha* casa. Ainda assim, eu sabia que meu objetivo era ir sem ser visto até uma escadaria que levava a uma câmara subterrânea onde a corte dos mágicos mantinha as ferramentas de seu ofício.

Ninguém era admitido ali, nem mesmo eu. Os mágicos julgavam-se os únicos capazes de saber como usar aquelas ferramentas. Eu sabia que não era assim. Sabia que *eu* era a única pessoa habilitada a usá-las; os mágicos estavam enganados, ou tentavam enganar os restantes.

Sabia também que entre os tesouros contidos na câmara subterrânea havia cetros de ouro de vários tamanhos, alguns chegando a 1,80m. Eram coroados por gemas enormes, uma delas em particular numa armação de dentes dourados. Um tinha uma enorme pedra verde-escura, ou uma esmeralda ou moldavita polida, algo que descobri mais tarde.

A seguir, lembro-me de ouvir o dr. Weiss dizer:

– Bem, vamos avançar até o fim desta vida.

Fui um pouco mais longe que isso. Subitamente, soube que havia morrido e deixado aquela vida. A consciência que tinha na época me disse que o poder de modo algum estava nos cetros – estava em *mim*, e eu o levava comigo de vida em vida.

Foi esse o final da minha sessão. Desse dia até hoje, não tenho certeza de não ter inventado toda a história. Enquanto estive no palco, certamente senti necessidade de inventar qualquer coisa para dizer.

Depois de a sessão ter terminado, ouvi de muitos dos presentes:

– Se você estivesse aqui assistindo, *saberia* que não inventou nada.

Mais tarde, o dr. Weiss disse-me que, durante a regressão, eu lhe trouxera informações que ele já investigara para seu próximo livro. Era muito improvável que eu soubesse aquelas coisas antes de subir ao palco, ele disse.

Tive que concordar. E embora não houvesse nada na "sensação" dessa experiência para me dizer que foi real, nada do que lhe disse estava no artigo sobre *Egiptologia* que escrevi no terceiro ano.

Capítulo seis

À procura de explicações

"Reconheça o que está à vista e aquilo que está escondido de você se tornará claro aos seus olhos."
— Biblioteca de Nag Hammadi

Eu imaginava que alguém *tinha que* saber o significado de todas aquelas estranhas ocorrências. *Minhas* experiências não eram certamente as únicas. Alguém, em algum lugar, tinha que ter as respostas.

Comecei, naturalmente, pela mulher de Venice Beach. Quando soube das bolhinhas e do sangue, admitiu não fazer a menor ideia nem do que era nem a razão por que aquilo estava acontecendo. Ela tinha esgotado as suposições e as banalidades *Nova Era* e disse-me que estava na hora de eu entrar em contato com *outra* mulher, a pessoa que "ensinara a ela e a todo mundo" a fazer esse trabalho. Deu-me um nome e um número de telefone.

Nessa noite já era tarde demais para telefonar, por isso liguei no dia seguinte e contei toda a história a essa nova "professora": as luzes se acendendo, as portas se abrindo, as "pessoas" que eu pressentia em casa e as pressentidas pelos meus pacientes no consultório, as palmas das minhas mãos cheias de bolhas e sangrando. Eu estava otimista quanto à possibilidade de aprender alguma coisa de útil com ela. Quando terminei minha história, fez-se um longo silêncio no outro lado da linha. Depois, a professora disse:

— Não sei de ninguém que tenha reagido assim. É *fascinante*. — E foi tudo quanto ela teve para oferecer.

Aparentemente, "fascinante" era o código *Nova Era* para: "Você está por sua própria conta, rapaz". Mas eu não estava pronto para desistir. No mês seguinte, por recomendação de um amigo, entrei em contato com um médium de Los Angeles, mundialmente famoso. Quando marquei uma entrevista com ele, não mencionei o que estava acontecendo comigo; nem sequer lhe disse meu sobrenome. Queria ver se ele havia captado alguma coisa por si mesmo e, talvez, tivesse alguma ideia do que se passava comigo.

No dia da minha entrevista, sem fôlego, perdido e trinta minutos atrasado, irrompi no seu condomínio, deixei-me cair numa cadeira e fingi não notar "aquele olhar". Sabe, aquele olhar controlador do perfeccionista, do sujeito pontual ao extremo; aquele que o obriga a olhar para trás, para cada repreensão alguma vez recebida pela falta de pontualidade, ao mesmo tempo que o faz questionar o seu valor como ser humano. Tive a certeza de que, nos seus dias de folga, ele pedia ao Congresso para reintroduzir na escola pública a palavra *indolente*. Essa leitura ia ser um fracasso, eu tinha certeza.

O médium espalhou as cartas de maneira bastante profissional, procurando cuidadosamente não mostrar um pingo de calor ou de compaixão. Olhou para as cartas e depois olhou diretamente nos meus olhos com uma expressão que podia tanto ser levemente zombeteira como carrancuda.

— Qual é sua profissão? — ele quase ordenou.

Bom, não sei o que você faria, mas a 100 dólares por hora, eu pensei: *Você é o médium. Diga-me você*. Evitei verbalizar meus pensamentos.

– Sou quiroprático – repliquei, com uma voz objetiva, tendo o cuidado de não revelar coisas que pudessem influenciar sua interpretação.

– Oh, não! – ele disse – É muito mais do que isso. Alguma coisa vem através das suas mãos e as pessoas são curadas. Você estará na televisão – continuou – e as pessoas virão de todo o país para vê-lo.

Era a *última* coisa que eu esperava ouvir desse homem – especialmente depois do modo como a sessão havia começado. Bem, quase a última coisa que esperava ouvir, porque o que ele me disse a seguir foi que eu escreveria livros.

– Deixe-me dizer uma coisa – respondi, com um sorriso de sabedoria. – Se há alguma coisa da qual tenho a certeza é que *não* escreverei livro algum.

E queria dizer isso mesmo. Os livros e eu nunca nos demos bem juntos. Nessa altura da minha vida eu havia lido, talvez, dois livros, com um dos quais ainda estava lutando. Meu passatempo favorito há muito tempo era ver televisão. Eu era, para falar claro, um viciado em televisão.

De modo bastante estranho, após a minha visita ao médium, me peguei lendo. E lendo. Meu vício em televisão cessara abruptamente, substituído por, atrevo-me a dizer, livros. Não conseguia parar – filosofia oriental, vida após a morte, informação canalizada e, até, experiências com OVNIS. Lia tudo, todos os autores, de qualquer lugar.

Pouco a pouco, minha vida foi sendo tomada por essa nova e estranha energia. À noite, quando me deitava para dormir, minhas pernas vibravam. Era como se minhas mãos estivessem constantemente "ligadas". Os ossos do meu crânio também vibravam e meus ouvidos zumbiam. Mais tarde comecei a ouvir sons e, em raras ocasiões, o que parecia serem vozes em coro.

"É isso. Perdi o juízo." Agora tinha certeza. Todo mundo sabe que, quando a gente começa a ficar louco, ouve vozes. As minhas cantavam. Em coro, ainda por cima. Eu não podia ter um leve murmúrio, um vocalista lânguido ou mesmo um pequeno grupo coral. Não, tinha que ter o Coro do Tabernáculo Mórmon.

E meus pacientes? Estavam vendo cores: azuis fortes, verdes, púrpuras, dourados e brancos. Tonalidades de uma beleza para além de tudo quanto conhecemos. Embora fossem capazes de reconhecer essas cores, disseram-me que nunca tinham visto antes essas manifestações específicas. Alguns pacientes que trabalhavam na indústria do cinema disseram que, não apenas tais cores, tanto quanto sabemos, não existem na Terra como, mesmo usando todos os seus recursos e toda a sua tecnologia, seria impossível reproduzi-las. Ouvindo isso, revi a experiência de vida após a morte de minha mãe quando ela falou das "formas e tonalidades indescritíveis" que não existiam no mundo que deixara para trás e de como a visão delas a encheu de admiração.

Manifestando sintomas

Quer eu compreendesse ou não a fonte suprema da energia que estava usando, as curas continuavam. Mesmo imaginando quais seriam suas origens, eu raramente questionava os resultados. Se tivesse feito isso, haveria provavelmente pessoas que nunca teria sequer tentado ligar com uma cura.

Eu havia feito planos para atravessar o país de avião no fim do ano (1993) e passar as férias com Zeida. Na noite antes de partir, fui convidado para um jantar. Não queria realmente ir, especialmente porque fico bastante neurótico antes de uma viagem: que coisas vou levar, que coisas vou deixar, de que coisas me vou esquecer? Ainda assim, dei um jeito de ir à festa.

Quando cheguei, o dono da casa disse que um dos convidados estava com AIDS num estado avançado. Isso ficou claro no momento em que o vi: sua pele tinha a palidez acinzentada que muitas vezes surge nos últimos estágios da doença e ele levava um frasco de morfina de aplicação intravenosa gota a gota para as dores, usando o suporte para se equilibrar. Sofria também de uma complicação chamada citomegalovírus, ou CMV, que lhe afetara o olho direito, enevoando-lhe completamente a visão desse lado.

Esse homem havia passado o ponto de pensar que sua dor algum dia desaparecesse, mas esperava sinceramente poder ao menos recuperar a visão. O dono da casa perguntou-me se eu podia tratá-lo e respondi: "Com certeza, ficaria muito contente". Levei-o para outra sala e trabalhei nele durante cerca de cinco minutos, depois dos quais ele me disse que a dor quase desaparecera.

Pensamos ambos que se tratava de um bom progresso e saí da sala. Cerca de um minuto mais tarde, ele saiu e anunciou que conseguia enxergar claramente com ambos os olhos. Foi um momento muito empolgante.

Igualmente excitante, mas de modo diferente, foi quando na manhã seguinte acordei e descobri que o *meu* olho – o esquerdo – inchara, chegando a três vezes o seu tamanho normal! Por qualquer razão, sempre que "adquiria" temporariamente os sintomas de outra pessoa, eles atingiam o lado oposto do meu corpo – não sei por quê. Meu olho permaneceu inchado durante umas 36 horas.

Com as bolhas e os sangramentos eu não me importava muito, mas isso era outra coisa. Comecei a me perguntar: *Será que estou ficando com a doença da outra pessoa quando faço essa energia circular? Vou continuar doente? Mais tarde, isso irá provocar em mim uma espécie de reação em cadeia?* Esses pensamentos me faziam sentir um tanto desconfortável.

Foi então que percebi: eu não *precisava* manifestar fisicamente os problemas ou os sintomas de outra pessoa para as curas ocorrerem – nem precisava desses sinais para servirem de evidência de que alguma coisa real e poderosa estava acontecendo.

Depois dessa revelação, nunca mais tive qualquer outra manifestação física.

Mas outra pessoa teve.

Capítulo sete

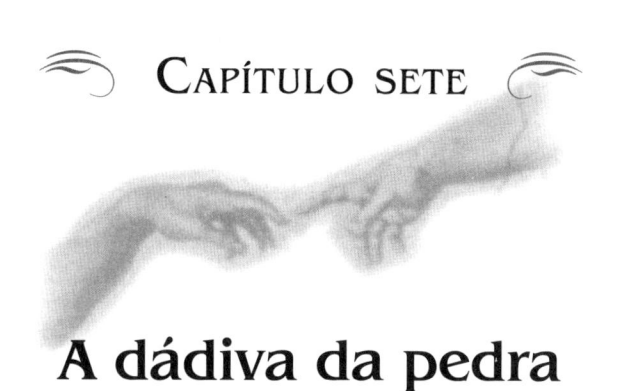

A dádiva da pedra

"Qualquer tecnologia suficientemente avançada é indistinguível da magia."
– ARTHUR C. CLARKE, *THE LOST WORLDS OF 2001*

Na nossa cultura, janeiro é o começo do ano, um tempo para reflexões sobre o passado e resoluções para o futuro. Olhando para trás, para o ano de 1993, vi uma corrente de curas que me encheu de receio e de espanto. Olhando para a frente, eu vi... *o quê?* Até onde iria isso? Aonde isso estaria me levando? Não tinha nenhuma pista – nessa época eu ainda não tinha conhecido o Gary (do Capítulo um) ou experimentado o aumento de potencial que sua cura iria representar.

É claro que eu estava tocando de ouvido toda essa coisa de cura – sem livro de instruções, desenhos passo a passo e quase sem aconselhamento por reconhecidos mestres em assuntos "metafísicos". Tudo quanto podia fazer era continuar o que estava fazendo e esperar que o que quer que fosse que trazia essa energia até mim fizesse bem a sua parte.

Como é muitas vezes o caso, não reconheci o passo seguinte no processo de saber o que era no momento em que ocorreu. Pouco tempo depois de voltar das festas de fim de ano, um dos meus pacientes deu-me uma caixinha branca de presente. Lembro-me de sentir que havia algo de invulgar no fato de receber um presente de Natal *depois* das festas. Embora fosse o tipo de caixa que podia conter uma pequena joia, eu sabia o que havia lá dentro. Desde que as curas haviam começado, os pacientes me traziam presentes. Todos pensavam que eu precisava de alguma coisa.

"Alguma coisa" se inseria habitualmente numa de três categorias: (1) livros ou cassetes – recebi montes; (2) estatuetas – ofereceram-me todas as versões de Buda, Moisés, Jesus, da Virgem Maria, de Krishna e dos arcanjos que possam imaginar; (3) cristais. Os cristais vinham em dois tamanhos: Volkswagen – o tipo de coisa que se tem de pôr de pé no canto de uma sala, presumindo que a sala seja suficientemente grande – e de bolso. As pessoas que oferecem cristais tamanho de bolso levam o termo *de bolso* muito a sério. Esperam ver o cristal *no nosso bolso!* Contudo, há uma maneira de evitar carregá-lo lá, e isso se puder calcular o chakra apropriado onde pendurá-lo e comprar o fio ou o cordão colorido correto para pendurá-lo.

Não queria ir tão longe, por isso limitava-me a pôr os cristais no bolso. Logo, logo ele estava abarrotado. Cada vez que me curvava para fazer um tratamento, pelo menos um cristal caía no chão. Quando me inclinava para apanhá-lo, os cristais de quartzo rosado – os únicos polidos e arredondados – tomavam a iniciativa de saltar do meu bolso e rolar pelo corredor como bolinhas de gude se espalhando em todas as direções. Tenho certeza de que, quando viram isso, alguns dos meus pacientes ficaram certos de que eu estava maluco. Portanto, quando abri a caixinha, esperava encontrar alguma coisa azul, rosa ou brilhante… mas, para minha surpresa, descobri uma pedra estranha e irregularmente talhada, verde-escura, quase parecendo misteriosa, muito elegantemente colocada sobre uma camada de algodão. Lembro-me de ter pensado que não era uma pedra particularmente atraente. Não cintilava nem refletia luz; era grosseiramente talhada. Não brilhava com qualquer cor maravilhosa, pelo contrário, era uma "coisa" pequena negro-esverdeada, aparentemente desinteressante e sombria, polida, mosqueada, lúgubre. Na melhor das hipóteses, era parecida, tanto na cor como na textura, com um abacate excessivamente maduro. Em outras palavras, não correspondia ao meu conceito de cristal.

– O que é isto? – perguntei.

– Moldavita – foi a resposta.

Hmmm... moldavita. Mold*. Que nome adorável. Suponho que certos bolores podem apresentar cores parecidas com esta, pensei. Tenho de me lembrar disto para os presentes de natal do próximo ano. Talvez consiga encontrar também algumas pedras chamadas fungos, de modo que ninguém receba o mesmo presente.

Ciente de que domínios específicos de influência são frequentemente atribuídos a cristais específicos, perguntei sobre o significado da moldavita.

– Preste atenção na cor! – disse meu paciente, como se isso pudesse ter escapado à minha atenção ou ao meu comentário silencioso. Ignorando minha pergunta e a expressão muito pouco animada do meu rosto, ele arrebatou entusiasticamente a pedra dos meus dedos e segurou-a bem alto, perto da janela, para que a luz pudesse incidir nela. Eu não estava preparado para o que ia ver. Com a luz do sol entrando nela por trás, essa pedra, antes de aspecto opaco, transformou-se numa esmeralda transparente, diáfana, fascinantemente provocadora no brilho da sua translucidez.

Uma vez mais, formulei minha pergunta anterior:

– Para que serve?

– Bom – respondeu meu paciente –, é difícil demais para explicar. Ponha-a no bolso e da próxima vez que estiver na livraria Bodhi Tree pode obter algum material sobre ela.

Pus a pedra verde no bolso sem pensar duas vezes e fui tratar da minha vida.

---

* Em inglês, *mold* significa bolor.

Não fazia a menor ideia de que o meu dia, já um pouco vacilante nos seus eixos, estava prestes a ficar de cabeça para baixo.

🙢 🙠

Mais tarde, nesse mesmo dia, Fred veio ao meu consultório. Fred era meu paciente há cerca de um ano e meio. Nessa visita, tratei-o e depois lhe disse para fechar os olhos e só abrir quando lhe dissesse. Estendi as mãos e passei-as por cima do seu corpo, como de hábito – mas quando cheguei à sua cabeça, ela deu um solavanco para trás. Seus olhos rolaram de forma extraordinária, sua boca abriu-se e a língua começou a mover-se de uma maneira que formava claramente vogais. O ar escapava pela sua boca de forma audível.

Era desconcertante, para dizer o mínimo. Ainda assim, a energia fluía através das minhas mãos e eu pensei: *Bem, sei que ele está tentando falar.*

Movi as mãos, lentamente, na tentativa de localizar uma área onde a sensação se tornasse um pouco menos forte. Suavemente, movi-as para um lado e depois para o outro, procurando. Mas ainda não saíam palavras de Fred, apenas aquela pantomima de lábios e língua. Era frustrante. Eu sabia que ele estava tentando falar, e queria mesmo saber o que tinha para dizer. Cheguei a orelha cada vez mais perto da sua boca, como se isso pudesse ajudar. Não ajudou.

Eu estava aterrorizado com aquela situação. Enquanto isso, sabia que, em redor, as salas estavam se enchendo de pacientes que não costumavam esperar. Tinha a certeza de que todos estariam imaginando: *O que o doutor está fazendo?* Tinha de terminar a consulta com Fred.

Afastei as mãos – mas não sabia o que fazer com o próprio Fred, uma vez que sua língua continuava se movendo e ele continuava a emitir sons produzindo a promessa de um discurso. Toquei-lhe suavemente o peito e disse:

– Fred, acho que acabamos. – Seus olhos abriram-se, ele olhou para mim e eu olhei para ele. Não disse nada, portanto, *eu* não disse nada. Finalmente, levantou-se como se essa tivesse sido uma visita normal e saiu.

Decidi esquecer o assunto e deixar para lá. Como disse, Fred era meu paciente há cerca de um ano e meio e, até esse dia, as coisas haviam sido relativamente normais.

Mas, menos de uma semana mais tarde, Fred veio para uma nova sessão. Depois do tratamento, estendi as mãos sobre sua cabeça – e *buum*, ela rolou para trás, seus lábios se abriram, sua língua começou a mover-se e, uma vez mais, o ar começou a escapar audivelmente.

Embora deva admitir que esperava que alguma coisa acontecesse, a intensidade levou-me a recuar. Fiquei sem fala.

De certo modo cocriei esse encontro, porque antes, quando vira Fred na sala de espera, passei os outros pacientes à sua frente para minha sala, para termos algum tempo sem interrupções. Assim que os movimentos que vira da última vez começaram a surgir nele, deixei minhas mãos começarem a buscar uma boa e forte conexão com sua energia – um lugar onde podia fazer o possível para amplificar esse comportamento.

Finalmente, Fred começou a falar.

Ora, quando a maioria de nós fala, abrimos simplesmente a boca e uma voz sai – nada de surpreendente. Mas ouvir uma voz ser formada fora, no ar, é um pouco... perturbador. O silvo entrecortado que ouvira na última vez começou a evoluir para palavras. A voz que as proferia começou como um guincho áspero e de tom muito elevado:

– Estamos aqui para dizer a você... – a voz tornou-se mais profunda – ...que continue fazendo o que faz... – a voz continuou de forma irregular e agitada. – ...Aquilo que você está fazendo... é trazer luz e informação ao planeta.

À medida que Fred falava, sua voz mudou, caindo gradualmente na escala de um guincho para um estrondo profundo e ressonante, embora o fraseado continuasse estranhamente mecânico, quase como se a fonte dessa comunicação tivesse de aprender a usar a caixa de voz de Fred. No entanto, tudo que ele disse era claro e convincente.

Nessa altura, todas as salas de tratamento estavam de novo cheias de pacientes. Tratava-se de um número significativo de pessoas. E minhas salas de tratamento não tinham portas – nada podia impedir essa estranha voz de viajar pela clínica.

Entretanto, eu não queria ainda deixar que Fred saísse. Perguntava-me se teria o tipo de personalidade adequada para dizer:

– Perdoe-me, senhora Voz vinda do Universo, que viajou de tão longe para se comunicar comigo, mas agora não é conveniente. Poderia voltar numa hora mais propícia? Às sete e meia seria ótimo.

Evidentemente, eu não poderia ir tão longe, mas comecei a dar uma leve pressionada:

– Como posso voltar a falar com você? – perguntei à voz de Fred.

– Pode me encontrar dentro do seu coração – respondeu.

Não era uma resposta; era um cartão postal da Hallmark! Eu queria a voz de novo.

– Bom – disse eu –, posso encontrá-la por meio de outra pessoa?

A resposta foi vaga.

– Posso voltar a encontrá-la de novo através desta pessoa? – perguntei.

Outra resposta cautelosa. Eu não estava disposto a deixá-la ir tão facilmente. Assim, forcei, forcei e forcei. Finalmente, a voz disse:

– Está bem. Você pode voltar a falar comigo através desta pessoa.

Toquei levemente o peito de Fred, onde já tocara antes, e disse:

– Fred, acho que acabamos. – Ele abriu os olhos, saltou da maca e foi para a parede, onde se colocou de modo a bloquear o telefone. Mais tarde, disse-me ter certeza de que eu iria ligar para um hospital de doenças mentais para virem buscá-lo. Embora não conseguisse se lembrar da maior parte daquilo que saíra de sua boca, estivera consciente do que acontecera – em princípio, pelo menos. Confessou já ter feito isso antes. Havia contado apenas a duas pessoas e não queria que ninguém mais soubesse.

Durante nossa sessão anterior, percebera que a voz começara a falar através dele, mas pensou que a controlara e que eu não percebera nada. Dessa vez perdera o controle quase imediatamente e a voz saiu. Fred de modo algum se incomodava com essa falta de controle. Sentia não ser responsável por aquilo que saía da sua própria boca, explicando que isso o aborrecia porque também não conseguia compreender coerentemente o que estava falando. Descreveu assim o processo: ele ouvia uma palavra, depois uma segunda palavra e, a seguir, uma terceira, mas, quando captava a quarta, esquecia-se da primeira. Isso o aborrecia também porque não conseguia juntar os pensamentos em sua própria mente.

Assegurei-lhe já ter ouvido falar antes em coisas como canalizações e/ou a capacidade de falar línguas estranhas, e imaginava, bem, é interessante conhecer alguém que faz isso. Registrei o assunto como uma "coisa" do Fred.

Mas, um ou dois dias mais tarde, aconteceu de novo – *com três pacientes diferentes!* Uma após outra, cada cabeça moveu-se bruscamente para trás, seus olhos rolaram para cima, seus lábios se abriram, a língua moveu-se e da sua boca saiu audivelmente ar. Eu não ia ficar sentado ali e esperar por um estudo aleatório e duplo cego. *Sabia que na próxima visita iriam falar.* Queria respostas e queria-as naquele momento.

O olho dourado

A essa altura, voltei ao médium que falara das minhas mãos. Afinal de contas, ele *era* respeitável. Fez leituras para a realeza do Oriente Médio, para a Casa Branca de Reagan e mais de um punhado de celebridades procurava o seu conselho. Telefonei-lhe e expliquei tudo que estava acontecendo. Ouviu-me atentamente e, depois, disse:

– Bem, não sei o que é isso.

Isso não era exatamente transmitir confiança.

– Vá ver uma francesa em Beverly Hills – disse-me. – Ela estudou essas coisas. Provavelmente pode ajudá-lo, se mais ninguém puder. Chama-se Claude. – (Não me perguntem por que não era Claudine ou Claudette; não sei.)

De modo que fui ver Claude. Achei que entraria, estenderia as mãos perto dela e a deixaria sentir o que passava através delas. Depois, no meu cenário imaginado, ela me explicava o que era isso, eu entenderia tudo com clareza e podia continuar com a minha vida.

Ao que parece, eu era o único a esperar tal coisa. Claude convidou-me a entrar, sentou-me no sofá e colocou um cristal em cada uma das minhas mãos. Depois, abriu um cartaz gigantesco com uma estrela desenhada. Cada seção da estrela tinha uma cor diferente. E como se isso não bastasse, ela tinha colocado olhinhos estranhos por todo o cartaz, evidentemente para impressionar.

Disse-me para olhar para a estrela e para as cores e depois fechar os olhos. Começou a conduzir-me pela visualização de cores básicas. Era sem dúvida uma coisa que eu não estava com disposição para fazer. Havia algo *real* acontecendo na minha vida; se eu quisesse imaginar minhas próprias explicações para o que se passava, poderia ter ficado em casa e feito isso. Mas ali estava eu.

Segurando os cristais, fechei os olhos. Claude disse:

– Agora, imagem azul. Tudo é azul.

Quanto a você, não sei, mas quando fecho os olhos a única cor que vejo é preto carvão. Mas tentei.

– Azul – disse ela. – Tudo é azul.

Estou tentando.

– Agora visualize vermelho.

Vermelho, pensei.

– Verde.

Verde.

– Amarelo.

Amarelo.

– Laranja.

Laranja.

– Agora imagine ouro. Tudo é ouro – disse Claude. – Céu dourado. Chão dourado. Montanha dourada. Catarata dourada.

Está bem, o mundo inteiro é dourado.

– Coloque-se sob a catarata dourada – continuou. – Sinta a água dourada caindo sobre você.

Esta mulher está mesmo forçando a barra – pensei comigo mesmo.

– Agora imagine um olho dourado, um olho dourado gigante lá no céu. Você vai fazer perguntas a esse olho.

Era tudo quanto eu precisava ouvir. Abri os olhos e olhei para ela:

– E *como* ele vai me responder? É um *olho*.

– Só feche os olhos e eu lhe digo quais as perguntas a fazer.

– Muito bem – disse eu, e fechei os olhos.

– Pergunte ao olho quantas fitas de DNA você tem.

Nervoso e frustrado, voltei a abrir os olhos e olhei para ela.

– Eu *sei* quantas fitas de DNA eu tenho; sou *médico*. – Continuei explicando-lhe o DNA e o RNA, descrevendo fitas simples, fitas duplas e a formação da dupla hélice.

Ela ouviu pacientemente e depois, como se o que eu tinha dito não tivesse sequer um grão de importância, insistiu:

– Pergunte ao olho.

Portanto, sentei-me pela terceira vez e fechei os olhos, tentando imaginar a maneira de sair daquele absurdo. Como iria fazer a esse olho (que eu não conseguia ver) uma pergunta que ele não podia responder por *ser* um olho, não uma boca – cuja resposta eu já sabia ser "duas" – e sair do apartamento dessa mulher sem parecer grosseiro? Subitamente, abri os olhos e olhei para ela quando, claro como o dia, me ouvi dizer:

– Tenho três. Há doze fitas de DNA. Doze.

Ora, ninguém me havia dito que era uma pergunta com duas partes, portanto eu não fazia ideia da razão pela qual respondera daquela maneira. Especialmente porque aquilo que dissera contrariava tudo quanto eu conscientemente sabia até então.

– Oh – exclamou Claude. – Você é um pleiadiano.

– Sou? – perguntei. – O que é um pleiadiano?

Explicou-me que as Plêiades são um sistema de sete estrelas claramente visível a partir da Terra (assim que cheguei em casa, procurei-as no céu e ela tinha razão).

Claude continuou explicando que, até determinado momento, a Terra era considerada uma estação intermediária de luz e informação para viajantes que atravessavam o universo. Eles paravam aqui para descansar, rejuvenescer e acessar informações, já que a Terra era considerada uma biblioteca viva. As pessoas que, nesse tempo, governavam a Terra eram os pleiadianos. A certa altura, eclodiu uma guerra e houve um cisma ideológico e político entre duas facções de pleiadianos. Cada um dos grupos queria tomar o controle – não apenas sobre o outro grupo, mas sobre todo o planeta. Mas, como os membros de ambos os grupos se igualavam em força e inteligência, tudo quanto podiam prever era um futuro de guerra contínua para alcançar uma posição de superioridade. Isso não era aceitável para qualquer das facções, por isso eles mantiveram uma espécie de trégua até os cientistas de um dos grupos descobrirem uma maneira de desativar dez das doze fitas originais de DNA dos membros do outro grupo. Diz-se que somos os descendentes do grupo de pleiadianos modificados. *Quem poderia saber?*

Entretanto, aqueles de nós que supostamente têm a terceira fita – que, em teoria, estão mais perto dos nossos progenitores – voltaram para trazer luz e conhecimento a este planeta – o que é exatamente aquilo que Fred me havia dito ou, antes, canalizado para mim.

Bem, não estou dizendo que sou um pleiadiano, nem que eles existem realmente. Tudo que sugiro agora é que você continue a acompanhar esta história.

Entregando-me

Fui à livraria Bodhi Tree e, enquanto estava lá, decidi pesquisar um pouco acerca da pequena pedra verde que levava no bolso. Segundo o que descobri, a moldavita não é um cristal da Terra; é um meteorito que caiu na Terra, sobre a Europa Oriental, há cerca de quinze milhões de anos. Supõe-se que tenha a capacidade de abrir a comunicação (dependendo da sua fonte de informação) com anjos, entidades e seres de outras dimensões. É verdade? Teria essa pedra capacidade real para a comunicação interdimensional? *Não sei*. O que *sei é* que punha a pedra no bolso e a canalização começava.

Tive que enfrentar uma escolha. Na minha vida, as coisas haviam-se tornado cada vez mais estranhas, mesmo antes de Fred trazer, através dele, a primeira voz. Aonde isso me levaria? Basicamente eu tinha que tomar uma decisão sobre se continuaria ou não por esse novo e desconhecido caminho. O que eu estava fazendo? Isso era bom? Era mau? Estava dando ouvidos às vozes "certas"? Como podia estar certo quanto às intenções da fonte que estaria por trás de tudo isso?

Minha primeira atitude foi procurar respostas com todos que eu imaginava que poderiam saber, como curandeiros, médiuns, paranormais etc. Eles eram razoavelmente unânimes. Segundo essas pessoas, a menos que, ou até que pudesse determinar a fonte dessas vozes, devia manter-me afastado delas.

Portanto, fui deixado num verdadeiro dilema. Como fazer isso? Perguntar à voz? Não iria isso me deixar no velho dilema: "se é uma voz honesta, dirá a verdade, mas se for uma voz desonesta, não dirá"? De uma maneira ou de outra, obtemos a mesma resposta. Devia dar-lhe um tiro com uma bala de prata? Devia usar um colar de alho? Comprar uma cruz enorme? Considerei muito difícil acreditar que essa voz (ou *essas* vozes) se daria o trabalho e a perda de tempo para atravessar o universo apenas para orquestrar uma grande brincadeira cósmica.

Tomei consciência de que minhas emoções em torno desse processo percorriam agora uma escala mais estreita: da apreensão para o alarme e, daí, para o pânico. Tornou-se claro que todos os conselhos bem-intencionados que recebera tinham uma linha unificadora: o medo. E compreendi que tinha de fazer uma escolha ainda maior: se eu estava disposto ou não a basear no medo a (potencialmente) mais importante decisão da minha vida. Eu *não* estava. Subitamente, a resposta era ao mesmo tempo aparente e incontroversa. Eu decidi entregar-me ao que quer que estivesse vindo através de mim.

Capítulo oito

Compreensão: presente e futuro

"E lá vamos nós!"
– Jackie Gleason

De volta ao consultório, os três pacientes que haviam "falado" pelas vozes, tal como Fred, voltaram para suas consultas seguintes. Tal como previa, *buum!* – um após outro, a cabeça caiu para trás, os olhos rolaram para cima, a língua começou a se mover e saiu audivelmente ar da boca... e que disseram?

Estamos aqui para lhe dizer que continue a fazer aquilo que faz. O que você está fazendo é trazer luz e informação ao planeta. Exatamente as mesmas frases que Fred havia dito. Mas esses pacientes não conheciam Fred. Para falar a verdade, eles não conheciam uns aos outros.

Dois dos pacientes acrescentaram outra frase: – *O que você está fazendo é reconectar cadeias.*

O terceiro disse algo ligeiramente diferente: – *O que você faz é reconectar cordas.*

Quando Fred veio de novo, disse-me que andara psicografando – e, na sua própria caligrafia, lia-se (em referência a mim) na última linha: O *que ele faz é reconectar cordas.*

Dois dias mais tarde, outros pacientes começaram a proferir essas frases. Interroguei-os cuidadosamente e descobri que, à exceção de Fred, nenhum deles jamais havia feito alguma coisa desse tipo.

Mas, por qualquer razão, haviam sido escolhidos como veículos dessas vozes, e não importa que outras palavras saíam da boca deles, todos repetiam estas mesmas seis frases:

1. Estamos aqui para dizer que continue a fazer o que está fazendo.
2. O que você está fazendo é trazer luz e informação ao planeta.
3. O que você está fazendo é reconectar cadeias.
4. O que você está fazendo é reconectar cordas.
5. Você precisa saber que é um mestre.
6. Viemos por causa da sua reputação.

Pensei: *está bem, o que você está fazendo é trazer luz e informação ao planeta...* e fiquei à espera de receber essa informação...

Contudo, parecia que ela não estava prestes a chegar.

Está bem, então, pensei: *que tipo de informação? Como fazer crescer frutas gigantes? Como construir um sistema de defesa interplanetário? Como construir discos voadores?* Eu ainda não fazia a menor ideia do que estava acontecendo.

Enfraquecendo

Continuei à espera do cumprimento das promessas feitas nas frases, mas em abril de 1994 alguma coisa começou a mudar. Primeiro, as vozes pareciam estar lutando para se expressarem. A facilidade com que as pessoas haviam involuntariamente irrompido no canal estava diminuindo e as próprias canalizações tornaram-se menos frequentes. De fato, tiveram uma quebra súbita e drástica.

Depois acabaram. À exceção de Fred, não houve mais canalizações, não houve mais vozes.

Antes disso, já numa ocasião eu havia me perguntado se tudo não passara de uma piada. Não teria minha recepcionista escolhido pacientes aleatoriamente e dito a eles: *Olhem, aqui estão suas falas. Não deixem o doutor ver o roteiro*?

Agora, as vozes tinham ido embora, e eu sabia que *não* tinha sido uma piada. Nada acerca do assunto poderia ter sido mais real. Fiquei com uma sensação de vazio. Afinal de contas, essas estranhas ocorrências haviam se tornado o centro da minha vida. Como podiam ter acabado?

Quando as canalizações cessaram, as seis frases tinham sido transmitidas a mim de maneira independente por mais de cinquenta pessoas. Lembre-se que, com exceção de Fred, nunca antes uma dessas pessoas havia canalizado – e algumas delas ficaram tão nervosas pela experiência que nunca mais voltaram ao meu consultório. Dada essa evidência, bem como as notáveis descrições de várias entidades, tornou-se claro para mim que, durante uma sessão de cura, *havia alguém na sala de tratamentos além de mim e do paciente*. E essa outra pessoa, ou "ser", falava através do corpo da pessoa deitada na maca. Não sei se os "canalizadores" são como rádios captando sinais emitidos de todo o universo ou se recebem todos o mesmo sinal vindo de uma fonte central, mas creio que isso não interessa. A mensagem tinha chegado em alto e bom som.

Isso poderia explicar por que as canalizações chegaram ao fim: *eu tinha ficado convencido*. Não havia jeito de alguém, mesmo eu, poder negar que alguma coisa verdadeira e profunda estava acontecendo ali. Embora eu desejasse ardentemente o reforço das entidades canalizadas, a fonte decidira que eu tinha tudo quanto necessitava. Era tempo de deixar de procurar e permitir-me ver aquilo que já me havia sido dado.

Quando passamos por uma experiência como esta, *sabemos* estar em conexão com alguma coisa de outro lugar. Rapidamente abandonei a teoria da brincadeira e esperei. Mas quando essa misteriosa "informação" que deveria obter não chegava, o vazio aprofundou-se. O que eu teria feito para que as vozes me abandonassem?

Contudo, ainda sentia a sensação nas mãos e continuei a trabalhar com pacientes como fazia antes. As curas continuaram. De fato, foi durante esse período que Gary veio me consultar e tivemos aquela que considero a primeira "grande" cura. Portanto, apesar do meu desespero por não receber o que pensava ser a informação prometida, continuei a trabalhar com os pacientes e a mover as mãos sobre eles tal como vinha fazendo. De vez em quando, seus músculos faciais – especialmente em redor da boca – começavam a se mexer, mas nunca falaram realmente.

Por outro lado, quando saíam das sessões, esses pacientes diziam ter "visto" coisas. Os relatos eram frequentemente semelhantes: certas formas, certas cores... e certas pessoas. Chamem-lhes anjos, guias, entidades, espíritos, o que quer que seja. Mas, fossem o que fossem, baseado nas descrições que obtive, habitualmente pareciam pessoas reais.

Compreensões e comprovações

Mais ou menos na mesma época, constatei intuitivamente que havia recebido uma dádiva profunda e, tendo decidido aceitá-la, recebi um telefonema dos produtores de um programa de televisão chamado *The Other Side,* que punha em destaque histórias sobre todos os gêneros de ocorrências paranormais. Tinham ouvido falar de mim e queriam que eu aparecesse no programa. Concordei e levei Gary junto para contar sua história.

Depois de o programa ter ido ao ar, em meados de 1995, pessoas de todo o país começaram a visitar meu consultório. Uma mulher chamada Michele veio de Seaside, Oregon. Quando estava deitada na maca, movi as mãos sobre ela e observei suas reações musculares involuntárias enquanto a energia fluía. Foi tudo quanto vi. Mas quando terminei, ela abriu os olhos e disse:

— Vi uma mulher. Acho que era um anjo da guarda, e disse-me que eu melhoraria, que ficaria curada.

A história de Michele

Michele foi diagnosticada com síndrome de fadiga crônica e fibromialgia. Seus sintomas eram tão graves que a maior parte dos médicos que a examinaram achava que ela tinha também outras complicações. Isso conduziu a um número infindável de analgésicos e outros medicamentos. Sua vida era um ciclo permanente de dor e exaustão. Coisinhas simples, tais como lavar a louça, fazer o jantar ou mesmo levantar-se da cama todas as manhãs tornaram-se tarefas difíceis ou mesmo impossíveis de realizar. Seu marido tinha que carregá-la para debaixo de um chuveiro quente mais de quatro vezes por noite para lhe aliviar as dores. Ela não conseguia comer e seu peso caiu para menos de 40 quilos.

Uma noite, quando estava em casa e todos dormiam, ela engoliu vários punhados de analgésicos, misturando-os todos ao acaso. Quando as drogas fizeram efeito, ela se pegou rezando: "Por favor, Deus, me ajude. Não posso viver assim, mas não quero deixar meus filhos". Sentiu simplesmente que não podia continuar doente por mais tempo, mas não sabia onde procurar ajuda.

Ela deve ter caído no chão, adormecida, porque a primeira coisa de que se lembra é de ter sido acordada pelo sol matinal entrando pela janela do banheiro. Sentindo-se doente e exausta, arrastou-se até o sofá. Ali deitada, ligou a TV – estava no ar *um* programa de entrevistas. Eu estava sendo entrevistado junto com vários médicos. A discussão era sobre meus pacientes e como tantos haviam sido curados de males pouco habituais. Ela prestou atenção quando expliquei que as curas pareciam ser enviadas por um "Poder Superior" que, de algum modo, vinha através de mim. Michele telefonou para a estação de televisão e pediu meu número.

Sua primeira sessão começou numa sala silenciosa com luzes fracas e uma atmosfera calmante. Pousei suavemente um dedo sobre seu coração e Michele caiu imediatamente num sono leve. Depois suspendi as mãos por cima de sua cabeça. Um calor penetrou e rodeou seu corpo. O nível de energia na sala tornou-se muito intenso enquanto seus olhos começaram a rolar de um lado para o outro e os dedos adquiriram um movimento quase como os de uma marionete. Simultaneamente, ela fez um movimento contínuo e involuntário no joelho direito.

A certa altura deixei-a sozinha por um momento. Quando voltei, Michele disse ter tido uma fortíssima sensação de que mais alguém entrara na sala. Ela ouvira a voz suave de uma mulher que tentara dizer-lhe o nome. Era difícil para ela afirmar claramente, uma vez que a comunicação chegara com o que poderia ser descrito como uma "quase" voz. A princípio, Michele pensou que a mulher tinha uma certa pose, mas depois tornou-se claro que estava apenas frustrada porque Michele não conseguia entendê-la.

A mulher disse a Michele que era seu anjo da guarda e que o seu nome era qualquer coisa como Parsley ou Parcel. No fim ela ouviu o nome Parsillia. Depois o anjo disse a coisa mais estranha. Disse a Michele: *Você será curada. E irá à televisão falar sobre isso.* Segundo minha maneira de pensar naquela época, isso não era coisa que um anjo dissesse. E tampouco me cabia fazer comentários editoriais. Os médicos haviam feito tudo que podiam por ela, mas a presença de Parsillia dissera-lhe que sua vida ia agora recomeçar.

Após essa sessão, o apetite de Michele voltou.

Sua segunda sessão, no dia seguinte, foi igualmente impressionante. O anjo da guarda voltou. Uma vez mais, várias partes do corpo de Michele ficaram quentes, depois descontraídas e tornaram-se ardentes. Ela ficou tão quente que suas pernas adquiriram um tom rosa claro. E de novo Parsillia lhe disse várias vezes que ela estava sendo curada. De fato, depois da segunda sessão, Michele tinha tanta energia que decidiu ir fazer compras com a mãe. Enquanto andavam juntas, a mãe teve de lhe dizer para ir mais devagar. Isso foi um choque agradável para ambas.

Durante a terceira e a quarta sessões, o anjo disse-lhe que ela estava curada e que, gradualmente, iria notar outras mudanças. Michele viu flores com cores que nunca tinha visto e sentiu felicidade a toda a sua volta. Compreendeu instantaneamente que todos tinham um propósito. Foi-lhe dito também para passar mais tempo com os filhos.

Para Michele, a vida voltara ao normal. Seu peso voltou ao normal, ela começou a fazer exercícios diariamente e começou a trabalhar no seu próprio negócio em horário integral.

Uma breve informação

Antes de Michele vir ao meu consultório, muitos pacientes haviam declarado ter visto anjos ou seres de aparência humana. Até esse momento, eu nunca ouvira uma história tão detalhada e elaborada como a dela. *Bem,* pensei, *o que esperava? Olha o que você está fazendo – está sujeito a atrair o tipo de pessoas que acha que vê anjos.*

Um mês ou dois depois da cura da Michele, veio ao meu consultório um homem de Beverly Hills. Ele não estava doente; acontecia apenas que ouvira falar do que se passava no meu consultório e queria experimentar.

Depois da sessão, ele abriu os olhos e disse:

– Vi uma mulher e ela me falou para lhe dizer que estava aqui, que você saberia quem ela era. Parecia ter uma certa pose, mas posso dizer que estava apenas frustrada por não conseguir dizer seu nome. Era qualquer coisa como Parsley. Depois ela me disse: "Se você fosse curado, iria à televisão falar sobre isso?"

Eu fiquei atônito. Quem era essa Parsley, o Anjo das Relações Públicas? Não – ela era a *confirmação*.

Nunca mais vi o homem. Ele não conhecia nenhum dos meus outros pacientes – e, no entanto, sabia sobre o anjo com um nome engraçado.

As coisas estavam ficando animadas.

Uma mulher voou de Nova Jersey com a filha, uma menina de 11 anos com escoliose, uma curvatura na coluna. A filha, depois da sessão, abriu os olhos e olhou bastante surpreendida. Conforme se tornara uma norma, perguntei:

– O que aconteceu? Você percebeu alguma coisa?

– Bom – disse ela –, vi um papagaio minúsculo e multicolorido que me disse chamar-se George. Depois não era mais um papagaio; nem sequer era uma forma viva.

Forma viva, disse ela. Suas palavras. Uma menina de 11 anos.

– Depois – acrescentou a garotinha –, ele ficou meu amigo.

Passado pouco tempo, um homem – um adulto – veio para uma sessão. Quando esta acabou, ele disse:

– Dei comigo numa estátua, uma estátua exterior de mármore, erguida junto de um velho lago grego ou romano uns séculos atrás. Quando olhei para baixo, para minha mão direita, vi um minúsculo papagaio multicolorido. Disse-me que o seu nome era George. E, depois, de modo algum era um papagaio; então, tornou-se meu amigo.

A não ser pela omissão de "forma viva", era a mesma história da menina – textualmente.

Quando decidi explicar à minha prima, cuja opinião eu valorizava, o que estava acontecendo na minha vida, senti-me ainda mais vulnerável que de costume. Inspirei profundamente e preparei-me para as consequências enquanto ela me ouvia, numa cadência esquisita e envergonhada, proferindo frases como "a palma da minha mão com bolhas", "sangrou outra vez" e "os meus pacientes ficam inconscientes, falam com vozes que não são as suas".

– Se fosse outra pessoa – disse ela depois de eu terminar –, eu não teria acreditado, mas sei que você não inventaria tudo isso. Conheci-o a vida toda. Você é bastante ponderado.

Ao ouvir isso da minha prima, que costumava tomar conta de mim quando eu era criança, de repente tomei consciência de que não fazia ideia da imagem que transmitia às pessoas – ou como as percepções que os outros tinham de mim eram tão diferentes da minha. Não fazia ideia de que tanta gente acreditaria em mim quando lhes contei o que acontecia: "*porque* se trata de você", "*porque* você é bastante ponderado", "*porque* é tão sincero", "*porque* é tão cético".

Ponderado, sincero, cético. Sabia que era um pouco cético – pelo menos porque não acreditava verdadeiramente neles quando diziam que eu era ponderado. Quero dizer, pensava em mim mesmo como ponderado (às vezes, de qualquer modo), mas não tinha consciência de ser percebido como tal.

A despeito desse reforço, levei um bom tempo para dizer aos meus pais o que se passava na minha vida. Nunca esquecerei a resposta do meu pai:

– Nunca saia desse consultório! – Como se os anjos, tal como o fantasma que frequentava o edifício de Melrose Place, estivessem de algum modo trancados nesse endereço específico.

Afortunadamente, essas curas, incluindo seus aspectos empíricos como os anjos e as cores, ocorreram com igual sucesso quando viajei, de modo que eu sabia que, se essas entidades estavam realmente designadas para Melrose Place, eram no mínimo capazes de conferir minha agenda e providenciar seu próprio transporte até meu destino.

Não que eu necessitasse viajar tanto assim. Não do modo como as pessoas vinham para me consultar.

A coragem de seguir em frente

As curas estavam ficando cada vez mais extraordinárias. Entretanto, apesar de os resultados serem compensadores, por si mesmos pareciam não ser suficientes para mim. Eu ainda queria saber *por que* aconteciam. O que significava esse fenômeno? De onde vinha? Minha busca pela compreensão não tinha fim.

Decidi assistir a um seminário de três dias dado pelo médico Deepak Chopra (o dr. Chopra é, naturalmente, uma das maiores figuras na atual síntese entre medicina e espiritualidade, incluindo a fusão da física quântica com a sabedoria antiga). A maior parte da plateia do seminário era constituída de médicos e outros profissionais. Talvez por causa do meu peculiar sucesso com Brian Weiss, achei que conseguiria encontrar um momento para fazer ao dr. Chopra uma pergunta bastante breve que poderia lançar alguma luz sobre o que se passava comigo e com as curas. Notei que havia microfones em suportes espalhados pela sala, que sugeriam que a participação do público seria bem-vinda.

Enquanto o seminário avançava, ninguém da organização fez referência aos microfones nem à possibilidade de interação do público. O tempo passava. Finalmente, um pouco antes da pausa para o almoço do segundo dia, não consegui me conter mais. Levantei a mão e perguntei ao dr. Chopra se ele iria, em algum momento, responder a perguntas.

O dr. Chopra surpreendeu-me ao fazer ele próprio uma pergunta:
– *O senhor tem* uma pergunta?
– Tenho sim – disse eu.
– Então, vá até ao microfone e pergunte.

Enquanto percorria o aparentemente interminável caminho até o microfone mais próximo, tomei consciência do aumento crescente do som dos meus passos em contraste com o súbito silêncio da sala, proveniente de pensamentos muito altos e entrelaçados:

Quem é este sujeito?

Por que ele quer fazer uma pergunta?
Eu queria fazer uma pergunta.
Já podia estar almoçando a esta hora.
E o proverbial...
É melhor que valha a pena.

Quando me aproximei do microfone, o dr. Chopra instigou-me:

– Então, qual é a sua pergunta?

Eu não sabia. Ainda não a havia formulado. Para tornar as coisas piores, compreendi repentinamente que, sem o dr. Chopra saber alguns dos antecedentes do que acontecia na minha vida desde agosto de 1993, seria impossível eu fazer minha pergunta, mesmo depois de imaginar qual seria. Assim, tentei, tão sucintamente quanto possível, explicar depressa o que acontecera – incluindo as vozes, o sangue e as bolhinhas. Tive esperança de que, no fim dessa introdução, a pergunta perfeita se tornaria clara para mim.

No fim da sinopse, descobri-me dizendo o seguinte:

– Por favor, não pense que não sei o que isso parece, porque sei. Mas pergunto-me se o senhor tem algum *insight* ou algum conselho?

Isso nem era exatamente uma pergunta. Observei enquanto, no palco, o dr. Chopra se inclinava para a frente.

Então ele me perguntou:

– Qual é o seu sobrenome?

Surpreendido, dei meio passo para trás:

– Pearl! – deixei escapar

Ele anuiu:

– Já ouvi falar do senhor. – Lançou o olhar pela sala. – E quero que todos os presentes saibam que tudo quanto este homem acabou de dizer é verdade. – Em frente de todos, convidou-me para ir ao The Chopra Center for Well Being, em La Jolla (perto de San Diego) para fazer pesquisas.

Depois, veio seu conselho:

– Permaneça como uma criança. – Uma frase que significou muitíssimo. Nunca a esquecerei.

O início da pesquisa

Tal como me fora dito para esperar, cada vez mais produtores de televisão começaram a me pedir para aparecer nos seus programas. A Fox TV queria me entrevistar durante uma importante convenção na área de São Francisco, ao lado de outros como o dr. Andrew Weil, o médico de barbas brancas autor do campeão de vendas *Eating Well for Optimum Health,* que promove uma guerra altamente midiática a favor da combinação das medicinas "tradicional" e "alternativa".

Antes de sair de Los Angeles para o seminário, recebi dos meus pais um e-mail completamente inesperado. Contavam-me algo bastante surpreendente: alguns anos atrás, meu pai e o pai do dr. Weil haviam concorrido na mesma lista de candidatos em eleições locais e serviram juntos em várias comissões na minha cidade natal. Meus pais e os dele foram, de fato, amigos. Por qualquer motivo, essa pequena peça de informação nunca antes viera à superfície.

Então, minha mãe me contou algo muito comovente acerca de Dan, o pai do dr. Weil. A história foi a seguinte: no princípio dos anos 1980, meu pai fez uma cirurgia cardíaca de quádruplo *by-pass.* Enquanto ele se recuperava, Dan Weil, um homem caloroso e compassivo, mandou uma carta – não a ele, mas à minha mãe. A carta afirmava que, durante tempos tão difíceis, a maior parte das pessoas manda postais para quem está no hospital, esquecendo que, muitas vezes, é a pessoa que fica em casa quem mais precisa de apoio. A carta era repleta de bondade e encorajamento, e foi algo de que meus pais nunca esqueceram. Entretanto, Dan Weil havia morrido e meus pais acharam que o filho certamente gostaria de ouvir falar da maneira como o pai tocara suas vidas. Escreveram uma carta ao dr. Weil e pediram-me para entregá-la a ele.

Por acaso Andrew Weil estava no átrio do hotel no mesmo momento em que eu me inscrevia no seminário. Apresentei-me e entreguei-lhe a carta. Perguntou-me se podia levar a carta que o pai escrevera para mostrar à mãe. Trocamos uma ou duas palavras educadas e pensei que essa seria a última vez que falaria com ele.

Nessa noite recebi um telefonema da mulher que agendava e conduzia as entrevistas para a Fox. Na semana anterior, ela estivera envolvida num acidente de automóvel e fraturara várias costelas, tendo que caminhar com uma bengala, e as costelas fraturadas só lhe permitiam uma respiração muito superficial. Ela mal conseguia falar e não estava em condições de entrevistar pessoas. Perguntou-me se eu a receberia para uma sessão naquela noite. Respondi-lhe que seria um prazer. Contudo, acabou sendo mais do que isso. Acabou sendo mais uma peça para a sincronicidade do quebra-cabeça.

Na manhã seguinte, apareci para minha entrevista e descobri que o dr. Weil fora agendado para o horário seguinte ao meu. Isso aconteceu porque ele, a entrevistadora e eu nos cruzamos. Quando o dr. Weil chegou, a entrevistadora estava me agradecendo pela sessão e me explicava que já não precisava mais da bengala e que respirava agora perfeita e profundamente, apta a conduzir as entrevistas.

O dr. Weil perguntou-me o que eu tinha feito. Depois de explicar o pouco que podia, convidou-me a ir à Universidade do Arizona e a dirigir-me ao corpo diretivo para assistir ao seu Programa de Medicina Integrada (PIM). O convite foi uma honra que aceitei com alegria. Assim fui conduzido a Gary E. R. Schwartz, Ph.D., que dirige o Laboratório de Sistemas de Energia Humana da Universidade do Arizona. Conjuntamente com a esposa, Linda G. S. Russek, Ph.D, é também autor de *The Living Energy Universe,* que apresenta a ideia de que tudo, em qualquer nível de existência, está vivo, lembra-se e evolui. Esse livro esforça-se por explicar não apenas alguns dos maiores enigmas da ciência convencional, mas também mistérios tais como homeopatia, sobrevivência depois da morte e capacidades psíquicas.

O dr. Schwartz convidou-me a voltar à universidade para fazer pesquisas sobre as curas. Aceitei.

Encruzilhadas

As coisas precipitavam-se cada vez mais. Era tentador continuar a ser arrastado, mas será que eu podia realmente fazer isso? Havia outras considerações. Eu passara parte significativa da minha vida montando uma clínica de sucesso, e todo esse envolvimento com "energia de cura" e "espíritos canalizados" não lhe havia feito qualquer bem. Primeiro, como já anteriormente referi, alguns dos pacientes que canalizaram ficaram tão abalados com a experiência que nunca mais voltaram. Mas isso não era o pior. Imagine que você vai consultar o seu quiroprático e começa a ouvir o som de vozes bizarras vindas das salas adjacentes. Você pode ficar imaginando sabe-se lá o quê...

Em muitas ocasiões eu disse a mim mesmo: "Você deve estar maluco. Tem hipoteca para pagar, prestações de carro para pagar e uma clínica de sucesso que precisa manter para equilibrar o orçamento. Limite-se à quiroprática".

Mas não era isso que as entidades pretendiam quando disseram: *Estamos aqui para lhe dizer que continue a fazer o que está fazendo* e eu sabia disso. Portanto, continuei a fazer essa nova "coisa". Mesmo quando havia intervalos ou declínio nas curas, eu continuava a trabalhar com a energia do mesmo jeito. Continuava a fazer o que estava fazendo.

Por que eu?, não pude deixar de perguntar. Disseram-me que era uma questão de ego, embora, quando a nossa vida vira do avesso e os princípios básicos da realidade por nós aceitos desde o nascimento já não se aplicam, se torne uma pergunta difícil de evitar.

Dei por mim contemplando as frases novamente. *O que você está fazendo é trazer luz e informação ao planeta.* Claramente, isso significava que algo mais estava acontecendo além de "curar" pessoas, pelo menos no sentido habitual da palavra *curar*. E *você precisa saber que é um mestre* tinha igualmente conotações muito fortes. O problema era que eu não conseguia pensar em mim como um candidato particularmente bom ao posto de profeta. Gostava de beber, de comer, de me divertir, de ficar a noite inteira fora de casa. Sim, é verdade que minha fascinação – em alguns casos, obsessão – por esses passatempos tinha diminuído bastante desde aquele dia em Venice Beach, e ainda mais desde o dia em que, de pé à minha janela, observei Gary lutando para subir as escadas. Além disso, outras pessoas pareciam ser muito mais "merecedoras", portanto *aquilo* não fazia sentido.

Parte da razão pode ser o fato de eu falar demais: estou disposto a sair e contar as coisas. Pode também ser por eu estar, aparentemente, em condições de preencher uma lacuna. Eu me limpo meticulosamente e tenho a capacidade de me apresentar completamente lúcido em hospitais e universidades onde sou frequentemente convidado a dirigir-me a médicos, educadores e pesquisadores sobre um tópico que é, para dizer o mínimo, "uma maluquice". Do mesmo modo, penso não ter problemas em falar com aqueles que se declaram espiritualistas metafísicos. Enquanto esses dois grupos que parecem estar em pontos opostos do espectro tendem a gastar a maior parte do seu tempo gritando ou tentando ignorar-se uns aos outros, eu pareço ter a capacidade de tomar a mão de cada um deles e apresentá-los como pessoas que podem ter qualquer coisa de interessante para oferecer umas às outras.

Ou talvez, afinal, eu tenha sido escolhido muito antes de ser capaz de pensar sobre essas coisas. Talvez tenha sido selecionado na noite em que nasci e a minha mãe renasceu, na noite em que a *Luz* deslumbrante disse à minha mãe que ela tinha uma missão a cumprir: criar-me. Talvez meu futuro trabalho me tenha sido atribuído nessa hora. E é bem possível que tudo o que acontece agora seja eu me *reconectando* com ele.

Curador, ensina a ti mesmo

A cura de Gary e o consequente aparecimento na televisão provocaram uma mudança decisiva em minha vida. De repente, vi-me rodeado por dois tipos de pessoas: as que queriam curas e as que queriam que eu lhes ensinasse a *fazer* curas. Por fim, organizações de ensino de vários tipos começaram a me abordar com a mesma pergunta.

– *Não é possível* ensinar uma coisa dessas – eu respondia. Quero dizer, como alguém pode fazer isso? Ninguém *me* ensinou nada disso. Simplesmente... apareceu.

– Claro que é possível – veio a inevitável resposta, do tipo "nada é impossível neste mundo". – Muita gente ensina a curar. Em todas as livrarias há livros e gravações sobre o assunto. – Então, matraqueavam uma lista de autores e títulos, com muitos dos quais você está provavelmente familiarizado. Mas, ao ler os livros e ouvir as gravações, descobri que todas as instruções se reduzem essencialmente a algo mais ou menos assim: "Ponha seu cliente deitado de costas (ou numa cadeira). Coloque-se de um lado específico da pessoa [o seu livro ficará muito feliz por lhe indicar qual o melhor lado], coloque aqui a sua mão direita e a esquerda ali, depois mova a mão direita na direção da esquerda e a esquerda ao longo do corpo para outro lugar..." [Não se preocupe, o seu livro não só especificará o lugar onde você tem de pôr as mãos a cada passo do processo, como lhe dirá também em que direção olhar e em que direção andar. E se isso não for suficiente, ele até lhe dirá o que pensar enquanto você faz tudo isso.]

Isso, eu percebia, não era curar. Era um tango. E o mundo não necessitava de outra escola de dança.

Tampouco parecia haver muita ajuda oferecida na miríade de seminários sobre o assunto – pequenos ou grandes, baratos, caros ou exorbitantemente caros. Falemos de alguns desses seminários. Para ser uma pessoa que cura não é necessário gastar 40 mil dólares num curso de quatro anos estudando outros curadores e hipnotizadores através dos tempos. Parafraseando o dr. Reginald Gold, um quiroprático e filósofo dos nossos dias, isso não faz de nós *curadores,* mas *historiadores.* Em outras palavras, a maior parte das escolas de curas não ensina a curar; elas ensinam a história de certos curadores. Vamos aprender o que pensava este ou aquele médico, e se formos particularmente desafortunados, vamos aprender também o que *devemos* pensar.

Entrei em cada nova experiência educacional estruturada – livro, gravação ou seminário – em estado de expectativa, apenas para descobrir que estavam me servindo o mesmo prato requentado de mingau de aveia espiritual. O que me foi servido esteve à temperatura ambiente tanto tempo que formou uma película por cima. Mesmo assim, durante os seminários, metade dos participantes ficava sentada ali em transe, como se pérolas de um conhecimento recente estivessem sendo distribuídas à sua frente. A outra metade sorria e abanava a cabeça em concordância. Não o pequeno aceno que poderiam dar se estivessem sozinhos numa sala lendo um livro ou ouvindo alguém no rádio; eram acenos vigorosos, pomposos, exagerados, concebidos para mostrar aos outros que o instrutor está dizendo algo que eles já sabiam há muito tempo, e que, de algum modo, seu acordo validava-os para todos os presentes. (Lembre-se de que a procura de crescimento espiritual nem sempre exclui o jogo de tentar parecer melhor que os outros, diminuindo-os.)

Amparado pelos indícios cada vez maiores dessas experiências, tornei-me ainda mais seguro da minha afirmação anterior: – *Não se ensina a curar.* E sabe que mais? Continuo a acreditar nisso.

Então, por que estou escrevendo este livro? Porque enquanto estava absorvido na minha investigação para descobrir se (e como) a cura podia ser ensinada, deixei de perceber um fenômeno que, com frequência crescente, ocorria ali mesmo, no meu consultório. Um número cada vez maior de pessoas que ali haviam procurado a cura telefonavam, habitualmente após a primeira sessão comigo, para dizer que, ao chegarem em casa, descobriram que suas televisões, estéreos, luzes, geladeiras – todo o tipo de aparelhos elétricos – se ligavam e desligavam sozinhos. Repetidamente.

Raramente havia uma interrupção permanente, embora possamos perguntar a razão, porque os aparelhos podiam ter defeitos ou falhas de funcionamento por períodos que iam de alguns minutos a vários dias. Geralmente, quanto maior o aparelho, mais longo o tempo que parava de funcionar. Era como se os aparelhos tivessem vida própria. A experiência fazia com que a maioria das pessoas achasse que era como se eles, de algum modo, estivessem se comunicando. Penso que é isso mesmo. Concordo que é como se alguém dissesse:

– Olá. Realmente *estou* aqui. Nós *existimos* mesmo.

Essas mesmas pessoas contaram depois ter sentido alguma coisa acontecendo em suas mãos – estranhas sensações: quente e elétrica ou fria e fresca. Elas explicaram que, quando suspendiam as mãos perto de alguém com mal-estar ou em sofrimento, os sintomas dessas pessoas muitas vezes diminuíam ou desapareciam completamente: a psoríase desaparecia, a asma idem, as lesões crônicas se curavam. Não raro esses resultados ocorriam durante a noite ou imediatamente. Umas atrás das outras, as histórias e as chamadas telefônicas continuaram a chegar. Por causa de tudo isso, tomei consciência de que, embora a prática de cura não possa efetivamente ser "ensinada", a capacidade para tal pode, de alguma maneira, ser "comunicada" a outras pessoas. O que pode ser ensinado, pois, é o reconhecimento e o aperfeiçoamento dessa capacidade (o que estou tentando fazer ao escrever este livro).

Finalmente, telefonei a uma das organizações que vinham tentando me atrair e concordei em dar uma aula. Disse-lhes para arranjarem participantes e que poderíamos arregaçar as mangas.

A noite da aula chegou. Em algum ponto do caminho, dirigindo no pico da famosa hora do rush de Los Angeles, decidi não usar nenhuma anotação. Quando entrei na sala, todo mundo já estava em seus lugares. Vinte e cinco pessoas. Não esperava tanta gente. Caminhei até a frente da sala, empurrei o estrado e o banquinho para fora do caminho e, atirando fora os sapatos, sentei-me de pernas cruzadas na maca dobrável, a qual fora, por alguma razão, posta na frente da sala e era suficientemente boa para não despencar.

– Sei que todos vocês vieram aqui para ouvirem o que tenho a dizer esta noite – disse eu – e eu próprio mal consigo esperar para saber o que será.

Comecei com a história do que me acontecera em agosto de 1993, respondi a perguntas e depois "ativei" as mãos de cada participante. Ensinei-lhes como brincar (ou trabalhar, se preferirem) com essas novas frequências energéticas – e, depois de lhes dizer para me telefonarem se algo interessante ocorresse, libertei um grupo de novos "curadores" em direção a um planeta confiante.

Depois disso, o meu telefone não parou de tocar. Outra vez, *quem diria?*

Quem é o estudante agora?

Portanto, aqui estou. A viagem tem sido longa, estranha, excitante e, por vezes, um pouco assustadora, mas acho que estou onde deveria estar a esta altura. É irônico, quando pensamos nisto: o mau aluno, aquele que não conseguia parar quieto, a criança que faltava às aulas sempre que podia e hostilizava a faculdade a cada oportunidade – tornara-se ele próprio um professor.

O restante deste livro é parte desse processo. Ao conduzir seminários ao longo dos anos, descobri que, com uma quantidade mínima razoável de instrução, as pessoas podem se conectar com essa energia e usá-la do jeito que ela quer ser usada.

Num certo sentido, aprender a usar essas energias *é* quase como dominar o tango. Você pode fazer isso vendo diagramas num livro, se precisar – mas a curva de aprendizagem é mais curta, e os resultados melhores, se, em vez disso, você assistir a um vídeo. Embora o vídeo não seja tão eficaz como ir a uma escola de dança e receber instrução de um professor qualificado.

Aqui ocorre a mesma coisa. O restante deste livro vai lhe fornecer muitas informações comunicadas por meio de palavras. Contudo, mais que isso será comunicado por *outra coisa* que não palavras – chame a isso codificação, vibração ou outra coisa qualquer. E, sim, você pode começar a mudar e a se adaptar para carregar a energia depois de ler isto, porque, em vários graus, a capacidade para reter e utilizar essas novas frequências é comunicada a quantos entram em contato com elas por meio da palavra escrita, bem como de outros meios. Não, não é a mesma coisa que receber a comunicação diretamente de outra pessoa, mas é um começo poderoso.

SEGUNDA PARTE

A Cura Reconectiva e seu Significado

"As linhas retas do tempo são, na verdade, fios de uma teia que se estende até o infinito."
– LIVING THIS MOMENT, SUTRAS PARA ILUMINAÇÃO INSTANTÂNEA

Capítulo nove

Conte-me mais

"Há uma necessidade de reconciliação entre religião e ciência, tal como é necessário reconciliar intuição e razão, experiência e conhecimento."
– Dr. Jonas Salk

Como já descrevi, após minha segunda sessão com a mulher de Venice Beach e os acontecimentos que se seguiram, dediquei-me a aprender coisas acerca do que estava acontecendo comigo. O fato de ter começado a ler livros voluntariamente diz muito, mas não parei por aí. Além dos "especialistas", "sensitivos" e "médiuns" que visitei – e os que me visitaram – formulei perguntas a todos quantos achei estarem em condições de me proporcionar o menor fragmento de informação sobre o que se passava: líderes religiosos, rabinos, cabalistas, gurus...

Na maioria dos casos, percebi que, na verdade, ninguém "sabia". Pelo menos, ninguém *neste* mundo. Ou sabiam fragmentos mas não sabiam o todo, ou parecia terem confundido minhas experiências com algo que tinham lido ou aprendido mas que na verdade não se aplicava aqui. A situação mais comum por que passei foi o fato de, em vez de *olharem* realmente para esse fenômeno, as pessoas queriam explicá-lo a partir dos confortáveis parâmetros da sua fé ou do seu próprio sistema de crenças. Queriam de algum modo forçá-lo ou comprimi-lo dentro de uma caixa pequena demais, restrita demais, limitada demais para contê-lo.

Eu tinha que saber mais, e queria que esse saber viesse de alguém que visse o quadro completo. Queria conversar diretamente com esses *anjos,* esses *seres.* Por mais que fizesse, nada parecia acontecer, e confesso que a frustração era grande. Nessa época eu havia já visto e ouvido o suficiente dos meus pacientes para saber que os anjos eram reais. Eles estavam *vendo* os anjos, *ouvindo-os, sentindo* seus odores – quer dizer, todos *menos eu.* Dizer que me sentia excluído é uma declaração muito exata. Portanto, sempre que eu podia, tentava fazer esses seres se comunicarem, pelo menos indiretamente, através de Fred.

Quero que saibam que não aceito as coisas só por serem lisonjeiras ou parecerem agradáveis. Não ligo para o termo *Nova Era*. Tenho sérias dúvidas sobre muitas pessoas que afirmam ter dons sobrenaturais, "especiais" e "únicos", especialmente quando, para todos os efeitos e propósitos, parece que muitos deles se apresentam assim apenas numa tentativa de se sobressaírem da multidão, de alcançarem algum reconhecimento público ou como compensação para certos sentimentos de inferioridade. Não vejo auras e não sou médium. Portanto, no que se refere aos "canalizadores", vamos falar o que é verdade: não é necessário ser a Linda Blair para gemer, se agitar e falar com uma voz que mais parece um disco antigo sendo tocado em várias velocidades.

Por outro lado, quando mais de cinquenta pessoas que nunca se conheceram proferem exatamente as mesmas palavras e, voluntariamente, afirmam ter sido testemunhas das mesmíssimas entidades, das quais nunca antes haviam ouvido falar... bem, nesse ponto torna-se pouco razoável *não* aceitar o fato de que alguma coisa autêntica está acontecendo.

Mas, o que *está* exatamente acontecendo? Em primeiro lugar, de onde vem a energia de cura? Quem a envia? Como ela está fazendo o que faz?

As entidades estavam dispostas a falar da maioria das coisas, embora as canalizações fossem a única fonte de informação. Mais tarde eu descobriria outra fonte de informação, uma que existia no mais profundo do meu ser. (Por vezes a coragem é ir ao fundo de si mesmo e confiar no que você encontra lá... mas essa é outra história.)

Aquilo que vim a chamar de *A Reconexão* (um nome retirado das terceira e quarta frases canalizadas) *não* é imaginário. Além de confiar nas seis frases canalizadas e em seres espirituais de outras dimensões por confirmação e evidência, a realidade da sua existência foi também claramente demonstrada na prática, bem como nos laboratórios científicos. A Reconexão é o processo geral da reconexão ao universo que permite que a Reconectividade Curativa ocorra. Essas curas e frequências evolucionárias saem de uma nova largura de banda e são trazidas por meio de um espectro de *luz e informação* que nunca antes esteve presente na Terra. É por meio da Reconexão que podemos interagir com esses novos níveis de luz e informação, e é por meio desses novos níveis de luz e informação que podemos reconectar.

Agora você está pronto para ter uma ideia do que é esse processo, de onde vem e de como funciona. Bem-vindo a algo de *novo*. Ele é *diferente*. Ele é *real* – e está de algum modo se entranhando em você.

Felizmente, não é necessário contar grandes histórias sobre a fonte ou a natureza dessa energia. A Cura Reconectiva é fortemente corroborada pelas últimas teorias das físicas nuclear e quântica, nas quais tudo quanto nós, seres humanos, sempre pensamos ser verdade está de cabeça para baixo, o tempo flui para trás, a gravidade aumenta com a distância e a matéria e a energia despedaçam-se em vibrantes círculos de cordas.

Capítulo dez

Cordas e cadeias

"Do ponto de vista multissensorial, conhecimentos, intuições, pressentimentos e inspirações são mensagens da alma ou de inteligências avançadas que auxiliam a alma em sua viagem evolucionária."

– Gary Zukav, autor de *The Seat of the Soul*

O que está além

Os seres humanos são seres inquisitivos. Queremos sempre saber "como" e "por quê", mesmo quando as respostas não nos ajudam, e muitas vezes não nos fazem nenhum bem. "Como" e "por quê" podem frequentemente ser duas perguntas muito restritivas. E, todavia, desde o início, lá estava eu com essas mesmas perguntas: "Como?", "Por quê?", "Como funciona?", "Por que está aqui?", "O que está acontecendo?"

Nunca recebi uma resposta que me satisfizesse.

Sei que nem todo mundo é tão insistente na procura de respostas. Algumas pessoas não fazem tantas perguntas. Leem acerca de uma coisa qualquer e acreditam nisso. Os amigos falam-lhes de outra coisa qualquer e elas acreditam neles. Uma grande ingenuidade combinada com aquilo a que chamo "O Fator Rebanho", faz as pessoas correrem em massa e saltarem umas atrás das outras de um penhasco *Nova Era* para outro à procura de respostas, se afogando num mar de indecisão continuamente redirecionada.

Foi apenas depois de ter compreendido que eu não iria mais obter nenhuma resposta – de fontes exteriores, em qualquer caso – que cheguei à conclusão de que talvez saber não fosse *importante* para mim. Talvez fosse mesmo contraproducente. Mas havia pistas – dicas sedutoras que agora partilho com você:

"O que você está fazendo é reconectar cadeias."

"O que você está fazendo é reconectar cordas."

Como já mencionei, essas eram a terceira e a quarta declarações canalizadas para mim por vários de meus pacientes. De acordo com minha própria experiência, eu soube imediatamente o significado de "cadeias". Quando usamos essa energia de cura, estamos fazendo mais do que resolver um problema particular; estamos literalmente reconectando cadeias – cadeias de ácido desoxirribonucleico: DNA. O DNA é uma molécula complexa que consiste em duas fitas conectadas numa espiral com a forma de uma dupla hélice, como uma escada retorcida. A ciência ensina que todos os seres humanos têm essas duas fitas em todas as moléculas de DNA nos seus corpos e que essa configuração é a base do nosso código ou plano genético. A cada minuto pedaços de matéria tornam-se a estrutura do nosso corpo, do nosso cérebro e até mesmo de grande parte da nossa personalidade.

O que a ciência *não* ensina – pelo menos por enquanto – é que houve época em que pudemos ter tido doze fitas de DNA codificando muito mais informação! (Sim, prendam-me – eu disse isso e jurei que não o faria.) "Reconectar cadeias" implica que, em vez de evoluir para a frente de modo quase linear, a espécie humana se beneficiará por, simultaneamente, se estender para trás no tempo e levar para diante certos aspectos de quando éramos pessoas mais completas.

É parte do que está acontecendo agora com a Reconexão: estamos nos reconectando com quem fomos um dia.

O que você está fazendo é reconectar cadeias.
O que você está fazendo é reconectar cordas.

No princípio pensei que as duas frases significavam quase a mesma coisa – algumas pessoas usavam o nome *cadeias*, outras o nome *cordas*, e era tudo. Semântica. Depois ouvi falar de um conceito da física quântica e soube que errara completamente a questão das *cordas* a que as entidades se referiam.

Essa frase não era de jeito nenhum sobre o DNA. Era acerca da ocorrência simultânea (paralela) de planos de existência: tratava-se de física subnuclear. Da descrição da estrutura fundamental do próprio universo. Tratava-se da *teoria das cordas.*

A "teoria das cordas" é, basicamente, um modo de olhar para os blocos de construção de matéria e energia de uma maneira que pode muito bem esclarecer um dilema que tem perturbado os cientistas há décadas: o argumento de que os dois principais ramos da física não podem ser ambos verdadeiros!

Essa não é a física que nos fez sofrer na escola. É a física que dá suporte à vida e conhecimento sobre ela, a espiritualidade, os planos paralelos da existência. Dê uma olhada. Afinal de contas, a física é o que define o universo físico em que vivemos. A física aborda os objetos deste universo, as forças que lhe dão coerência e os segredos que o fazem mover-se.

A física fala também de extremos. Numa ponta da escala, os princípios bizarros da "mecânica quântica" descrevem e predizem o comportamento do que é muito, muito pequeno: os átomos e as partes que os constituem. No outro extremo, as duas teorias da relatividade de Einstein lidam com a vastidão do universo, a velocidade da luz e a curvatura do espaço-tempo por corpos maciços como estrelas, galáxias e buracos negros.

Para além da sua beleza abstrata, ambas as teorias têm provado serem ferramentas bastante poderosas. A mecânica quântica levou ao desenvolvimento do *chip* de computador. A relatividade deu aos cosmólogos as ferramentas para explicarem todo tipo de atividade estranha no espaço exterior, nas vastidões do universo.

O problema, dizem, é que, se a mecânica quântica for verdadeira, a relatividade tem que ser falsa e vice-versa. Quando tentamos aplicar as regras que governam um reino às regras que governam o outro, elas deixam de funcionar. A mecânica quântica sugere que num nível subatômico, onde matéria e energia deixam de ser entidades separadas, o universo é tão caótico e imprevisível que é chamado de "espuma quântica". Por outro lado, a relatividade só funciona num universo perfeitamente regular e altamente previsível.

Durante décadas, os físicos procuraram um modo de unificar essas duas teorias poderosas numa única Teoria de Tudo. Agora parece que podem tê-la encontrado – com a teoria das cordas.

De acordo com esse conceito, as "coisas" menores do universo não são as partículas subatômicas de que todos ouvimos falar – prótons, nêutrons e elétrons – nem mesmo as mais enigmáticas partículas nucleares com que os físicos lidam rotineiramente – quarks, léptons, neutrinos (nomes que, se quer saber, soam quase como cereais de café da manhã), e assim por diante. Parece que as partículas mais fundamentais do universo de modo algum são partículas. Podem ser mais exatamente descritas como espirais de "cordas" que vibram com frequências específicas. Essas frequências vibratórias determinam a "identidade" da corda e, consequentemente, de que tipo de partícula fará parte: um quark é parte de um átomo que é parte de uma molécula de matéria ou uma partícula que finalmente se tornará um fóton de energia eletromagnética. Tudo depende da frequência da vibração.

Vista nesse nível, a "espuma quântica" já não parece tão irremediavelmente caótica.

Bem, isso pode agradar aos físicos, mas e quanto ao resto de nós? O que significa para *nós* a teoria das cordas? Provavelmente, você já entendeu: a teoria das cordas propõe que a forma e o conteúdo de todo o universo são determinados por *frequências vibracionais* no cerne de todo e cada átomo, de toda partícula. Essa concepção corrobora a proposição de que, no limite, não existe diferença entre matéria e energia. É tudo a mesma coisa – e tudo é uma espécie de música. Parece familiar? Essa concepção foi percebida por místicos e outros indivíduos espiritualistas há séculos.

Mas há mais. No nível minúsculo da teoria das cordas, um reino tão pequeno que só pode ser descrito por meio de matemática altamente complexa, o universo não é a construção quadridimensional que nós, seres humanos, percebemos habitualmente e em que vivemos. Os seres humanos funcionam num mundo com altura, comprimento, largura e tempo. É tudo que conhecemos. Mas não é tudo que existe – de modo nenhum. Até agora, os físicos que trabalham com a teoria das cordas postulam a existência de cordas em algo entre sete e onze dimensões simultaneamente. Provavelmente, descobrirão uma décima segunda – alguns já dizem haver mais. Na outra ponta da escala cósmica, os cientistas têm agora provas de que algumas partículas não apenas desobedecem ao "limite de velocidade cósmico" de Einstein – a velocidade da luz – como o excedem grandemente.

Numa escala humana, que significam essas coisas para nós? Por um lado, indicam o quanto os cientistas têm ainda de aprender. Por outro, sabemos agora que há outras dimensões lá fora. Combine isso com a natureza instável e imprevisível deste universo, de acordo com a mecânica quântica, e não só temos suporte científico para o conceito de múltiplas dimensões, como também para o de múltiplos *universos* – neste caso universos *paralelos,* o que é a chamada interpretação dos Muitos Mundos. Existe talvez um número infinito de tais universos, todos em contato com o nosso no nível das cordas.

Levado à sua conclusão lógica, o que isso nos diz é que o lugar onde você está agora, enquanto lê este livro, existe num número infinito de variações, todas ocorrendo ao mesmo tempo. Num desses universos, você está aí sentado sozinho; em outro, a sala está completamente vazia. Em outro ainda, está acontecendo uma festa. Em outras palavras, todas as coisas não são só *possíveis,* mas também *prováveis,* em algum universo alternativo.

Até o momento, a maioria de nós esteve apenas consciente do universo que ocupamos. Por via das novas frequências reconectivas, estamos agora em condições de interagir com outros planos ou dimensões... *conscientemente.* Isso é a nossa passagem de seres humanos com cinco sentidos para o que Gary Zukav chama seres humanos *multissensoriais,* ou aquilo a que me refiro como seres humanos *transensoriais,* com *sensibilidade transcendental* – ou *transcendsoriais.* Com isso, estamos em condições de ir além, ou *transcender,* os nossos cinco sentidos básicos.

Quando as seis frases estavam sendo canalizadas para mim, quem mandava as mensagens? Elas não tinham, obviamente, origem na pessoa que falava e, claramente, não havia mais qualquer outra pessoa na sala. Portanto, talvez fosse alguém de um desses planos de existência que ocorrem em simultâneo; alguém que sabia como atravessar de um plano para outro e introduzir-se numa sala no nosso mundo.

Prestando atenção

"Os significativos problemas que temos não podem ser resolvidos no mesmo nível de pensamento em que os criamos."
– Albert Einstein

Eu costumava pensar que as pessoas se encaixam num de três grupos: o daquelas que não acreditam em nada além dos seus cinco sentidos básicos, o das que estão abertas à possibilidade de haver qualquer coisa além desses sentidos e o das que acreditam firmemente na existência de alguma coisa mais. Entretanto de repente me descobri num quarto grupo, bem menor: o daquelas que *sabem* que existe algo mais.

Que significa quando diferentes pessoas vêm ao meu consultório e veem as mesmas entidades várias vezes – entidades que não se encontram citadas em quaisquer livros ou fábulas? Veem os mesmos anjos, os mesmos seres, os mesmos guias, os mesmos... seja lá como se chamem? Que significa quando pessoas – estranhas umas às outras – sentem as mesmas fragrâncias, veem as mesmas cores e as mesmas formas e têm as mesmas sensações? Não há meios de essas manifestações se repetirem com tão absoluta exatidão, a menos que existam realmente em algum lugar e diferentes pessoas as estejam captando, *transcendendo seus cinco sentidos básicos.*

Em outras palavras, parece claro que esses indivíduos estão em contato com pelo menos um universo alternativo, diferente do nosso e, contudo, ligado a ele em algum lugar na espuma quântica. Dois universos, três universos, mais universos ligados uns aos outros e a todos os outros universos possíveis... pelas cordas vibrando no coração de todas as coisas.

Transensoriais ou transcendsoriais

Trans significa "para lá, do outro lado, para além de". Significa também "através" e "mudança". *Transcender* significa "ultrapassar" (um limite humano); "existir acima e independentemente" (da experiência material ou do universo); e "estar acima e para lá, além de". E *sensorial* significa "dos ou relacionado com os sentidos".

Transensorial, transcendência sensorial, ou o que muitos alcunharam de *transcendsorial* é o processo ou a capacidade de ir além dos nossos cinco sentidos básicos. Embora nossa interpretação e nossa descrição dessas experiências recorram muitas vezes a palavras familiares representando os sentidos básicos, a experiência em si não é a mesma. Enquanto médico que cura, os pacientes (ou clientes) podem dizer-lhe:

– Ouvi uma voz, embora não fosse exatamente uma voz... não a *ouvi* exatamente. – Ou, como disse o meu paciente Gary: – Era como se mãos invisíveis estivessem torcendo meu pé, embora de modo algum parecessem mãos.

— Eu os vi, mas, na realidade, não com meus olhos – é uma observação comum, tal como: – Era um perfume extraordinário. Contudo, é engraçado, não tenho mais olfato, portanto, não sei como consegui sentir. – Relacionamos nossas experiências com nossos sentidos limitados aqui, na Terra, porque é tudo quanto conhecemos... até agora. Subitamente, quando nós, como médicos, trabalhamos com alguém, sentimos vento – ou bolhas, faíscas ou puxões e empurrões magnéticos – nas mãos quando a sala está tranquila, e estamos trazendo *outras pessoas* para um lugar onde elas também interagem com outras dimensões. Não apenas transitamos *nós,* como assistimos à transição de *outros* para seres humanos transensoriais ou transcendsoriais. Estamos levando-os *para lá* ou *para além* dos seus sentidos básicos. Estamos guiando-os *através* de e numa *mudança*. Mas, mais do que isso, estamos ajudando-os a evoluir *para além do seu limite humano,* a existir *acima e independentemente da experiência material.*

O que você está fazendo é reconectar cordas. Cordas. Que palavrinha engraçada para algo que está alterando tão dramaticamente nossa perspectiva da realidade.

Capítulo onze

As grandes questões

"Somos membros de uma vasta orquestra cósmica na qual cada instrumento vivo é essencial para o desempenho do todo complementar e harmonioso."
– J. Allen Boone, *Kinship with All Life*

O que quer dizer ficar *sintonizado* numa frequência ou vibração? Por falar nisso, o que queremos dizer em primeiro lugar quando nos referimos a *frequências* e *vibrações*? Nos escritos espirituais, especialmente os dos autores *Nova Era* contemporâneos, estamos sempre tropeçando nesses termos. Mas você descobrirá que as palavras raramente são definidas com alguma clareza. Aceitamos confiantes que signifiquem algo de concreto? Os que são lógicos podem sentir-se pressionados a aceitar em confiança certas definições – e podem ressentir-se disso. Os emotivos deliciam-se com a liberdade e o fluir do conceito. À medida que evoluímos para além dos nossos cinco sentidos básicos, aprendemos a nos comunicar por conceito e a aceitar o fato de que certos conceitos não podem ser definidos nas nossas palavras. *Nossa linguagem está limitada pela nossa dimensão.*

Queremos que essas palavras, ou, mais precisamente, as coisas a que essas palavras se referem, signifiquem alguma coisa de concreto. Seja o que for que intuitivamente possam significar para nós, achamos que, para poderem ser úteis, devem ter significados claramente definidos. Desejamos partilhar nossa experiência com *palavras* aqui, naquilo que pensamos como o "mundo real". Por isso, queremos que o significado dessas palavras seja adequado a esta "realidade".

Vamos começar com o que dizem os dicionários. *Sintonizar* é "ajustar a; harmonizar com; colocar em relação harmoniosa ou responsiva". *Vibrar é* "mover-se rapidamente para trás e para a frente". No reino da ciência, *energia é* "a capacidade de um sistema físico de produzir trabalho", e *frequência é* "o número de ocorrências (seja o que for que se esteja medindo) num dado período de tempo".

Vamos agora ver o que significam essas palavras para nós.

Energia *versus* Espírito

Primeiro, deixem-me sublinhar que a palavra *energia* não me interessa nem um pouco em relação a esse tipo de trabalho de cura. Primeiro, é um termo frio e mecânico demais para mim. Por outro lado, considera-se geralmente que a energia enfraquece com a distância. As frequências desse *continuum* reconectivo *não* enfraquecem com a distância. Isso porque a cura e a transformação ocorrem por meio de uma troca de informação – "luz e informação", para ser mais preciso. Embora essa cura possa ser transmitida por energia, o componente energético é apenas um dos seus transportadores. Uma analogia simples é *um sussurro*. Um sussurro utiliza muito menos energia que um grito, embora no estado apropriado você receba tanta, se não até mais, informação. De qualquer maneira, *não* estamos falando do uso de energia em si – falamos da *transferência* de informação. Em outras palavras, a transferência de informação não depende da quantidade de energia que a transporta. Por essa razão, a Cura Reconectiva leva-nos para muito além do domínio de qualquer forma de energia de cura.

O que fazemos na Reconexão Curativa é claramente mais na linha da cura através do espírito ou espiritualidade. Contudo, o termo *cura espiritual* também não me interessa, porque, embora no seu sentido mais puro esteja mais alinhado com o que fazemos, atualmente significa uma coleção de pratos passados em redor e pessoas sendo beijadas na testa e caindo para trás de um modo obrigatório. Por conseguinte, esse termo também não funciona. Tanto quanto atualmente sei, o que está acontecendo é mais apropriadamente definido como uma "comunicação/troca de informação espiritual".

Beverly Rubik, Ph.D., disse uma vez sentir que o termo mais representativo era "Informação Sagrada" (embora eu não queira o fardo de carregar essa cruz).

Portanto, por ora, e para facilidade de comunicação e simplicidade deste texto, usemos apenas a palavra energia.

Frequências

E que dizer de "vibração"? É uma palavra que usamos frequentemente, conquanto muitos não estejam seguros do seu significado. Naturalmente, temos sempre a definição simplista do dicionário como recurso: uma vibração é apenas um movimento repetitivo. Uma corda de violão vibra quando tocada; o número de vezes que a corda anda para trás e para a frente por segundo é a "frequência" da vibração. Para nós, revela-se como um som específico. Ao mudar a frequência, mudamos o som.

Mas os efeitos da vibração vão muito além daquilo que nossos sentidos conseguem discernir sem ajuda. Por exemplo, a força que cola um ímã à geladeira é a mesma que possibilita que você veja o que está lá *dentro* quando abre a porta de noite: eletromagnetismo. A única diferença entre magnetismo e luz visível é a *frequência* do movimento da onda de energia. O que são as cores? Frequências diferentes de luz visível interpretadas pelo nosso cérebro. O que são o frio e o calor? Diferentes frequências de movimento molecular, uma vez mais interpretadas pelo nosso cérebro.

E assim até o nível da mais ínfima partícula subatômica. Na verdade, como já expliquei, a física está a caminho de confirmar a velha crença de que, em última análise, tudo no universo consiste em vibrações ocorrendo em frequências diferentes. Mude a frequência da vibração e você muda a natureza da partícula definida pela vibração. Quando um elétron vibra, dizem alguns, todo o universo treme.

Vibração e frequência desempenham um papel em dois outros termos: *ressonância* e *transporte*. Gregg Braden define-os no seu livro *Walking Between the Worlds*. Ressonância, explica, é...

> ... uma troca de energia entre dois ou mais sistemas de energia. A troca tem dois sentidos, permitindo que cada sistema se torne um ponto de referência para o outro. Um exemplo comum de ressonância é ilustrado pela colocação de dois instrumentos de cordas em lados opostos de uma sala. Quando é tocada a corda mais grave de um instrumento, a mesma corda do outro instrumento vibra. Ninguém tocou na corda; ela responde às ondas de energia que atravessaram a sala e encontraram ressonância com a segunda corda.

Transporte, continua ele, é...

> ... um alinhamento de forças, ou campos de energia, para permitir a máxima transferência de informação, ou comunicação. Por exemplo, considere dois elementos vibrando e adjacentes um ao outro. Um vibra a maior velocidade que o outro. A tendência para o elemento que vibra mais devagar sincronizar e alcançar o outro pode ser considerada transporte. No grau em que a harmonia for perfeita, dizemos que o transporte ocorreu, ou que a vibração mais rápida transportou a mais lenta.

Portanto, o que significa isso para nós? Significa que "sintonizar ou transportar para uma frequência mais alta" é "entrar em harmonia com um movimento recorrente de elevado número de repetições por segundo".

Pense nisso em termos dos *efeitos* dessa sintonia. Digamos que você tenha nascido daltônico, incapaz de distinguir o azul do vermelho ou do amarelo. Depois, alguma coisa acontece aos seus olhos e as células receptoras da cor entram em ação. Você consegue imaginar? Subitamente, um mundo completamente novo de percepção ganha vida para você.

Na Cura Reconectiva acontece algo parecido. Quando sintonizamos (entramos em harmonia) com as novas frequências de energia, começamos a sentir mudanças no interior do nosso próprio corpo. As vibrações vão se revelar dentro de nós e tornam-se parte de nós. Ser capaz de reconhecer essas sensações é um aspecto importante da nossa aprendizagem no trabalho com as curas, tal como ser capaz de ver as cores é de valor inestimável para um pintor. Note, contudo, que isso *não é* uma condição essencial. Embora os *feedbacks* recebidos através dessa capacidade sejam de grande benefício para o refinamento da nossa técnica, *há* pintores cegos e músicos surdos. Os sistemas de *feedback* vão se desenvolver à sua própria maneira, devido a um lugar de paz e tranquilidade. O transporte, o alinhamento de forças e campos, a comunicação de luz e informação, chegarão e irão muito provavelmente encontrar uma forma de se fazerem conhecidos por você.

Como essa sintonia irá acontecer para *você*? O que você pode fazer para que seu corpo – por sinal, o seu verdadeiro *ser* – tome consciência das novas vibrações e fique em condições de agir como seu condutor?

Sabe que mais? Já está na hora de vivenciar essas mudanças. As mudanças estão ocorrendo em você neste momento. Para muitos leitores, *é* uma conclusão *a priori* que o processo de sintonização esteja já em codificação e desdobramento dentro deles, mesmo enquanto leem este livro. Outros estão muito provavelmente descobrindo, ou quase.

De acordo com minha experiência, há principalmente três "estilos" pelos quais se faz a sintonização, a mudança para acomodar as novas frequências: (1) Você pode perceber mudanças quase desde o princípio – novas sensações de calor, uma sensação estranha na cabeça ou nas mãos quando ouve falar pela primeira vez no material sobre o qual escrevo ou vê o livro numa loja. (2) Para outros, o processo pode começar depois de pegarem o livro e o segurarem ou o abrirem e começarem a lê-lo. Eles podem perceber coisas acontecendo enquanto leem mais e mais. Imersos no material, suas sensações tornam-se cada vez mais manifestas. (3) Alguns, poucos, poderão não sentir nada até um pouco mais tarde – três dias, três semanas, talvez mais.

Finalmente, há um quarto "estilo" – o *manifestador*. Este é uma pessoa que desenvolve bolhinhas ou sangra inexplicavelmente, como aconteceu comigo a determinada altura do meu desenvolvimento. Se isso acontecer, parece durar apenas um dia ou dois e significa apenas que seu corpo está se modificando para acomodar essas frequências mais recentes.

Descobrindo especificidades

Em março de 1994, recebi um estranho convite para participar de uma reunião aberta. De acordo com o convite, parecia que o Arcanjo Miguel escolhera esse momento do tempo para retornar à Terra e um grupo decidira juntar-se para ajudá-lo a "ligar à Terra" as suas energias.

Bem, não sei o que você acha, mas eu tenho alguma dificuldade em acreditar que, se o Arcanjo Miguel quisesse visitar a Terra, o sucesso desse empreendimento dependeria de cerca de trinta pessoas entoando "ohm" para ele.

A despeito das minhas reservas, fui à reunião. Naquela época, eu procurava respostas por todo lado e estava ainda no ponto de sentir que, com tantos "curadores" por aí, *alguém* tinha de saber *alguma coisa* que eu não sabia acerca do assunto. De fato, estava quase passando do ponto em que estava certo de que *todos* sabiam *alguma coisa* que eu não sabia.

Apareci no apartamento onde decorria o evento e avancei através da multidão. As pessoas estavam reunidas em torno de duas macas com um indivíduo deitado em cada uma delas. Alguns dos participantes tinham as mãos pousadas sobre a pessoa deitada na maca; outros as tinham suspensas no ar, por cima do indivíduo deitado, "estilo curativo".

Em Roma..., pensei, e juntei-me a eles.

Eu estava ali à procura de respostas e recebi várias. A primeira chegou quando eu estava ali de pé, esperando que as pessoas nas macas começassem a ter movimentos involuntários do corpo e a canalizar frases, como haviam feito meus pacientes. Em vez disso, os que estavam nas macas permaneciam ali deitados como se estivessem meditando ou tirando uma soneca, e não posso afirmar que não era esse o caso.

Fiquei desapontado. Tivera esperança de que as pessoas naquela sala estivessem em condições de verem o que se tornara uma ocorrência diária no meu consultório; tivera esperança de que pudessem me proporcionar mais alguma compreensão.

Em vez disso, vi menos movimento que na fila de devoluções de uma loja no dia seguinte ao Natal.

Um pouco confuso pelo baixo nível de resposta física exibida pelos que estavam deitados nas macas, perguntei se podia demonstrar o que acontecia quando eu era o único a sustentar as mãos perto de uma pessoa. Eles concordaram e moveram algumas cadeiras para perto de uma das macas para poderem observar e, talvez, dar alguma opinião. Um deles ofereceu-se como voluntário para ficar na maca. Quando os outros se sentaram, comecei.

Os resultados foram imediatos. Os músculos em torno da boca do voluntário começaram a contrair-se, seus dedos entraram num padrão de movimento involuntário assimétrico bilateral, os olhos começaram a dardejar velozmente de um lado para o outro e ele começou a falar. Essa resposta não começou tão rapidamente como era comum no meu próprio ambiente, mas ao fim de alguns minutos estava quase na máxima força. Pelo arfar na sala, posso dizer que ninguém ali havia visto alguma vez uma coisa tão poderosa.

Então, subitamente e de modo não característico, a atividade começou a enfraquecer. A voz parou e o movimento baixou consideravelmente. Eu nunca antes vira aquilo acontecer. Finalmente, levantei a cabeça e virei-me para os outros, para lhes explicar como isso fora estranho. Foi então que vi: o grupo decidira "ajudar". Ali estavam eles, sentados com as palmas das mãos sub-repticiamente viradas para cima apontando para a pessoa deitada na maca. Não todos, apenas alguns. Enquanto eu observava o que acontecia, percebi que, os que escolheram alterar o acordo e "participar", deram ímpeto aos outros para fazerem o mesmo. Enquanto mais pessoas se juntavam, eu observava: a cada novo aderente, a reação do voluntário tornava-se menor.

Embora a ideia de colaborar seja maravilhosa, tal como o conceito de energia de grupo, vamos nos manter conscientes e objetivos aqui. Quando o grupo trabalhava como um todo, os resultados não eram impressionantes. Mais tarde, numa demonstração de um para um, os resultados falaram claramente por si; mas, em seguida, quando o grupo se reintroduziu na equação, os resultados recuaram para quase nada. Portanto, havia claramente ali uma dinâmica digna de exame.

Em discussão, a razão mais tarde dada pelos presentes para terem se juntado foi que pensaram que "a energia do grupo tornaria o efeito mais forte". E embora pareça lógico, não funcionou. Mas, por que não? Por que razão *mais* energia não significou *melhor* desempenho?

A resposta chegou-me claramente: *a energia de grupo – especialmente de um grupo que não transporta ainda as novas frequências – altera ou dilui de algum modo a especificidade das frequências que efetivamente causam a cura.* As energias que ajudamos a "trazer" agora não são as energias que todos têm usado. Essas novas energias funcionam em frequências vibracionais únicas e não se beneficiam de estarem misturadas com muitas outras frequências. Enquanto adicionar centavos a um cofrinho produz o aumento de uma soma em dinheiro, juntar água a uma sopa perfeitamente equilibrada ou a uma xícara de café provoca sua diluição – e provavelmente não num sentido desejável.

Foi uma lição importante em diversos níveis. Embora, como grupo, possamos ter perdido a possibilidade de partilhar e aprender algo novo, ficamos em condições de reconhecer uma especificidade para essas frequências, qualquer coisa que as colocava à parte de todas as outras a que havíamos tido acesso até aquele momento. Do mesmo modo, como mais tarde trabalhei com a maior parte desses curandeiros, descobrimos que, quando transportada com essas novas energias, a experiência de grupo conduz a uma dimensão completamente nova… ou, melhor dizendo, *dimensões*.

A grande mudança

Como é que de repente existem "novas" frequências no planeta? Ou, dito de modo mais apropriado, como pode haver frequências novas para o planeta se as próprias frequências são parte do universo sempre em evolução?

Para mim, o súbito aparecimento dessas frequências na Terra parece ter alguma coisa a ver com o modo como o tempo está mudando. Se você estiver atento, provavelmente já se deu conta de que o tempo parece estar passando mais rapidamente. Não no sentido em que os nossos avós diriam: – *À medida que envelhecemos, os verões parecem chegar mais depressa.* – É diferente. Não apenas o tempo está passando mais depressa, como fazemos muito mais durante o que parece ser o mesmo intervalo de tempo.

Isso pode parecer contraditório – se o tempo está passando mais depressa, era de esperar haver *menos* tempo para fazer as coisas, certo? Contudo, o contrário é verdadeiro. É como se cada unidade de tempo realmente tivesse diminuído a velocidade para que possamos fazer mais *durante* ela – embora globalmente o tempo pareça estar passando mais depressa. É similar à natureza contraditória da física quântica e da relatividade. Não podem ser ambas verdadeiras, embora num certo nível o sejam.

Tempo, energia, massa... estão todos inter-relacionados. Esse é o significado da relatividade. Se alguma coisa se move mais depressa, sua massa aumenta e seu intervalo de tempo diminui. Por conseguinte, se o tempo está aumentando a velocidade, então, as frequências que estão na base de todas as dimensões do nosso universo devem também estar mudando.

Para comprovação, basta olhar para todas as mudanças ocorridas nas duas últimas décadas do século XX. Há quinze anos você podia não estar interessado em ler este livro. Há sete anos, eu nem o teria *escrito*! Repare nas pessoas que conhece bastante bem e há muito tempo. Reparou como, se começar a falar com elas sobre assuntos espirituais e conceitos tais como "mudanças", elas não só estão mais abertas e receptivas do que se poderia pensar, como muitas delas admitem que estão refletindo sobre essas coisas há bastante tempo no silêncio da sua mente? Metafísicos enrustidos. Todavia, há apenas alguns anos algumas dessas pessoas teriam olhado para você um tanto de lado, apenas por trazer tais assuntos à baila.

Além disso, olhe para a medicina convencional de hoje. Há vinte anos, eu não teria conseguido entrar pela porta principal de um hospital, embora seja um médico quiroprático diplomado. Agora sou *convidado* a falar e a ensinar em hospitais e universidades – não como quiroprático, mas como curador.

Essa mudança aparece até na indústria do entretenimento. Sejam quais forem os seus defeitos, Hollywood é um excelente barômetro da nossa cultura. Seu sucesso depende da sua capacidade de determinar onde residem os interesses das pessoas e o que querem ver na tela – e é isso que eles nos dão. Durante a última ou as duas últimas décadas, tem havido uma ênfase clara nos temas espirituais em filmes: filmes sobre anjos, vida depois da morte, mudanças de paradigma, dimensões paralelas, capacidades psíquicas... e, sim, *curadores*. Não apenas isso, mas você não consegue ligar a televisão sem ver mais do mesmo tema.

Os efeitos dessa mudança estão também se tornando claros em outros níveis. Você provavelmente já tomou conhecimento de que muita gente, conscientemente ou por outra razão, escolhe esta época para deixar o planeta através de doenças relacionadas com a AIDS, o câncer e vários outros modos de sair. Outros, como você, escolhem ficar e ajudar na transição para as novas e mais altas vibrações.

A essa transição atribui-se muitos nomes. "A Mudança" e "A Mudança das Eras" são dois termos usados por Gregg Braden. A transição foi prevista pelos maias, os incas, os hopi, Nostradamus, Edgar Cayce e a cabala (ambas, a judaica e a cristã). Em *Walking Between the Worlds*, Braden define essa mudança como...

> ... tanto uma época na história da Terra quanto uma experiência da consciência humana. Definida pela convergência da diminuição do magnetismo planetário e do crescimento da frequência planetária num ponto do tempo, a Mudança de Eras ou, simplesmente, A Mudança, representa uma oportunidade rara de remodelar coletivamente a expressão da consciência humana. A Mudança é o termo aplicado ao processo de aceleração da Terra pela via da mudança evolucionista, com a espécie humana ligada, por opção, aos campos eletromagnéticos da Terra, seguindo-se a adaptação por um processo de mudança celular.

Bem, não estou dizendo que todas as "previsões" devam ser necessariamente tomadas como verdadeiras. Não sou de aceitar tudo que ouço, e sugiro que você mantenha também um saudável e objetivo grau de ceticismo. Muitos textos podem ser torcidos e interpretados para dizerem coisas baseadas nos interesses do intérprete.

Em todo caso, quando tantas fontes reconhecidas parecem dizer as mesmas coisas e prever a ocorrência da Mudança para o mesmo intervalo de tempo, enterrar a cabeça na areia como um avestruz pode não ser a reação mais apropriada. Previsões dessa magnitude não caem do céu. A sua melhor corroboração é a evidência para o conceito muito plausível de uma Inteligência Universal, um corpo de conhecimentos com o qual algumas pessoas – aquelas que se permitem ser suficientemente abertas – se conectam facilmente.

Edgar Cayce, Nostradamus e outros nos trouxeram essa informação. Agora, A Mudança está aí. Você quase tem que se esforçar para *não* vê-la.

Estou contente por não ter lido ou ouvido falar acerca dessa Mudança antes de tê-la percebido em mim. Se tivesse sido esse o caso, eu poderia nunca ter a certeza de não estar simplesmente imaginando coisas numa reação de antecipação. Reconhecê-la em mim – como a maioria dos leitores reconheceu ou está agora em vias de fazer – e só mais tarde descobri-la nos escritos dos sábios, serviu de confirmação para mim. Isso validou a autenticidade do que estamos descobrindo agora, do que estamos reconhecendo agora e serviu como a confirmação de que eu precisava para poder aceitar a sua realidade e continuar em frente.

Capítulo doze

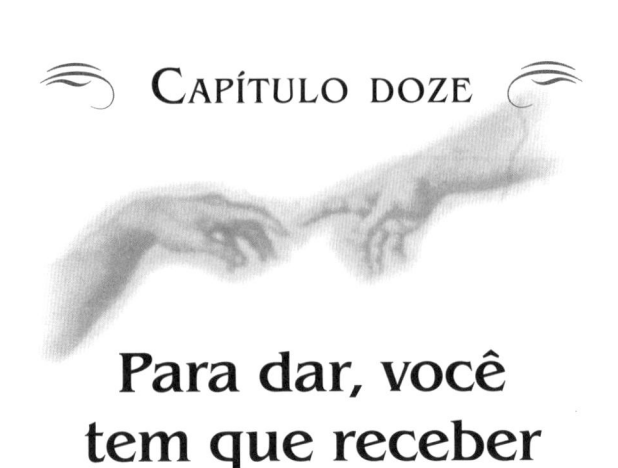

Para dar, você tem que receber

"[E] Moisés disse a Israel: *'E não apenas contigo estabeleço esta aliança... mas com todos os que hoje se encontram entre nós diante do Senhor, nosso Deus, e também com todos os que hoje não estão entre nós'.*"

– Antigo Testamento

No fim ficou claro que tinha que ir para dentro de mim a fim de encontrar a maioria das minhas respostas. Desde cedo no meu conhecimento das energias de cura, tive duas preocupações: uma, o fato de não poder prever qual seria a reação de um indivíduo e, por conseguinte, nada poder prometer a ninguém; e, duas, que teria, no que se refere às energias, altos e baixos imprevisíveis que poderiam durar horas, dias ou semanas, deixando-me perdido e confuso quanto à direção a tomar.

As pessoas diziam: "Oh, hoje você está se sentindo pra baixo, portanto as curas não virão". E eu explicava: "Não, as curas não vêm e é por isso que estou me sentindo pra baixo".

As pessoas não parecem querer tal resposta. Estou certo de que isso contraria algum aforismo *Nova Era* ou coisa do gênero... e fico contente por não saber qual. Seja qual for o caso, o que sei é que me sentia maravilhosamente bem enquanto as curas ocorriam, mas, quando entravam num período de *baixa*, sentia-me abandonado e perguntava-me se algum dia iriam voltar. Ninguém tinha respostas para mim, nenhuma resposta *verdadeira*. Assim, eu voltava sempre às seis frases canalizadas. Sabia que as respostas estariam ali, em algum lugar.

Nesses períodos, eu reencontrava muitas vezes minha segurança na primeira frase: *Estamos aqui para dizer que continue a fazer o que está fazendo.* E então eu continuava. Sabia ser a atitude correta, embora não fosse tão fácil como parece. É que enquanto funcionava, era *uma* coisa, mas quando não funcionava e ia contra qualquer conceito da realidade que eu já tivera, era *outra* coisa. Ninguém pode questionar a sabedoria do caminho em que você se encontra de modo mais penetrante que você mesmo. Ficava um pouco mais deprimido, mas continuava.

No fim, as curas recomeçaram a ganhar força.

Entretanto, essas flutuações na chegada das energias aborreciam-me bastante. Como somos seres complexos, compostos de algum modo, pelo menos na superfície, de aspectos e traços aparentemente contraditórios, nessa época já deveria estar claro que minha natureza predominante não era sentar-me e observar enquanto as coisas seguiam seu curso. Eu era – e em muitos sentidos ainda sou – uma pessoa com iniciativa. Em outras palavras, não era um sujeito do tipo *o que será será*.

Assim sendo, imagine minha surpresa quando finalmente compreendi que, para as curas acelerarem, eu tinha de parar de interferir e deixar de controlar as situações. Tinha de dar um passo para trás e permitir que um Poder Maior tomasse conta da situação.

Quem disse isso?, pensei. *Não pode ter sido eu.*

Mas era verdade. A energia não só sabia aonde ir e o que fazer sem a mais leve instrução da minha parte como, quanto mais eu desviava minha atenção, mais poderosa era a resposta.

Receba, não envie.

Quem disse isso?, perguntei, procurando nos mais profundos recessos da minha mente, como se pudesse ver alguma coisa ali. *Você escolheu a pessoa errada para esse tipo de conselho.* O meu ego se recuperava ainda de: *Saia da frente e deixe um Poder Maior guiar.* Nada disso fazia sentido. *Como posso levar a cura a alguém se não a "enviar"?*, questionei.

Receba, não envie.

Ouvi da primeira vez; agora responda à minha pergunta, retorqui.

Silêncio.

(Às vezes, o silêncio consegue me irritar.)

Mas, como vim a descobrir, "Receba, não envie" era a totalidade da regra. Nessa altura, aceitei verdadeiramente a ideia de que havia sido desposado, embora sem o compreender muito bem, para todo o sempre: *Não sou o curador; apenas Deus é o curador,* e por qualquer razão, quer eu seja um catalisador ou um recipiente, um amplificador ou um intensificador – escolha a palavra que achar melhor – sou um convidado na sala.

Receba, não envie.

Como sei que isso é verdade? Simples: fiz um teste. Se eu tentava forçar as coisas, se tentava controlar a energia e levá-la a fazer isto ou aquilo, ela deixava de funcionar. Mas, se recuava para segundo plano, se saía de cena, e deixava a energia tomar conta, as curas voltavam.

Não fui o único a fazer testes. De volta à Universidade do Arizona, sob a direção do dr. Gary Schwartz, a pesquisa estava agora em marcha. Estávamos realizando um conjunto de experiências com o objetivo de proporcionar um conhecimento maior da natureza e do alcance desse trabalho. Uma dessas experiências envolvia a medição do nível de radiação gama numa sala fechada onde estávamos trabalhando com energia reconectiva. Alguns dos pesquisadores e outros participantes assistiram ao meu seminário desse fim de semana. Quando lhes disse: "Lembrem-se, vocês não estão *enviando*, estão *recebendo*", eles não compreenderam o que eu queria dizer. "Como conseguir uma cura daqui para ali sem enviar energia?", eles perguntaram. Repliquei cientificamente: "Não sei".

Habitualmente, à medida que aumentam o número de pessoas e a quantidade de atividade num determinado espaço fechado, aumenta o nível de radiação gama. Os pesquisadores estavam tentando ver se havia uma diferença mensurável entre o nível de radiação gama na sala quando estávamos trazendo as frequências reconectivas em comparação com o presente em outras circunstâncias.

Mais tarde, enquanto analisavam os dados, recebi um telefonema deles. "Bem, você não vai acreditar", disseram. "Os detectores de radiação gama registraram uma queda significativa nos níveis de raios gama na presença do processo reconectivo."

O que queriam dizer – e isto é apenas uma hipótese – é que, enquanto as pessoas estão usando a energia reconectiva, alguma coisa é realmente *absorvida*. Elas estão *recebendo* energia, não a enviando.

A verdadeira natureza da cura

Quando a maior parte das pessoas pensa em "curar", elas se centram na noção de alguém sofrendo de uma doença ou de um ferimento que "melhora". Mas, o que significa "melhorar"? Melhor do que o quê? Melhor do que estavam em algum momento do seu passado? Melhor do que outra pessoa?

"Melhorar" está longe de delimitar uma definição de cura. Pensar dessa maneira nos priva do nosso direito inato de estar em comunhão direta com Deus/Amor/Universo; e, por conseguinte, de sustentarmos a nós mesmos, de curarmos a nós mesmos.

Curar, como habitualmente tendemos a achar, pode muito bem ser alívio de sintomas, doenças, enfermidades e outras disfunções perceptíveis. Cura é também a restauração da integridade espiritual da pessoa. Em essência, curar é: soltar ou remover um bloqueio ou interferência que nos mantém separados da perfeição do universo. Portanto, curar tem a ver com a nossa evolução e inclui a reestruturação evolutiva do DNA e a nossa reconexão com o universo num novo nível.

Por que "RE-conexão"?

Todos viemos a esta existência com limitações. Como diz a história, a humanidade, como um todo, foi há muito tempo desconectada das linhas de energia que nos sintonizam ao nosso próprio corpo; aos campos de energia daqueles que nos rodeiam; às linhas ley do nosso planeta e, a partir daí, à grade de energia de todo o universo.

Como aconteceu essa separação? Talvez a história da conspiração dos pleiadianos seja verdadeira. E talvez não. Isso não posso dizer – mas *posso* dizer que a nossa sina na vida pode não ter sido sempre esta. Todas as culturas – desde as das civilizações pré-bíblicas e, inclusive, da Grécia antiga (a quem respeitamos como fundadores da civilização ocidental) – contam histórias de um mundo antigo e mais perfeito. Sem guerras, sem doenças, sem moléstias. Shangri-lá. Atlântida.

Depois, deu-se uma espécie de Queda – um rompimento das forças que nos mantinham unidos em amor e felicidade. Uma *separação*. Algumas pessoas atribuem esse acontecimento ao Jardim do Éden. Algumas culturas, a um tempo anterior a esse.

Com pequenas variações, essa história é universal – encerrada no subconsciente coletivo da raça humana, impressa nos nossos genes.

Em variados graus, o fenômeno da Reconexão leva-nos de volta, na nossa memória intrínseca, até aquela idade de ouro, e nos liga ao nosso sentido original de profunda conexão com toda a vida. Contudo, não é apenas um simples movimento para trás, é também um movimento para a frente, na direção de algo novo. Dessa totalidade vem a cura. A verdadeira cura. A cura evolucionária.

A despeito de toda a conversa acerca de "voltar atrás", a verdade é que o nível de cura que estamos discutindo não esteve sempre conosco. Em certa época, nossa espécie esteve mais completamente conectada e "total"; por conseguinte, para nos conectarmos não eram necessárias frequências específicas. Aquilo que sempre tem estado conosco é a capacidade de aumentar nossa consciência coletiva até o nível em que podemos receber e acomodar frequências desse tipo. Esse nível foi finalmente alcançado, e o universo decidiu que chegou a hora da sua apresentação.

Todos temos capacidade para transportar essa nova frequência de cura. Não é uma dádiva para uns poucos escolhidos – gurus ou "santos" (por consenso geral), homens ou mulheres. É uma dádiva deste tempo; a inteligência e a sabedoria de que precisamos para nos guiar já estão aí. Enquanto espécie, estamos entrando num nível de frequência em que as falsidades não conseguirão transportar suas vibrações e, sendo tão densas, simplesmente vão entrar em declínio; as separações serão curadas; as superstições serão libertadas. Estamos embarcando no excitante processo de abandonar nossos medos, ao reconhecer como tantos deles vêm disfarçados de rituais de amor e beleza.

Embora o universo, por alguma razão, tenha decidido "semear-me" com essa energia para iniciar o processo de aumento da frequência, parece que todos os dias mais e mais pessoas descobrem seu lugar como parte desse fenômeno. Dessa maneira, estamos aumentando nosso nível global de consciência. Quando abandonamos nossas superstições e nossas crenças antiquadas e evoluímos, preparamo-nos para assumir o manto do poder e da responsabilidade.

Massa crítica

Virá um tempo – num futuro não muito distante – em que já não será necessário fazer uma viagem especialmente para me ver, ou a qualquer outro, para ser "sintonizado" a essa nova banda de frequências. Logo você estará sentado num teatro, num avião ou num ônibus e se limitará a captar essa nova ressonância da pessoa sentada a seu lado. Ela até será passada geneticamente em gerações futuras.

Tenho assistido ao início desse fenômeno durante os seminários que ensino, nos quais os indivíduos presentes são muitas vezes espontaneamente sintonizados em níveis progressivamente mais elevados de proficiência. À medida que a desenvolvo, ela é passada aos participantes do seminário seguinte em um nível mais novo e mais elevado. E uma vez que, aparentemente, estamos todos ligados no mesmo centro de comunicação, os que estiveram em seminários anteriores descobrem que dão também esses saltos automaticamente.

Esse fenômeno coincide com os estudos do cientista inglês Rupert Sheldrake, o principal proponente do conceito de "massa crítica". Numa experiência clássica, foram separados ratos em dois grupos. No espaço de meia dúzia de gerações, um dos grupos foi regularmente colocado em complicados labirintos. O outro grupo ficou enjaulado por perto e foi testado apenas ocasionalmente. Os resultados dessa experiência foram significativos: no grupo testado, cada nova geração começava no nível de competência atingido pelos predecessores. Mais digno de nota, quando os ratos não testados foram postos no labirinto, eles também começaram no nível de competência dos que estavam sendo testados no momento. Esse fenômeno é também conhecido como "Teoria do Guru" ou, mais habitualmente, "Teoria do Centésimo Macaco".

De certo modo, a Reconexão nos prepara para fazermos essa transição no interior da mudança que está ocorrendo agora mesmo. Sem termos de esperar pelo processo lento e arbitrário das mutações multigeracionais e da seleção natural, estamos continuando na via evolutiva em direção à inevitável reestruturação do nosso DNA.

Atualmente, estamos dando os primeiros passos para esta Reconexão. Somos a vanguarda que transporta a nova onda curativa para a primeira linha do que se provará ser o novo estágio da evolução humana.

Capítulo treze

Saia do caminho

"Quanto maior a ênfase na perfeição, mais ela se afasta."
– Haridas Chaudhur, *Mastering the Problems of Living*

O papel dos curadores

Por uma questão de conveniência, refiro-me por vezes a mim mesmo como sendo um "curador", mas na verdade não sou. *Não curo ninguém.* Vocês também não vão curar. Se você é um curador, ou deseja tornar-se um, sua tarefa é simplesmente *ouvir*, depois abrir-se para receber a energia que lhe permite tornar-se o catalisador para a cura do seu paciente. A cura é uma decisão tomada entre o paciente e o universo.

(Igualmente por razões de conveniência, e também simplesmente por hábito, vou usar a palavra *paciente* quando falar da pessoa que o procura para uma cura ou posso também referir-me a esse indivíduo como *a pessoa deitada na sua maca* – querendo dizer, muito provavelmente, qualquer tipo de maca ou mesa de massagem, embora você possa também trabalhar num sofá, numa cama ou em qualquer outro lugar conveniente. Quando uso o termo *paciente,* não estou conferindo a você o título de *médico* – e se o fizesse, isso não iria ajudá-lo em nada; é apenas o termo de uso mais fácil para mim. Se gostar de pensar nessas pessoas como *clientes,* ou se prefere outra palavra, esteja à vontade para substituir o termo na sua mente. E se tiver uma palavra melhor – me informe!)

O "ouvir" de que falo é um estado de receptividade do ser. Quando você ouve um som, seus tímpanos recebem vibrações de frequências específicas: ondas sonoras. Quando ouve "mais atentamente", você está procurando aperfeiçoar sua receptividade. Pode até pôr as mãos em concha atrás das orelhas para aumentar a área de recepção. Quando "ouve" como curador, você traz esse modo de provocar convergência para as mãos, ou para a parte do seu corpo que esteja agindo como ponto de concentração das energias. É nesse estado receptivo que o milagre da comunicação alcança um nível completamente novo.

Como "curadores", estamos nos tornando um elo na cadeia da reconexão. A energia de cura vem da Fonte – corre dentro de nós, e através de nós, emanando de nós e para nós. Essa energia é como luz passando através de um prisma. Nós somos o prisma. Juntamos o paciente e o universo na geração de um campo mútuo que consiste em *amor* – no mais elevado significado da palavra – e um estado de unidade. As necessidades do paciente são reconhecidas pelo universo, que então fornece as circunstâncias que garantem a resposta apropriada a essas necessidades.

Como é que isso acontece exatamente? Na verdade, ninguém sabe. Se fosse pressionado, eu teorizaria que as frequências de vibração do paciente interagem de alguma maneira com, e respondem, às vibrações vindas do universo por via do nosso envolvimento. Quando as vibrações mudam, o mesmo acontece com todas as "mais elevadas" partículas e estruturas definidas pelas vibrações. A vibração mais baixa é transportada pela mais alta? Talvez. Mais provavelmente, quando essas frequências (as do paciente, as suas e as de todo o universo) interagem, as ondas podem combinar-se em certos pontos de escape para produzirem juntas uma frequência diferente. Em outras palavras, três frequências podem juntar-se para formarem uma nova que não estava presente no conjunto original – qualquer coisa criada fora da sua reunião – quase como se separassem o seu próprio acontecimento enzimático ou catalítico.

Parece-me uma explicação razoável. Na física quântica, se mudamos o comportamento de uma partícula, outra partícula num lugar diferente reagirá *instantaneamente,* seja a centímetros ou a universos de distância. Como é possível? Será porque a partícula está em dois lugares diferentes – talvez dimensões? – ao mesmo tempo, ou será porque as duas partículas partilham alguma forma instantânea de comunicação? A verdade é que não sei se é verdade. Não sei o que *é* verdade. E ninguém sabe, diga o que disser.

Nem sequer sei por que somos tão honrados para fazermos parte da equação total. Parece-me difícil de acreditar que Deus precise de nós ou nos requeira para fazer curas. Talvez eu não tenha imaginação, mas não consigo conceber Deus, na sua Infinita Sabedoria, sentado perto de uma nuvem, dizendo: "Puxa, eu gostaria muito que Marta se curasse... onde está esse dr. Pearl quando preciso dele?"

Então, por que *estamos* envolvidos? Uma vez mais, não tenho certeza, embora sinta que o nosso papel tenha a ver com algo que também *precisamos* obter do universo. Em outras palavras, é mais por *nós* que pela outra pessoa. Podemos ser uma parte das equações de cura de outros indivíduos, embora devamos lembrar que, nesse caso, eles se tornam também parte da nossa equação.

Para que ocorra uma cura, todos têm um papel na experiência.

Wo e a mala

Lee Carroll, autor dos livros *Kryon* e coautor de *The Indigo Children,* é um mestre em contar histórias. Se você ainda não leu seus livros, sugiro com veemência que o faça. Com sua permissão, vou citar fragmentos selecionados de uma história do Kryon Book VIII: *Passing the Marker*. O título da história é *A Parábola de Wo e da Mala*. A interpretação é minha.

Na parábola, a personagem principal, Wo, não é especificamente homem ou mulher. Para facilidade de comunicação, o pronome utilizado é *ele*, embora Wo, como Lee o apresenta, seja mais uma "mulher/homem" [wo-man]. Wo representa muitos de nós que sentem que estão prontos para entrar nesta nova Mudança. E, apesar de se considerar um trabalhador da luz, ele gosta de se preparar antes de sair de casa e é um empacotador da pesada.

Como digo nos meus seminários, o objetivo de assisti-los *não é* obter um punhado de novos materiais para levar para casa e enfiar nas sacolas atulhadas de velhos materiais, guardadas no fundo dos armários. Vocês sabem do que estou falando – das sacolas que não deixam as calças, os vestidos e os casacos penderem até abaixo, o que faz com que qualquer coisa mais comprida que uma camisa fique amarrotada na extremidade – ou daquelas para as quais você não olha há anos e nas quais *um dia* irá "dar uma olhada" para explorar e organizar.

Tornar-se um curador é abandonar o "material" desnecessário que pode ou *não* ter sido útil um dia, mas que não serve mais para nada – exceto para nos manter dependentes. Dependência é igual a necessidade, que é igual a medo. E que tal um amassado novo num velho terno (pendurado há muito tempo)?

Na parábola, juntamo-nos a Wo quando ele está prestes a encontrar o Anjo Embalador, que está ali para controlar o que Wo selecionou para levar com ele em sua viagem à nova energia. Na primeira mala de Wo, o Anjo Embalador encontrou roupas, muitas roupas. Havia trajes para todos os tipos de clima, mas não havia nenhuma organização e nada combinava com nada. Aparentemente, Wo pegou tudo o que pôde, preparando-se para qualquer coisa.

Em outras palavras, não reconheceu o fato de possuir já em si a totalidade que procura nas coisas fora de si. Amontoou uma mistura de todas as coisas concebíveis. Essas coisas consistem em todos os recursos de cura imagináveis, rituais e teorias em que seja possível botar as mãos. Cada coisa embalada reforça nele a ideia de que, por si mesmo, ele não é suficiente. Com cada objeto embalado, Wo toma uma parcela do poder que teve há tempos e que jogou fora, investindo-o conceitualmente – e inconscientemente – nesses artigos.

As malas são uma analogia perfeita, uma vez que assumem variados formatos, combinam ou não combinam, são lisas ou têm monogramas, Louis Vuitton ou simplesinhas; com uma forma ou outra e em diferentes quantidades, todos temos alguma. Sob outras formas, ela também nos possui. Tal como é afirmado na parábola: "Respeitar a incerteza é a metáfora... Abençoados os seres humanos que compreendem que a incerteza se resolverá por si mesma à medida que avançam pelo caminho – os preparativos feitos antes não são necessários agora... As mudanças serão reconhecidas e resolvidas à medida que se apresentam".

Não posso começar a honrar todos os significados por trás da parábola; portanto, deixem-me mergulhar naquilo que parte dela pode significar para aqueles de nós que tentam fazer seu caminho como curadores.

Já não precisamos espalhar sal nos quatro cantos, queimar salva ou invocar entidades para proteção. Já não precisamos sacudir a energia negativa das mãos – porque na verdade não existe tal coisa – dentro de bacias de água salgada nem aspergirmos a nós mesmos com álcool ou usar amuletos. Não necessitamos usar nossa mente consciente numa tentativa de determinar o que está "errado" com uma pessoa para sabermos como "tratá-la". Podemos agora permitir-nos *ser* simplesmente – estar com a pessoa e "compreender que a incerteza se resolverá por si mesma...".

Nossa lição é aprender a *ser*. A liberdade de *ser* nos livrará da opressão *de fazer*. Aqui jaz a semente do "saber", que tem a capacidade de nos levar para lá de toda a sabedoria deste mundo.

Bem, vamos espreitar para dentro da próxima mala da parábola e ver quanto daquilo que temos discutido é ali tratado.

Esta é a Mala dos Livros – livros espiritualistas. Esses livros representam aprendizagem e conhecimento espirituais, e, claramente também, não comunicam saber. Esses são os livros de referência de Wo. O seu "estofo". O nosso "estofo". Os livros que compramos e lemos (bem, pelo menos lemos as "partes boas"). Os livros para os quais ainda não olhamos (mas olharemos *um dia*). As notas que tomamos, embora abandonadas, após outros seminários, numa daquelas malas de "papelada" no fundo do armário.

O Anjo Embalador explica a Wo que ele não irá precisar dos livros que embalou. Wo, naturalmente, não compreende e, a pedido do anjo, Wo exibe aquele que a seu ver é o mais espiritual dos livros. O anjo diz-lhe que é obsoleto. Wo não compreende por quê.

– Você levaria um notebook científico com 150 anos de idade? – pergunta o anjo. – Ou um manual com mais de 2 mil anos que tivesse a ver com ciência?

– Claro que não! – exclama o pobre Wo. – Estamos sempre fazendo novas descobertas acerca do modo como as coisas funcionam.

– Exatamente – diz o anjo. – Espiritualmente, a Terra está mudando muito e de forma grandiosa. O que você não podia fazer ontem *pode* fazer hoje. O paradigma espiritual de ontem não é o paradigma espiritual para amanhã. O que lhe foi dito como xamã acerca da energia espiritual, e que funcionava ontem, não funcionará amanhã, uma vez que a energia está mudando e se refinando. Você está no meio da mudança e tem de seguir com o fluxo das novas capacidades.

Então, Wo desafia o anjo com a frase: *é o mesmo ontem, amanhã e sempre.*

– Não é uma frase acerca da imutabilidade de Deus? Como pode estar obsoleta?

– De fato, é acerca de Deus – respondeu o anjo. – Mas fala dos atributos de Deus, não da relação dos seres humanos com Deus. Todos os seus livros são conjuntos de instruções escritas por seres humanos sobre o modo de comunicar, de se aproximar e de viver a vida lidando com Deus. Deus é sempre o mesmo... O ser humano é aquele que está se modificando, e os livros são sobre a relação do ser humano com Deus. Portanto, o livro é obsoleto.

Note que isso não significa que o livro *nunca* foi válido. Muitas coisas ainda são válidas dentro dos parâmetros mais velhos, e de algum modo limitados. Acontece que, com a mudança, nós agora existimos num conjunto de parâmetros muito mais amplo.

Deixem-me, por um instante, ilustrar com um exemplo concreto. Em finais do século XIX, os astrônomos estavam frustrados porque, independentemente do modo como a calculavam, a órbita do planeta Mercúrio não coincidia com as previsões matemáticas. Essas previsões, baseadas nas leis do movimento e da gravidade, propostas por *sir* Isaac Newton séculos antes, haviam funcionado com incrível precisão para a órbita de todos os outros planetas (ou qualquer objeto em movimento) – então, por que não com Mercúrio?

A resposta, tal como se veio a confirmar, era que as leis de Newton e as equações eram apenas uma descrição *parcial* do movimento e da gravidade. Funcionavam lindamente para a maioria dos propósitos – mas quando os objetos se moviam muito perto de um objeto maciço como o Sol, alguma coisa mudava. Isso levou Albert Einstein a imaginar que mudança era essa: a Relatividade. A gravidade, embora considerada uma das quatro forças básicas do universo, não é uma "força" como o eletromagnetismo; é uma deformação do espaço-tempo causada pela presença de um corpo. Quanto mais maciço o corpo, maior a deformação *relativa* (e mais "forte" a gravidade). Acontece que Mercúrio habita numa região onde a curvatura do espaço-tempo é suficientemente perceptível para que a órbita dos pequenos planetas não corresponda às previsões que funcionam para os corpos mais distantes.

Isso quer dizer que a física newtoniana é obsoleta? De modo algum: as trajetórias das naves espaciais ainda são calculadas usando a sua matemática "antiga", porque é comparativamente mais simples e funciona à perfeição *dentro dos seus próprios parâmetros*. Mas, se entrarmos num paradigma mais amplo, a matemática newtoniana é tão inútil como se tentássemos usar um mapa da cidade de Boise para nos guiar através de Los Angeles.

De modo semelhante, no mundo dos curadores, muitas das técnicas que passaram no teste do tempo funcionam hoje tão bem como sempre funcionaram – acontece apenas que agora *temos* mais e sabemos *haver* mais, de tal modo que as velhas técnicas já não são suficientes. Tão boas quanto sempre foram, no âmbito dos parâmetros novos e expandidos elas já não são apropriadas – assim como as lanternas não seriam apropriadas para faróis de automóvel, embora para um cavalo e um coche funcionem muito bem. As fraquezas a que essas técnicas estão sujeitas – requerer a remoção de joias e couro, fé por parte do receptor, proteções rituais para ambas as partes envolvidas – não estão presentes nas novas frequências.

Lembre-se, também, da razão pela qual muitos dos que praticamos as técnicas de cura nos comprometemos com elas em primeiro lugar. Não foi para nos tornarmos seguidores fanáticos da técnica em si mesma – *foi para nos tornarmos curadores*. A técnica foi apenas um dos primeiros passos do processo.

Durante um momento, imagine-se na base de uma escadaria enorme. Um dos seus objetivos – tornar-se curador – espera por você lá no topo. Seu primeiro degrau é aprender uma técnica. Você se atira nessa técnica, domina-a e talvez mesmo se torne professor. Você *agora ocupa o primeiro degrau*. Gostar dele não é problema, mas tenha cuidado para não se *apaixonar* por ele. Pois, se fizer isso, vai se sentar, pegará um cobertor e uma almofada, vai se mudar para lá e fazer desse degrau o centro do resto da sua vida. Mas que significado tem isso para o resto da subida até o alto da escadaria? A jornada para. É hora de ficar feliz com os seus primeiros passos... e continuar até o topo.

Vamos analisar uma última "mala" retirada da parábola: A Mala das Vitaminas.

– O que está nesta mala que chacoalha quando a levanto? – pergunta o anjo.

– Querido Anjo Embalador – diz Wo –, são as minhas vitaminas e as minhas ervas. Preciso delas para me manter saudável e equilibrado... Sabe que sou sensível a certas substâncias e alimentos. Portanto, necessito dessas ervas e dessas vitaminas para me aguentar e ficar forte nesta viagem.

Wo teme que o anjo não lhe permita levar os suplementos.

O anjo diz:

– Não, Wo, não vou jogá-las fora. Mas *você* irá, um dia.

Explica então que Wo está em transição tanto fisicamente como em outros aspectos.

– Enquanto você faz o caminho e toma consciência do seu potencial – explica o anjo – compreenderá lentamente que o seu DNA está se modificando. Seu sistema imunológico está sendo alterado e reforçado... Conjuntos de mensagens e de instruções serão enviados às suas células – e você irá saber com toda a certeza que esses suplementos, embora importantes agora, serão desnecessários à medida que aumenta seu bem-estar... Em vez de se tornar mais sensível com a iluminação, você terá um reforço tal do organismo que nada poderá penetrar a luz que carrega. Lentamente, poderá abandonar qualquer aparente dependência dos químicos com os quais viaja.

Quantas coisas carregamos conosco que chacoalham, batem e cheiram? (Não ria. Abra algumas das suas malas e sacolas e dê uma boa cheirada.) Tome consciência de que o nosso corpo tem a capacidade de produzir tecido celular especializado a partir de uma barra de chocolate. Naturalmente, não estou fazendo uma petição para a elevação das barras de chocolate ao estatuto de novo grupo de alimentos, e estou absolutamente ciente da degradação dos solos, dos tratamentos químicos e de todas as outras coisas que acontecem aos nossos alimentos.

Se alguns de vocês vestirem jalecos brancos e colarem fita refletora nas costas podem ser confundidos com farmácias ambulantes. Compreenda que a maior parte do que você está tomando (e não estou falando de medicamentos receitados ou recomendados por um médico para problemas de saúde significativos) *não é necessária*.

Sempre que recorremos a uma garrafa ou um frasco desnecessário, estamos dando a nós próprios os elementos de confirmação da nossa fraqueza intrínseca. Estamos conferindo o poder da nossa verdadeira essência à necessidade de recursos externos. Além do mais, podemos estar nos mantendo encerrados no verdadeiro círculo que pensávamos estar prontos para quebrar: o reforço em nós mesmos da ilusão de que não somos *suficientes*. Simbolicamente, estamos nos tornando pessoas que carregam malas cuja existência está dependente daquilo que conseguimos carregar em forma de material.

É tempo de assumirmos quem somos, de saber que somos a Luz e de permitir que a inteligência que criou o corpo dirija o corpo.

Ergo, ego

Não nos foi dado um ego para o deixarmos morrer à míngua. O ego nos foi dado para aprendermos a equilibrá-lo, a dominá-lo. Em muitos casos, o ego representa a identidade: dá-lhe uma separação, uma forma que é essencial para funcionar neste plano. Temos dificuldade para compreender o conceito de que somos todos um. Se formos a verdadeira encarnação desse conceito, não haverá lições para experimentar. O ego dá-nos a identidade para vivenciarmos a lição em termos de um ponto de vista muito particular – o nosso. É como se olhássemos para a situação através de uma janela muito específica. A moldura da janela é o nosso ego. Dá-nos a forma de olhar (de uma perspectiva muito aguda) esse aspecto daquele problema. É como se houvesse um horizonte e, depois, uma visão do universo inteiro. O ego torna-se um periscópio a partir do qual vemos aspectos muito específicos desse universo.

Tome, por exemplo, um atleta de salto em altura. Esse atleta precisa ultrapassar a barra. A barra está ali para que ele passe por cima dela. Torna-se um obstáculo, e ultrapassá-la com um salto é a recompensa.

Foi-nos dado um ego. A recompensa chega quando estamos em condições de deixá-lo partir... e ver o quadro completo.

Relembrar nosso papel apropriado na equação da cura nem sempre é fácil. Os pacientes que veem resultados impressionantes ficarão contentes de contar a quem quiser ouvir que *você* os curou. Acreditar nisso é tentador. *Não faça isso.* Se quisermos realmente cair nessa armadilha, tudo que temos de fazer é começar a ficar com os créditos da cura recebida pelos nossos pacientes. Após termos ficado com o crédito da "nossa" primeira grande cura, uma das piores coisas que pode acontecer é o nosso próximo paciente sofrer uma cura ainda mais impressionante; e o seguinte, outra; e outra logo a seguir a essa. Muito rapidamente, nosso sentido de quem somos é construído em função de um sistema de valores externo. Logo que a primeira pessoa que entra nessa cadeia não recebe uma cura, sentimo-nos devastados – porque aceitar o crédito pelas curas requer automaticamente que aceitemos a responsabilidade se uma não é notada. Deixe-me oferecer aqui uma analogia que será mais facilmente compreendida pelos que sobreviveram aos anos 1960: *a ressaca é muito pior que a "viagem".*

O ego mostra-se também na nossa capacidade de apreciarmos uma coisa por aquilo que ela é, de reconhecermos que o ato a apreciar *é* o nosso papel nele. Quando reconhecemos que estamos interagindo com qualquer coisa que já se apresentou a nós em toda a sua plenitude e perfeição, devemos parar de querer *enfeitá-la em excesso*. Tentativas de alterar sua perfeição, de "acrescentar", de "aperfeiçoar", irão apenas empurrar sua manifestação para cada vez mais longe – de nós e da sua perfeição. Isso é representativo do nosso senso de automerecimento sendo declarado do exterior, ou *objetivamente-orientado,* em vez de ser baseado internamente, ou *subjetivamente orientado.* Todos conhecemos alguém assim. Para se sentir importante, essa pessoa tem que estar em condições de se associar à produção de uma mudança em alguma coisa – não pelo valor intrínseco dessa mudança, mas para obter provas extrínsecas, com a esperança de ser reconhecida pelos outros, do seu efeito sobre alguma coisa para que pareça "melhor". A essa forma de ego eu chamo *Pseudoespiritual.*

O Pseudoespiritual mostra-se numa multiplicidade de situações, seja a pessoa que lhe diz ser a moldavita uma pedra avançada demais para você e que deveria começar com uma coisa mais simples, como a pessoa que tenta enchê-lo de culpa cósmica por ter gripe ou a pessoa que não pode deixar em paz a perfeição.

Um exemplo maravilhosamente claro dessa última situação é o grupo mencionado no princípio deste livro – o que organizou a reunião com a intenção de ancorar as energias do Arcanjo Miguel. Os membros desse grupo tiveram a oportunidade de testemunhar algo que nunca tinham visto, embora a necessidade de se sentirem "parte" disso, combinada com a incapacidade de reconhecerem que, observando o que se passava, eram parte do acontecimento, os mantivesse à "parte". Em outras palavras, sua incapacidade de apreciar a perfeição e a interação dos seus papéis enquanto *testemunhas,* ressaltou seu envolvimento *por razões egoicas,* o que finalmente afastou deles a manifestação dessa experiência. É o mesmo tipo de coisa que originou a queda do Reiki. Tanta gente tentou pôr-lhe o seu "selo" pessoal, lançando suas próprias "características", adicionando, alterando, "melhorando", que é muito difícil encontrá-lo hoje na sua pureza e na sua forma original.

O ego é também alimentado de maneiras aparentemente altruístas. Que dizer das pessoas cuja cura *não é permanente*? É raro, mas acontece. Elas podem voltar três semanas ou um mês mais tarde e pedir outra sessão. Dessa vez dura apenas duas semanas, ou talvez seis meses. Depois voltam. Em certo nível, nosso ego pode ser ferido por elas não terem, superficialmente, recebido o mesmo que os outros: uma cura duradoura. Em outro nível, nosso ego pode ser alimentado pela satisfação recebida por nos sentirmos pessoas boas *porque* temos pena delas. Em outro ainda, nosso ego pode considerar-se insuflado de novo por tentarmos *uma vez mais*.

Se eu tiver licença para me afastar do ego por um momento, gostaria de sugerir que seu papel nesse quadro era o de remover as interferências ou os bloqueios no caminho da pessoa. Você fez isso. Duas vezes. E está prestes a fazer uma terceira. Uma vez removidos os bloqueios, seguir em frente *é responsabilidade da pessoa*.

Às vezes, estamos tão ocupados em receber os créditos pelas curas que não percebemos o senso de responsabilidade inflado que se acumula em nós.

Os curadores não somos você e eu. Nós somos apenas uma parte da equação. A equação consiste em três partes: o paciente, nós e Deus. Quando Deus em nosso íntimo encontra Deus no íntimo do paciente, acontecem as coisas mais maravilhosas. Essa equação é às vezes chamada de "O Poder de Um" ou "O Poder de Três". Por que estamos envolvidos nessa equação? Por causa da outra pessoa? Provavelmente não. Como eu disse anteriormente, estamos envolvidos nessa equação mais provavelmente por *nós*. (Para quem tiver acessos de raiva com o uso da palavra *Deus* – supere isso. É também o seu ego. *Deus, Amor, Universo, Fonte, Criador, A Luz* – todas essas palavras significam a mesma coisa e neste livro são usadas de modo intercambiável. Use o termo de que mais gostar.)

Para ter uma perspectiva mais ampla do processo e do papel nele desempenhado pelo ego, talvez você queira aceitar esta abordagem verdadeiramente poderosa em sua próxima sessão: *Torne-se um com a pessoa, depois cure a si mesmo.*

Quem é curado?

Por falar nisso, qual o significado de um paciente não receber a cura que esperava?

Houve um tempo em que eu me culpava por aquilo que inicialmente percebia como *fracassos*. Finalmente, tive de aceitar que não podia ser mais responsável pela falta de uma cura clara que pela presença de outra extraordinariamente bem-sucedida. Portanto, quando uma sessão de cura não produz os efeitos esperados, o que isso quer dizer?

O problema não está na cura, mas na *expectativa*. Eu costumava dizer que nem todos são curados. Já não acredito mais nisso. Agora acredito que todos *recebem* uma cura – se bem que não necessariamente a que esperavam.

Reconhecendo que "curar" significa reconectar-se com a perfeição do universo, compreendemos que o universo sabe o que precisamos receber e o que iremos ganhar como resultado disso. A questão é: aquilo de que *precisamos* pode nem sempre corresponder ao que esperamos ou pensamos querer.

Tal como os curadores devem aceitar o seu papel de canais, os pacientes devem aceitar o de receptores. O trabalho dos pacientes reduz-se a abrir-se às energias de cura e aceitar o que vier. E alguma coisa *virá*. Só que pode ser uma surpresa.

Digamos que um paciente o procure por causa de uma úlcera. Você faz uma sessão de cura, ou duas ou três – e a úlcera persiste. O paciente sente-se frustrado e você, um fracassado, mesmo sabendo que não deve se sentir assim, porque, como se diz, você é apenas humano. Mas, alguns meses mais tarde, você tem notícias do paciente.

– Estou ótimo – ele diz. – A úlcera desapareceu. Talvez seja porque, depois de tê-lo visitado, deixei de me preocupar tanto com tudo, deixei de fumar e de beber e me dou muito melhor com minha mulher e meus filhos...

Às vezes eles atribuirão a cura a outra coisa que não o tempo que passaram com você. Mas, em última análise, isso não interessa.

Essas pessoas estão muito apegadas ao resultado – e é esse apego que interfere, se é que interfere. Um apego é uma constrição, e uma constrição corta o fluxo daquilo que você gostaria que chegasse.

Direcionando a cura

Reforçadas pelo modelo da medicina e pela abordagem à cura baseada nos sintomas feita pela sociedade, muitas pessoas acham necessário determinar o que *elas* sentem como problema prioritário para ou durante a sessão de cura. Esse é o primeiro passo para nos esquecermos de que não somos nós quem dirige a cura. Combinemos isso com a atual popularidade do conceito de *medicina intuitiva* e nos encontramos diante de um novo caso de ego inflado.

O diagnóstico é uma parte fundamental do universo da alopatia – e um recurso muito valioso quando usado apropriadamente. É também um intrincado campo que requer da maioria dos médicos (e outros) muito estudo. É ainda um trabalho de adivinhação, mas adivinhação *acadêmica*. O dr. Reginald Gold explicou uma vez que, para compreender verdadeiramente o significado de *diagnóstico,* é necessário ir até às raízes da palavra: *di,* do latim, significando "dois"; e *agnos* (como em agnóstico), do grego, significando "não saber". E temos, então, o seguinte: duas pessoas que não sabem – você e o seu médico –, portanto, não se aborreça. O dr. Gold gosta também de ressaltar que não é incomum os médicos dizerem coisas como: "Se não fizer um diagnóstico, não posso ser responsável pelo que acontecer". E continua dizendo: "Muitas vezes me perguntei: isso significa que *serão* responsáveis se fizerem um diagnóstico e o paciente continuar com problemas?"

De certo modo, duvido disso.

Como médico, posso dizer que, muitas vezes, as pessoas gostam de zombar da sua "perícia" em diagnósticos, usando isso como trampolim para manterem um sentido de autoimportância reconhecido exteriormente. Os que não conseguem reconhecer esse tipo de artificialidade podem ser cegados pela vanglória e tornar-se vítimas, desejando para si mesmos tal estado de autoinsuflação que tentam recriá-lo num cenário pseudoespiritual. Essa imitação de um dos piores lados do modelo médico leva-nos a um desejo de diagnosticar baseado na referência do objeto e conduz frequentemente à adoção do rótulo de *medicina intuitiva*. A intuição médica, quando usada para ajudar os médicos e outros cuja profissão exige diagnóstico, é de compreensível importância para a profissão. A simulação de intuição médica para impressionar presta um desserviço para aqueles que são médicos intuitivos competentes e distancia-nos dos nossos pacientes e do processo de cura.

Contudo, quando se trabalha com Cura Reconectiva, isso é não só desnecessário, como pode até atrapalhar. Partilho da crença de que, muitas vezes, quanto menos souber sobre o paciente, melhor, porque, provavelmente, tentarei direcionar menos a sessão, conscientemente ou de outro modo. Quanto menos você tentar direcionar, mais espaço dá ao universo para fazer isso e melhores serão os resultados. Não é que o universo não possa trabalhar ao seu redor, acontece apenas que há um certo nível de graça e de conforto que ocorre quando você sai da frente.

Embora não possamos saber com certeza absoluta exatamente qual é o nosso papel nessas curas, não é certamente o de segunda opinião de Deus ou da Inteligência Universal.

Como pensamos

Os seres humanos são, naturalmente, criaturas dotadas de razão. Os chimpanzés podem ser capazes de adaptar ferramentas além de paus para extraírem o almoço de um montículo de cupim, mas não constroem arranha-céus nem aviões 747. Não refletem sobre a teoria das cordas. E não abrem universidades para transmitirem seus conhecimentos a novas gerações.

Em muitas situações da vida, a capacidade de pensar pode ser altamente benéfica – embora a razão, como qualquer outro recurso, possa ser de pouquíssima utilidade se usada de maneira imprópria ou inadequada. Tente usar o grampeador como martelo e perceberá o que quero dizer. (Não que eu esteja falando por experiência própria.)

A arte de raciocinar é baseada nas duas regras básicas da lógica: indução e dedução. A lógica indutiva é a mais rígida das duas: é baseada na premissa de que o todo é igual à soma de suas partes. E, como afirmou o dr. Reginald Gold, quer seja ou não assim, o todo raramente é igual a *algumas* das suas partes... que muitas vezes é tudo quanto temos. Reflita sobre isso por um momento. Sabemos hoje mais que ontem? Claro que sim. Seguindo essa linha de raciocínio, as probabilidades indicam que saberemos mais amanhã do que sabemos hoje, e muito mais em mil anos que em cem. Portanto, se é para basearmos as nossas conclusões apenas na lógica indutiva, prefiro esperar até termos mais algumas das "partes".

O diagnóstico é baseado principalmente em raciocínios indutivos. A doença humana pode ser incrivelmente complexa, sobretudo quando levamos em conta os medos e as expectativas tanto do paciente como do curador. Na melhor das hipóteses, compreendemos apenas alguns pormenores de qualquer doença ou ferimento, de modo que cometemos imediatamente um erro se decidirmos que está tudo ali. Como seres humanos, somos mais que capazes de juntar essas coisas incorretamente, chegando assim a falsas conclusões.

Será que isso significa que a lógica indutiva é inútil? De modo algum. Temos apenas de nos lembrar de que é um grampeador, serve para grampear. Não podemos usá-lo para construir uma casa – a não ser que estejamos construindo uma casa de cartas de baralho.

Por outro lado, a lógica dedutiva tem maior alcance. Com a lógica dedutiva começamos por olhar para o quadro inteiro, extraindo daí as nossas inferências. Por exemplo, à medida que ganhamos mais e mais experiência na nossa linha de trabalho, é provável que nossas conclusões se tornem cada vez mais dedutivas. Nossa experiência evolui para uma forma de intuição – reconhecendo que há mais coisas além do que vemos e intuitivamente deduzindo isso.

Contudo, até isso pode ser enganador. Com a Cura Reconectiva interagimos com as energias nas proximidades de uma área do corpo do paciente até estarmos prontos para nos movermos para outra área. E quando estamos prontos para isso? *Quando nos aborrecemos* – quando seja o que for que nos compeliu a trabalhar nessa área já não prende nossa atenção!

Portanto, procure algo de novo que prenda sua atenção, que fixe seu interesse – seja uma sensação em suas mãos, um zumbido ou uma vibração nos seus ouvidos ou uma reação visível da pessoa na maca. É um pequeno indicador que diz: "Hei, vamos trabalhar aqui". É como a excitação de uma criança ao descobrir algo pela primeira vez e ficar absolutamente extasiada – até outra coisa qualquer chamar sua atenção. Estamos falando disso com demasiada leviandade? Muito pelo contrário, honramos o processo no seu expoente máximo, porquanto nos mantém verdadeiros e íntegros, absolutamente conectados e unidos com o processo e a pessoa deitada na maca. Não tem nada a ver com saber se o paciente necessita de mais ou menos energia. Se precisarem, eles a obtêm – e quanto menos tentarmos conscientemente ajudar, melhor para eles e para nós.

Isso contraria muitas escolas de pensamento, claro, que nos ensinam a "esquadrinhar" uma área e tentar determinar onde a pessoa na maca precisa mais ou menos de alguma coisa. Somos ensinados a procurar zonas de congestão, áreas de energia excessiva, escassa ou bloqueada. Depois, confiando na nossa própria capacidade de julgar, reequilibramos essas áreas tentando acrescentar ou remover energia desse ponto. Não apenas nos designamos a nós mesmos suficientemente responsáveis para identificar as áreas em carência, ainda nos proclamamos, ou nosso ego, capazes de remediar a situação. Bela responsabilidade!

Que dizer do uso de pêndulos como outra forma de diagnóstico? Você está de bom humor quando está trabalhando com seu primeiro paciente? E que tal o terceiro? Acabou de ter uma discussão ao telefone com sua esposa? Sua mão treme enquanto segura o fio do pêndulo?

As análises clínicas também não são irrepreensíveis. O médico pediu os exames certos? As amostras foram corretamente manipuladas? Os resultados foram determinados com exatidão? Mais importante, a causa da situação é alguma coisa que a atual tecnologia possa detectar? À medida que você está mais confortável consigo mesmo, fica em condições de se afastar e deixar a inteligência curativa determinar o que é necessário. Não me interessa se examinamos o corpo, usamos um pêndulo ou ficamos no telhado num dia de vento fingindo ser cataventos. Seja qual for a forma de diagnóstico que usemos, isso nos deixa um passo mais separados do paciente e do seu processo de cura.

Seja qual for o modo usado para determinar que o que *pensamos* está errado para alguém, estamos fazendo uma espécie de suposição acerca de um assunto particular, uma espécie de determinação com a nossa mente lógica e educada, trabalhando essencialmente com a premissa de que somos mais conhecedores que a perfeição do universo. Não somos. Em muitas situações, essa forma de diagnóstico apenas nos aponta o caminho, porque, num ou noutro nível, encoraja nossa mente consciente a tentar assumir o comando.

Neste novo capítulo para a espécie humana, reconhecemos e honramos finalmente uma força curativa superior. Podemos admitir que essa energia sabe o que está errado conosco, que correções é necessário fazer e qual a sua prioridade.

Nesse tipo de cura não se encaixam as velhas formas de diagnóstico nem os paradigmas vigentes. Nosso trabalho como curadores é somente sair da frente e deixar algo que tudo sabe e tudo vê tomar as decisões apropriadas. Às vezes, com base no que parece ser o resultado final, podemos não ter a confirmação de que a decisão tomada foi a correta ou de que as consequências foram boas para o paciente. Nem sempre somos presenteados com a visão das coisas a partir de uma perspectiva mais ampla. Alguém faz isso por nós. Portanto, não nos preocupemos com o que conseguimos reconhecer ou intuir. Graças a Deus, já não precisamos disso. Apenas entenda a situação, faça parte da equação e relaxe.

Este é o momento presente da cura. Este é o futuro da cura.

Capítulo catorze

Estabelecendo o ritmo

"O ganso da neve não precisa tomar banho para se tornar branco. Também você nada precisa fazer exceto ser você mesmo."

– Lao-Tsé

Emoções pessoais

Reconhecer que é apenas uma parte da totalidade da experiência de cura não requer que você atinja um estado de distanciamento tipo Zen. Pelo contrário, creio haver frequentemente um aumento de energia quando minhas emoções se elevam primeiro. Por incrível que pareça, importa muito pouco se alguma coisa me toca e provoca uma lágrima, ou se simplesmente me sinto muito feliz.

É importante manter um nível de distanciamento da situação, porque expectativas em relação ao resultado final são uma das poucas vias pelas quais esse processo de cura pode ser diminuído. Desfrutar das suas próprias emoções permite-lhe manter esse nível de presença distanciada. A felicidade e outros estados emocionais positivos são, frequentemente, grandes responsáveis por um estado de distanciamento, porque esse afastamento não é da própria vida, mas da necessidade de dirigir, de controlar. É um distanciamento dos resultados da outra pessoa. Isso permite a você estar no processo, embora não envolvido nos seus resultados.

Estados emocionais positivos permitem-lhe permanecer absorvido na *sua própria* experiência e contribuem para essa experiência de ser tanto o observador como o observado. Esse estado permite à pessoa na maca entrar no seu próprio *samadhi*, na sua própria unidade, onde pode estar na *sua própria* experiência. E, todavia, todos são um: à medida que o processo se aprofunda para a pessoa deitada na sua maca, você verá e sentirá a manifestação de uma intensidade maravilhosa. Com frequência, isso o levará imediatamente a um estado de consciência e de observação mais ampliado que irá então intensificar mais uma vez a interação para o seu paciente. À medida que esse ciclo progride, você se achará num êxtase onde não existe tempo e a sabedoria é indescritível.

Aconteceu uma coisa engraçada a caminho do curador

Vamos ser sinceros, o riso não é algo que associemos normalmente à dor, à doença ou a uma saúde precária. As escolas médicas podem extrair-lhe cirurgicamente o sentido de humor muito mais rapidamente que um cirurgião lhe extrai as amígdalas. A educação não alopática também não vai muito além deste horizonte. Visões de curadores solenes e de professores médicos com uma cara fria são de pouca ajuda.

Graças a Deus existem pessoas como o dr. Bernie Siegel, autor de *Love, Medicine & Miracles.* Contudo, pessoas como ele são poucas e surgem esporadicamente. Ele defende que um bom senso de humor promove a boa saúde; o riso está associado a um sentimento de bem-estar, que está associado a um sistema imunológico forte e a uma rápida recuperação de doenças ou ferimentos.

Se aceitarmos que a Cura Reconectiva é mediada por uma inteligência universal superior e que o resultado será o mais apropriado, independentemente do que você ou a outra pessoa conscientemente creem ser melhor, para que tanta consternação? Pelo amor de Deus, alguns parece que gostam de criar caso.

Animem-se. O riso descontrai. Uma das suas prioridades iniciais com cada paciente é retirá-lo do *desânimo* e pô-lo numa atitude *animada* – física, emocional, mental, espiritualmente e qualquer outra possibilidade.

O negócio é o seguinte: as coisas são engraçadas. A *vida* é engraçada. Se você não quer rir, não quer viver. Como diz Ron Roth, autor de *Holy Spirit for Healing*: "Deixe de se levar tão a sério. Ninguém faz isso".

O que é o amor?

A princípio, quando começaram minhas experiências com essas curas, ninguém pensou em enviar-me um manual de instruções. Tudo quanto sabia era que deixei o consultório numa sexta-feira pensando ser um quiroprático e, na segunda-feira seguinte quando voltei, descobri ser outra coisa qualquer. Como disse anteriormente, decidi procurar outras pessoas para encontrar respostas. Comprei exemplares de revistas Nova Era em livrarias e em lojas de produtos de alimentação natural, percorri os anúncios dos que praticavam várias formas de cura e telefonei aos que, nas fotografias, aparentavam ter um ar mais normal.

Marquei encontros com essas pessoas, descrevi-lhes o que estava fazendo, chegando mesmo a dar demonstrações. Quando observavam as reações a essas frequências, percebi que muitos ficavam subitamente aborrecidos. Alguns deles desenvolveram, pelo menos, aquilo que eu chamo de uma *certa presunção*. Ouvindo sua consternação, perguntava-me se havia feito alguma coisa para provocá-la. Diziam-me: "Passamos anos aprendendo a nos sintonizar com o nosso coração e a trabalhar com amor. Você limitou-se a acordar um dia com esse dom. Está fazendo tudo mecanicamente, embora obtenha todos esses maravilhosos resultados que nós não alcançamos". Depois vinham as palavras que eu não estava preparado para ouvir: "Você tem um coração que precisa ser aberto".

E eu pensava: *Ó meu Deus, o que há de errado comigo? Que há de errado com meu coração?* Quando os diversos "especialistas em curas" diziam isso, eu ia para casa sentindo-me cada vez mais rejeitado e perguntando-me como *podia* abrir meu coração. E foi apenas um dia em que me sentia particularmente deprimido que aquilo se tornou claro: *como meu coração podia estar tão fechado se eu sentia tanta angústia por ele supostamente estar fechado?* Foi nesta hora que compreendi mais claramente as diferentes formas de amor.

Esses "especialistas em curas" estavam confundindo amor com o sentimento expresso por um cartão do dia dos namorados. Pensavam sinceramente que, se eram capazes de verter umas lágrimas durante uma sessão, isso iria ajudar a pessoa deitada na maca.

O amor sentimental não é o tipo de amor que intermedia essas curas. Esse amor nem sequer começa por captar a essência do amor que cria o universo. Pergunte a qualquer pessoa que tenha tido uma experiência de vida depois da morte e tenha ido suficientemente longe nela para saber o "amor" que essa experiência *é*.

Esses "especialistas" têm confundido amor com *sentimentalismo*. O amor em que a cura se baseia é o amor em que se baseiam a vida e o universo. Não é amor hormonal ou "tenho de te possuir", nem o amor lacrimoso "eu sei o que você está sentindo". É o amor que tudo envolve da criação e da consciência. É o amor que nos permite ultrapassar nosso ego, sair do caminho e ser o observador e o observado, concedendo a mesma dádiva ao paciente. É o amor que permite o poder que *faz* o corpo *curar* o corpo. É a partir daqui que a transformação toma lugar. É quando a *luz e a informação* fluem. Isso é amor.

O medo escondido nos nossos rituais

"A parte mais difícil de levar cuidados médicos aos nativos era fazê-los abandonar suas superstições."
– Dr. Albert Schweitzer

Nunca o medo é tão insidioso como quando veste a capa de disfarce do amor. O medo é a *única* coisa entre você e os outros, entre você e as coisas... inclusive o seu objetivo de se tornar um curador completo. Uma das dádivas que espero que você receba deste livro é a capacidade de reconhecer o medo sob qualquer forma e, assim, transformá-lo em amor. O medo é apenas a falta de amor, como a escuridão é a falta de luz. Assim como, quando acendemos uma luz na escuridão, ela se torna a única coisa presente, quando levamos amor a um lugar onde o medo tem habitado, descobrimos que o medo já não está lá.

Aquilo que permeia as "técnicas" de cura é ritual. O ritual preenche uma multiplicidade de vazios, inclusive o sentimento de não sermos, por nós mesmos, suficientes. Então, perpetuamos o vazio criando rituais à sua volta e, depois, perpetuamos o ritual criando beleza à sua volta... e ritual em torno da beleza. Perpetuado na beleza, o ritual dá astuciosamente a volta e perpetua o vazio.

Desde muito cedo, procurei outras pessoas para obter respostas e informações. Embora tivesse perguntas para fazer a esses indivíduos, eles também tinham perguntas para me fazer. A primeira pergunta que me faziam era: "Tem-se protegido?" "De quê?", perguntava eu, olhando por cima do ombro.

Não sabiam. Sabiam apenas que lhes havia sido dito para se protegerem por pessoas a quem havia sido dito para se protegerem por pessoas a quem havia sido dito para se protegerem. Tradições costumeiras, honradas pelo tempo e muito antigas. Mas, *quem* começou esse processo? E *por quê?*

Se um truísmo é repetido através dos tempos – e a verdade é a verdade é a verdade – então, é provável que ainda hoje seja verdadeiro.

Mas, se uma coisa era falsa já no passado – e se a verdade é ainda verdade – então, essa coisa falsa permanece falsa. Pode ser bastante antiga, mas é bastante falsa.

Agora, sente-se por um momento, segure-se e, se tiver um colar de dentes de alho por perto, livre-se dele porque estou prestes a lhe contar algo que pode deitar abaixo alguns dos seus falsos princípios: *o mal não existe*. Não há entidades cuja existência tenha como propósito andar por aí e destruir a sua vida ou esconder-se atrás das portas dos armários em quartos escuros à espera do momento certo para saltarem e gritarem "Buu!" E não só isso, eles não têm primos que se penduram nos seus ombros e necessitam ser removidos por via de sessões semanais ou mensais de cura ou que podem ser combatidos com caros pendentes ornamentados com cristais. Pare de se lisonjear... São ficções e fantasias, fortalecidas apenas pelo seu medo. Se alguma dessas entidades alguma vez existiu, agora está morta. Morreu de tanto rir, ao ver as palhaçadas que você fez para tentar proteger-se dela... Ainda ontem morreu uma ao descobrir a quantidade de dinheiro que você pagou pelo amuleto que traz no pescoço.

Vamos dar uma olhada em alguns dos nossos rituais baseados no medo:

- *Flores* – para manter os fantasmas à distância.
- *Sacudir as mãos* – para se livrar da energia negativa recebida de outras pessoas durante as sessões de cura.
- *Bacias com água* – para receber a energia negativa que você sacode das mãos.
- *Sal* – posto na água para quebrar a energia negativa recebida pela água depois da sacudida das mãos.
- *Álcool* – para aspergir as mãos no caso de não haver bacia, sal nem água onde sacudi-las.
- *Velas* – acender velas de certas cores para proteção.

- *Direções do movimento* – virar ou caminhar apenas em certas direções (direita, esquerda, em sentido horário ou anti-horário, conforme a fonte ou a escola de pensamento).
- *Direções do posicionamento* – o paciente é deitado numa certa direção (cabeça virada para o norte, sul, leste ou oeste, conforme a fonte ou a escola de pensamento).
- *Mãos* – a mão direita é a de enviar, a esquerda a de receber.
- *Joias e/ou couro* – removê-los porque podem interferir com a cura.
- *Expiração* – soprando ou tossindo para fora a energia negativa.
- *Cruzar a coluna* – você tem que estar do lado direito da pessoa se está trabalhando no seu lado direito; e do seu lado esquerdo se estiver trabalhando o seu lado esquerdo para não ter de cruzar a coluna do paciente.
- *Lenços* – para secar as lágrimas ou por ter rido tanto dessas coisas que apagou as velas ou por ter chorado quando matou as suas flores acidentalmente depois de tê-las colocado na água salgada onde deveria sacudir as mãos... e as orações não as ressuscitaram.

Não podemos partir do amor enquanto reforçamos o conceito de medo. Como cultura, decoramos os nossos medos com rituais e, depois, enganamo-nos a nós mesmos pensando que esses rituais são expressões de amor. Desvalorizamos a oração quando a usamos para proteção; pois usamos a oração e esses outros rituais para nos protegermos de *quê*? Nada mais do que da natureza amorfa dos nossos medos – apenas por aceitarmos o conceito de mal. Falhamos no reconhecimento de que o mal é apenas um espectro de ilusão. Gastamos tanto tempo nos protegendo de algo que não existe que não é de admirar que tenhamos tão pouco para o que *existe*. Como nossa atenção cria encarnações ilusórias do mal que, por sua vez, captam mais nossa atenção, nossos sistemas de crenças se autofortalecem. Com bastante frequência, não percebemos que damos mais poder àquilo em que focamos nossa atenção.

Você pensa realmente que, se acenar com um ramo de flores a um fantasma, ele dará meia-volta e fugirá aos gritos? Talvez. Mas só se tiver alergia a pólen. Se um espírito circula por aí, não é por sua causa. Ele tem seus próprios assuntos para tratar, seu próprio propósito para a interrupção do seu ciclo.

Que dizer do ato de sacudir a energia negativa das mãos numa bacia de água salgada? É para afogá-la? Só funcionará se a energia vier de um universo de água doce.

O problema inerente a esses rituais de proteção é que, quando você está fazendo alguma coisa destinada a se proteger, está dizendo a si mesmo que há algo do qual ter medo – mesmo quando se trata da preocupação acerca da direção em que uma pessoa está deitada, que mão usar ou qualquer coisa tão simples como ter medo de estar fazendo algo "errado". Portanto, quanto menos você reconhece conscientemente que o ritual deriva do medo, mais os efeitos do medo penetram. A mesma base do medo é aplicável a outros comportamentos rituais e outras superstições, tais como remover couro e joias. Quando você tem um paciente e lhe diz para remover esses objetos, está dizendo a si mesmo que você *não é* suficiente – que você e o que traz consigo são limitados por natureza.

Deixe-me dar somente uma razão que sei ser verdadeira: quando essas curas começaram a ocorrer, meus pacientes pensavam que estavam se consultando com um quiroprático – e eu pensava que *era* um. Não podia ter melhor exemplo para um estudo duplamente cego. E, claro, como pacientes de quiroprático, eles calçavam botas de trabalho de couro com biqueiras de aço, cintos pesados, pulseiras de metal nas pernas e toda a sua bijuteria habitual. Eu não tinha qualquer razão para lhes sugerir a remoção das joias ou do couro. Não parei para dizer orações ou queimar salva ou incenso sobre eles nem fixei a energia da sala com cristais coloridos com as cores dos chakras, importados da América do Sul equatorial. Limitava-me a assistir num deslumbramento infantil. Sem apegos, sem pressão, rituais ou medo. Apenas curas vindas do universo, pura e simplesmente.

Não é o que você faz, mas por que você faz

Fazer uma oração antes de cada sessão é manipulação espiritual. Do mesmo jeito que você saberia estar sendo manipulado pelo seu filho ou sua esposa se, durante o dia, precedessem todos os seus pedidos com um "eu te amo", você sabe que orar antes de cada sessão consiste simplesmente em *você* pedindo alguma coisa a Deus, seja externamente para si ou para qualquer outra pessoa. Em vez de pedir, *ofereça* qualquer coisa. Pode começar por agradecer. Todas as manhãs, digo uma oração de graças porque estou genuinamente grato pelo que tenho. Depois sinto-me perfeitamente bem no meu estado de gratidão e sigo o meu dia fazendo o que habitualmente faço sem sentir necessidade de pedir proteção ou desobrigação especiais.

Qual a diferença entre uma oração de agradecimento e uma de pedido? Por um lado, as orações de pedido conduzem a mais orações de pedido. As orações por proteção mantêm sua atenção focada no medo, levando a mais orações por proteção. Às vezes é bom não ouvir constantes pedidos de favores nem fazê-los. Uma oração de agradecimento permite-lhe andar pelo dia confortável na sua relação com o universo. Penso que Deus gosta disso.

O que você faz quando invoca a presença de Deus e/ou dos arcanjos antes de cada sessão? Está dizendo a si próprio que, na verdade, não acha que Deus esteja sempre com você, que Ele e os anjos podem ter ido tomar um café, deixando-o só para se defender do fantasma com problemas de sinusite.

Como você pode romper seus padrões de medo? Em primeiro lugar, reconhecendo-os. A luz do reconhecimento dissipa a escuridão sem que você tenha de fazer muito mais que permanecer consciente. Como pode acelerar o processo? É simples. A cada vez que o medo aparecer, enfrente-o. Se estiver com medo de fazer uma sessão de cura sem sua camisa roxa, evite conscientemente vestir *seja o que for* roxo nesse dia. Se perceber que está colocando seu cristal preferido no bolso porque acha que ele irá ajudar de alguma maneira, *tire-o do bolso e deixe-o em casa nesse dia*. Você pode sempre pôr o cristal no bolso ou vestir qualquer coisa roxa no outro dia, mas o poder que você reivindica sempre que perde a ligação com o medo coloca-o muito mais perto do seu objetivo de ser um curador, de perder a ilusão de separação e viver em infinita harmonia.

Libertando-se da dependência de rituais

Você é capaz de pôr flores numa sala apenas porque são bonitas e acender velas porque a luz suave faz a sala parecer mais acolhedora? Claro que sim. Mas mantenha-se de sobreaviso, pois, se continuar a escolher suas velas pelo significado simbólico das suas cores, você se encontra à beira do precipício de reintroduzir o medo em seu trabalho.

Quando introduzi no meu trabalho conceitos e rituais de proteção, as curas rapidamente tornaram-se cada vez menos impressionantes, embora as sessões se tornassem cada vez mais. Um dia percebi que já não ia para as sessões com a mesma naturalidade de antes. Já não ia despreocupado e como uma criança. Ia oprimido pela percepção da "responsabilidade" do dom. Compreendi finalmente o que as pessoas tinham em mente quando me diziam: "O senhor deve ter um forte sentimento de responsabilidade". Até esse momento, não tinha. E as coisas eram melhores então – para mim e para meus pacientes.

Um dia, a relação entre esses rituais, o medo e o decréscimo de curas tornou-se subitamente evidente demais. Acabei com todos os rituais – pelo menos com todas as práticas que reconheci como tal. Joguei fora as bacias com água salgada, deixei de invocar os arcanjos e outros "protetores" e até parei de invocar a presença de Deus – porque tomei consciência de que, de qualquer maneira, Deus estava sempre comigo. Acabei com todas as orações de súplica – agora digo apenas a mais alegre oração de agradecimento antes de sair de casa pela manhã – e não há problema se esqueço uma ou outra vez. Limito-me a lembrar de rezar no dia seguinte.

Também não sacudo as mãos, porque sei agora que é na interação com a pessoa deitada na maca que a majestosa beleza da transformação acontece – e qualquer resíduo deixado comigo só pode ser uma dádiva.

Ao libertar-me dos rituais fundamentados no medo, lindamente disfarçados como estavam, as curas começaram a assumir seu esplendor original. Compreendi que era bom estar em condições de poder vivenciá-las em todo seu potencial, de modo que *soubesse* que existiam. Foi esse conhecimento – juntamente com o sentimento da sua perda – que me deu o alento e a indomável energia para voltar a encontrá-las. Ao agir assim, eu estava metaforicamente me ensinando a andar de novo, algo tão complexo e difícil que apenas aqueles que tiveram de aprender a andar uma segunda vez podem saber.

Qual a razão para tudo isso no esquema das coisas? Bem, saber andar, pelos seus próprios meios e vontade, não o habilita necessariamente a ensinar outros a fazê-lo. Você pode estar em condições de ajudar uma criança a aprender, embora essa criança, por não ter medo, acabasse por aprender de uma maneira ou de outra. Mas um adulto que nunca andou – isso é outra história. Eu não vivia meu potencial. Não alcançava meus propósitos limitando-me a ficar numa sala, hora após hora, dia após dia, curando uma pessoa de cada vez. Tinha de ensinar. E para ensinar, uma pessoa tem que ter uma compreensão mais consciente não só de *como* fazer a coisa, mas também de *como não* fazê-la, para guiar os outros evitando as armadilhas no caminho rumo aos seus objetivos – sair da escuridão e entrar na luz; sair do medo para o amor.

Você não precisa perder todo seu medo antes de estar pronto para vivenciar o amor. Pode carregar seus medos nos braços e levá-los consigo para o amor. Porque uma vez que você entre no amor, o medo revela-se a ilusão que sempre foi e o amor é tudo que resta.

Capítulo quinze

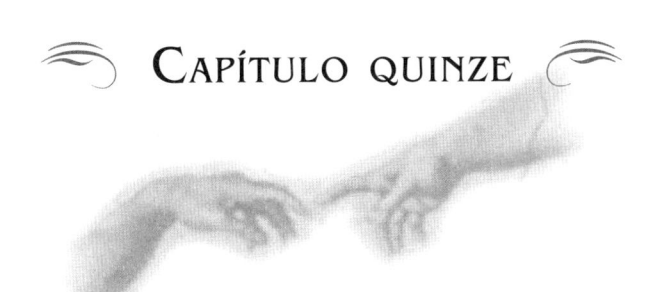

Questões a considerar

"Se você levar suficientemente longe o conhecimento da base fisiológica da medicina, pode chegar a um ponto em que já não pode defendê-la cientificamente, em que você vai precisar da fé."
– Mehmet Oz, médico, *Healing from the Heart*

Quem é curador?

Quem é curador? Nesta altura da nossa transição, curar é uma capacidade partilhada por todos. Você não precisa estar firmemente entrincheirado numa religião ou numa crença espiritual específica. Não é um requisito que todos os seus pensamentos sejam agradáveis ou que nunca tenha proferido uma palavra sarcástica. Não tem de se tornar vegetariano. Pode beber um copo de vinho à refeição – ou um *martini* ou uma *margarita*. De fato, é muito provável que quase tudo que você gosta de fazer não seja inconveniente. Posso garantir por experiência própria.

Todas essas considerações são questões de "mérito" – e os nossos méritos foram já estabelecidos meramente por *sermos*. É maravilhoso aspirar a ser uma pessoa melhor; estamos aqui para aprender e evoluir. Contudo, o grau em que realizamos essas aspirações não determina nossos méritos. Não há nada que tenhamos necessidade de provar ou realizar, nada a fazer para nos tornarmos merecedores. Já o somos. Não podemos aspirar àquilo que já é nosso.

Se você quiser alcançar essa reconexão, merece recebê-la. Não espere até achar que seu ego está em equilíbrio, que sua vida é vivida de modo totalmente livre de julgamentos ou que a *pizza de calabresa* se tornou uma coisa do passado. Seria como esperar pelo momento ideal para se casar ou ter um filho. Pode nunca chegar – pelo menos de forma reconhecível.

Medicina convencional, não convencional e o futuro sistema de cuidados com a saúde

Atualmente, vejo a força da medicina em duas áreas básicas. A primeira, descrevo-a como primeiros socorros ou necessidade crucial de ajuda. Como eu disse num seminário recente: "Se, que Deus não permita, eu for atropelado por um automóvel, SAIAM DA FRENTE, vem aí uma ambulância!" E quero dizer isso mesmo. Nesse momento, não há ninguém mais apropriado que os médicos e os paramédicos para lidar com hemorragias e ossos quebrados. Uma vez estabilizado, vamos então falar de quiroprática, homeopatia, nutrição e outras formas de cura. Esse será o momento mais apropriado para dar ao seu corpo uma oportunidade de curar a si mesmo.

Uma segunda situação em que reconheço ser desejável a abordagem médica é quando *mais nada funcionou.* Se nosso corpo não foi capaz de curar a si mesmo, é a hora em que drogas, cirurgia ou outras medidas extremas podem ser necessárias. Com frequência, num passado não muito distante, e com pouquíssima frequência no presente, o que vemos são pessoas correndo para o médico ao primeiro sinal de desequilíbrio. A abordagem principal dos médicos, na maior parte dos casos, é medicar-nos ou fazer incisões em nosso corpo. Não conseguem evitá-lo; é assim que foram treinados. Infelizmente, saltar *primeiro* para a abordagem médica retarda muitas vezes importantes cuidados naturais, e nosso corpo tem melhores chances de curar a si mesmo plena e completamente quanto *mais cedo* consultarmos quem possa ajudar.

Se começarmos a medicar e a mascarar os sintomas desde o início, quando as coisas ficarem tão ruins que tivermos de consultar alguém que dirija seu olhar para a remoção da causa e permita ao nosso corpo curar a si mesmo, nossa situação pode ter degenerado a ponto de já não ser possível voltar a ficar cem por cento. Do mesmo modo, se seguirmos em primeiro lugar a via da cirurgia e não obtivermos resultados, quando formos a um quiroprático, um acupunturista ou outra pessoa cujo entendimento seja o de eliminar desequilíbrios e permitir que a cura venha de cima, de baixo, de dentro e de fora, podemos apenas levar-lhes a parte de nós que sobrou para trabalharem. Obviamente, cem por cento de menos de cem por cento continuam a ser menos de cem por cento.

Se, por qualquer razão, a abordagem natural não funcionar em nós, a medicina é, para todos os efeitos, a próxima via lógica. Felizmente está disponível. Acontece apenas que, às vezes, não paramos para olhar para o quadro completo: não faz sentido que, se o nosso corpo tem potencial para curar a si mesmo, procuremos alguém que ajude na facilitação desse processo em nós *antes* de adotarmos ações muito mais invasivas?

Como vemos, então, os médicos e os curadores caminhando lado a lado? O que vejo, à medida que entramos no novo milênio, é uma mudança na consciência dos profissionais que cuidam da saúde – a insatisfação de muitos que não realizam o sonho com que entraram na profissão, o despontar do seu reconhecimento de que deve haver algo mais e a vontade de procurar esse algo mais.

O fato de me convidarem para falar em universidades e hospitais é representativo da atitude mais aberta adotada por todo o meu país. Integrar opções em diferentes formas de cura, incluindo a acupuntura e a homeopatia, foi um primeiro passo. Verificamos agora o surgimento de departamentos de medicina energética. Falo em escolas de quiroprática e hospitais osteopáticos onde também avançam na sua maneira de pensar. Muitos profissionais de saúde (médicos, quiropráticos e osteopatas) estão introduzindo a Cura Reconectiva nas suas clínicas – alguns discretamente, outros nem tanto. Há um adágio segundo o qual a ciência avança um funeral de cada vez. Em muitos casos, isso é verdade para o progresso substantivo em qualquer área. Felizmente, a face da medicina começa atualmente a mudar. Contudo, é um processo que tem de acontecer de dentro para fora – e é necessária uma grande mudança no interior antes de, finalmente, a vislumbrarmos no exterior.

À medida que o público abre os olhos, a medicina abre a mente. Não tem outra escolha. Assim, embora a aceitação possa levar algum tempo, ela *chegará*.

Como vejo a medicina convencional e não convencional caminharem de mãos dadas? Exatamente como são.

Cura pela fé

Ficou já estabelecido que este trabalho ultrapassa em muito aquilo que correntemente é designado por *cura pela energia*. Do mesmo modo, *não* é "cura pela fé". Não é necessário acreditar no processo para que ele funcione. Minha primeira compreensão desse fato apareceu com o próprio advento dessas curas, quando nem eu nem meus pacientes as esperávamos. Mais tarde, foi reforçada pela circunstância da distância. Repare, a maioria dos meus pacientes vem de todo o mundo; consequentemente, muito poucos chegam sem o cônjuge ou outro acompanhante. Não é incomum para mim ter uma agradável conversa introdutória com um casal de que apenas um dos membros é meu novo paciente, e depois, o marido ou a mulher sair e esperar na recepção. Subitamente, o paciente assume um ar Jekyll e Hyde, olha-me fixamente e rosna: "Quero que saiba que, em minha opinião, tudo isto é uma grande bobagem e eu não estaria aqui se [meu marido ou minha mulher] não tivesse me obrigado". Habitualmente respondo dizendo:

"Bem, você já *está aqui,* portanto, pode muito bem se deitar na maca e ficar receptivo ao que vier".

Isso pode ajudar, se o seu paciente não cruzar os braços sobre o peito e tomar uma atitude *recuso-me a ser tratado;* mas fora isso, a crença parece não ter um papel assim tão importante. Encoraje o paciente cético a deitar-se com uma atitude de *talvez funcione e talvez não.* Estranhamente, são muitas vezes esses os pacientes que recebem as curas mais espetaculares, frequentemente com pompa e circunstância (sensações nos níveis visual, olfativo, auditivo e tátil).

Deixe-me dizer-lhe quem, se é que há alguém, tem menos probabilidade de alcançar uma cura com sucesso. Acredite ou não, é a pessoa que chega insistindo que tem que dar certo – a pessoa que leu todos os livros sobre o assunto e acha que sabe tudo quanto há para saber sobre a matéria. Se há uma maneira de interferir em uma cura é por meio desse tipo de atitude, desse apelo ao resultado, dessa *necessidade* tremenda de querer que funcione.

Por que algumas pessoas se curam

Não é a doença ou a enfermidade que é curada, é a pessoa. E, não interessa quantas vezes explico isso nos meus seminários, parece haver um fluxo contínuo de perguntas sobre se esta ou aquela doença pode ser curada.

O seu sistema de crenças, ou aquilo a que chamo as suas "aquisições", é um dos poucos meios pelos quais você pode se limitar nesse processo. Se você *adquiriu* a ideia de que certa doença ou enfermidade não pode ser curada, é possível que prove a si mesmo estar certo. Digo *é possível* porque o universo pode sobrepujá-lo ou oferecer-lhe a oportunidade de se mostrar superior às suas crenças. Seja como for, é um obstáculo que você não tem necessidade de enfrentar.

Você pode pensar que, sempre que uma pessoa o procura, o que quer exatamente é uma cura. Todavia, às vezes as pessoas irão surpreendê-lo.

A esclerose múltipla (EM) é uma doença degenerativa do sistema nervoso que habitualmente ataca jovens adultos. Tende a progredir durante um período de muitos anos, roubando-lhes gradualmente a coordenação, depois a mobilidade e, por fim, quase todo o controle muscular.

Há algum tempo, uma alemã veio me procurar. Hannah tinha EM. O marido, Karl, trouxe-a para a sala de tratamentos numa cadeira de rodas, a qual ela requisitara cerca de três anos antes. Karl ajudou a colocá-la na maca e depois foi para a sala de espera.

Minha sessão com Hannah transcorreu maravilhosamente; quando terminou, ela levantou-se da maca e caminhou sobre os dois pés. Não, ela não correu em volta da sala – precisava apoiar uma mão na parede e dava passos curtos e hesitantes – mas estava muito longe de ser uma passageira desamparada numa cadeira de rodas.

Geralmente é um momento indescritível aquele em que me dirijo à pessoa amada para lhe revelar tal mudança na sua companheira; mas, nesse caso, quando Karl viu o que aconteceu, não pareceu muito feliz.

Hannah deveria ter voltado no dia seguinte para uma nova sessão, mas não voltou antes de uma semana inteira ter se passado. Quando voltou, estava novamente na cadeira de rodas.

No mínimo, era pouco comum, uma vez que a maior parte das curas vivenciadas pelas pessoas parece ser – tanto imediatas como progressivas – permanente. Depois de Karl voltar para a sala de espera, tive uma conversa com Hannah. Ela me disse que Karl lhe havia confessado que tinha uma amante há já algum tempo!

Nossa conversa revelou em pouco tempo o que isso significava tanto para Hannah como para Karl em termos de receber uma cura. Em vez de ganharem algo, ambos iriam perder alguma coisa: ela, o laço mais forte com seu marido errante, e ele, sua desculpa para ter uma amante.

No que me dizia respeito, Hannah e eu estávamos ali por uma única razão, e tive de me certificar de que ela compreendia que a decisão de se curar era só dela. "Se não vai participar da sua própria cura", disse eu, "é melhor voltar para casa."

Ela compreendeu a situação. Depois da sessão, voltou a andar.

Outra razão pela qual algumas pessoas se curam

A resistência à cura pode tomar muitas formas, algumas delas tão profundamente ligadas a outros aspectos da vida dos pacientes que só se consegue vê-las com muita perspicácia.

Alguns anos atrás, por exemplo, passei algum tempo em Nova York. Entre as pessoas que me procuraram havia um grupo de aproximadamente oito pessoas com artrite reumatoide. Não uma artrite reumatoide suave ou mesmo moderada, que podemos ocasionalmente ver em alguém cujos nós dos dedos estão distintamente maiores e cujos dedos não estão alinhados nem se movem completamente – não, esse grupo tinha artrite reumatoide grave, deformante, incapacitante. Muitos deles tinham pelo menos uma mão ou um pé cuja estrutura óssea se alterara tanto que apenas vagamente se assemelhava à sua forma original. Aparentemente, quase todos os movimentos lhes causavam uma dor tremenda. E o estado do tempo tornava as coisas ainda piores para eles. Aparentemente, minha visita havia coincidido com uma daquelas tempestades de neve nova-iorquinas, repletas de chuva gelada, granizo e um frio de rachar que nos gela por dentro e por fora. Era o tipo de tempo que habitualmente faz com que as pessoas que sofrem de artrite reumatoide fiquem em casa.

A maior parte dessas pessoas agendara três sessões. No final da primeira sessão, nenhum deles afirmou estar sentindo qualquer alívio. E, embora eu nunca antes tivesse visto gente com artrite reumatoide tão extrema, terminadas as sessões iniciais das oito pessoas, eu esperava que pelo menos *algumas* delas se sentissem melhor. Quando começaram a aparecer para a segunda sessão, senti-me um pouco embaraçado. Sabia que haviam atravessado a cidade encapotados e enfrentando penosamente a tempestade de neve, e que até o momento só sentiam muito frio e tinham as articulações inchadas. As segundas sessões não foram mais produtivas que as primeiras.

A essa altura, meu ego levantou sua cabecinha. Temi as terceiras visitas. Alguns deles cancelaram e, na verdade, senti-me aliviado. Forcei-me a ir em frente com as sessões dos que apareceram, mas, uma vez mais, *nem um único* afirmou sentir-se melhor ou teve qualquer melhoria palpável.

Depois disso, quando alguma pessoa com artrite reumatoide telefonava para meu consultório, eu tentava convencê-la a não marcar uma sessão. Decidira que esse tipo de cura não funcionava para pessoas com aquele problema e não queria submetê-las – nem a mim – à experiência daquele inverno em Nova York.

Verificou-se que as pessoas de Nova York tinham uma coisa em comum, além da artrite reumatoide: todos tinham implantes de silicone de um ou de outro tipo. Portanto, talvez as frequências reconectivas não funcionassem na artrite reumatoide *induzida pelo silicone.*

Essa percepção foi ligeiramente reforçada. Mas apenas ligeiramente.

Mais tarde, após uma conversa com meu assistente, descobri que essas pessoas tinham algo mais em comum: todas estavam envolvidas num processo legal contra o fabricante do silicone. Em outras palavras, estavam empenhadas em *não* melhorar. Quanto mais provas conseguissem recolher para o tribunal mostrando sua falta de saúde e de melhoras, mais forte seria seu caso e mais alta a potencial indenização – e estava em jogo uma considerável soma de dinheiro.

A compreensão do que se passava com essas pessoas ajudou-me a aliviar a culpa que sentia, assim como a minha ansiedade sobre se haveria alguma coisa que pudesse ter feito melhor: *podia ter sido mais claro? Mais concentrado? Mais presente?*

Continuei um pouco inseguro até o dia em que me dirigi a um grupo enorme de médicos e enfermeiros no Jackson Memorial Hospital, em Miami. Mais ou menos no meio da palestra, perguntei, como habitualmente, se alguém gostaria de sentir as frequências de energia. De repente, uma enfermeira deu um salto e, com o braço e a mão estendidos à sua frente, começou a caminhar na minha direção. Enquanto ela se aproximava cada vez mais, eu conseguia apenas ver sua mão. Grande, vermelha, os nós dos dedos inchados pela artrite reumatoide parecendo maiores a cada passo. Tudo à volta dela transformou-se numa névoa, para mim. "Tenho artrite e não consigo mexer estes dedos", anunciou, como se fosse necessário.

Eu não só estava sendo cumprimentado por aquele que, na época, era o meu maior medo no mundo da cura, como o via caminhar em minha direção. E estava fazendo isso em frente de uma plateia de profissionais hospitalares e da faculdade de medicina. "Pode curar a minha mão?", perguntou ela, acrescentando: "Só consigo fechar os dedos até esse ponto". "Isto é apenas uma demonstração para ver se consegue sentir", respondi.

Contudo, eu sabia que ninguém me ouvira. Queriam ver uma cura. Ou queriam ver *a ausência* de cura. Naquele momento, não iam ver "uma demonstração para ver se consegue sentir", não importa o que eu dissesse.

A mulher caminhou até mim e estendeu a mão. Começou a demonstrar, para mim e para a sala, o alcance bastante limitado do seu movimento, oferecendo um breve resumo da sua história em matéria de cuidados ortopédicos e fisioterapia e da falta de resultados obtida. Iniciei a demonstração e ela começou imediatamente a sentir a energia – um dos seus dedos começou a se contorcer involuntariamente. Todos os olhares caíam sobre nós enquanto eu dizia comigo mesmo: *Ó meu Deus, artrite reumatoide.* "Bem, vamos ver sua mão", disse eu, cerca de 45 segundos mais tarde.

Ela fechou os dedos. Completamente. Eles tocaram as palmas pela primeira vez desde que se lembrava. Abrir. Fechar. Abrir. Fechar. A amplitude dos seus movimentos voltara. A vermelhidão irritada das suas articulações desaparecera, substituída pelo tom normal da pele. Dois dos seus nós dos dedos permaneciam um pouco inchados, embora a rigidez e a dor tivessem desaparecido.

Do mesmo modo, desapareceu meu medo inconsciente de trabalhar com pacientes sofrendo de artrite reumatoide, a minha *aquisição* de que a artrite reumatoide não reagia ao meu trabalho.

Há muitas razões pelas quais algumas pessoas escolhem não ser curadas: *essas razões raramente têm alguma coisa a ver com você.*
Este processo funciona para a artrite reumatoide?
Não é a doença ou a enfermidade que se cura, é a pessoa.

TERCEIRA PARTE
Você e a Cura Reconectiva

"Estabelecido no Ser, executa a ação."
— BHAGAVAD GITA

Capítulo dezesseis

Reconfortando-se no grupo da Energia Reconectiva

"Ocupe-se o máximo possível com o estudo das coisas divinas, não apenas para conhecê-las, mas para praticá-las; e quando fechar o livro, olhe à sua volta, olhe para dentro de si, para ver se sua mão consegue traduzir em ações alguma coisa que tenha aprendido."
— Moisés de Evreux, 1240

Uma nota antes de começarmos

Esta é a seção sobre "como fazer" deste livro. Não é tão importante quanto seções similares em outros livros porque, com a Cura Reconectiva, se "tentarmos" fazer, estamos na realidade interferindo com o processo. Confuso? Não se preocupe. Desde que começou a ler este livro (na verdade, desde que *decidiu* lê-lo), você já está "em processo"... em processo de "vir a ser". Seu processo evolutivo de reestruturação e adequação já está tão avançado nesta altura que, mesmo que você quisesse, não poderia voltar atrás. O máximo que poderia fazer neste sentido seria tentar ignorar essa evolução por algum tempo, mas você depressa descobriria que ignorá-la se torna progressivamente mais difícil, até, finalmente, ser impossível.

Intrigado? Eu também. Foi assim que dei por mim fazendo seminários e oficinas sobre Cura Reconectiva. Quando as notícias acerca das curas começaram a se espalhar, mais e mais indivíduos e organizações educacionais me perguntavam se queria ensinar. Dei a todos a mesma resposta: "Não se pode ensinar a curar". Mas, naturalmente, minha compreensão dessa noção mudou.

Aprendi que a frase canalizada: O *que você está fazendo é trazer luz e informação ao planeta* refere-se a muito mais do que meramente à ideia de uma pessoa isolada – eu – numa sala hora após hora facilitando a cura de uma pessoa por vez. De algum modo, quando eu interagia com as pessoas, parecia que estava "provocando a ignição" de novo nível de receptividade projetada para lidarmos com o novo nível de frequências – essa "luz e informação" – com que estamos sendo presenteados. Compreendi que *uma geração inteira de novos curadores estava surgindo* a partir do grupo de indivíduos com os quais estivera em contato.

Na época eu não tinha qualquer indicação de quantas pessoas seriam, por fim, afetadas – e fazia apenas uma vaga ideia de quão profundo seria o efeito sobre elas. Tudo quanto então eu sabia era que algo vital e poderoso estava crescendo e que se tornava mais evidente a cada nova interação minha com outra pessoa. Portanto, comecei a prestar mais atenção ao que se passava comigo e à minha volta enquanto trabalhava com essas energias.

Descobri que o que venho dizendo o tempo todo é verdade: *não se ensina a curar.*

Mas havia algo que eu *podia* fazer: trazer essa nova luz e essa nova informação ao planeta – e deixar que as pessoas aprendessem por si mesmas a partir daí.

Aprender a andar de bicicleta com rodinhas

Antes de ir mais adiante, quero deixar bem claro que há uma coisa que você *não* irá aprender comigo: uma "técnica". A Cura Reconectiva não é Cura pelo Toque, Toque Terapêutico ou Toque para a Saúde. Não é Reiki, Johrei ou Jin Shin. Não é Qi Gong, Ma-Jongg ou Mikado. Não é uma técnica que você alguma vez tenha visto. A *Cura Reconectiva nem sequer é uma técnica.* Ela *transcende* a técnica.

Espero que tenha compreendido que as técnicas são essencialmente rituais para levá-lo a um estado particular de ser. Infelizmente, como muitos de vocês já vivenciaram, o processo de domínio de uma técnica tende a impedi-los de alcançar o estado verdadeiramente pretendido! É como treinar numa bicicleta com rodinhas: elas deveriam ajudar a aprender a andar de bicicleta, contudo, enquanto não as tirar, você nunca andará direito – e nunca viverá a atividade na sua totalidade.

A Cura Reconectiva leva-nos para além da técnica, para um *estado de ser:* você *é* essa energia de cura, e ela *é* você. Você não conseguirá deixar de estar em ressonância com ela. Ela emana de você no momento em que foca sua atenção nela – e, às vezes, você descobrirá que sua atenção está focada nela *porque* ela está emanando de você. É assim que você começa a trabalhar com a energia reconectiva – percebendo-a, permitindo que sua atenção caia sobre ela.

Talvez isso lhe pareça simplista; portanto, deixe-me fazer – e responder – uma pergunta que você pode já ter em mente: como posso aprender num *livro* a "sentir" um tipo particular de energia? Respondo com as duas palavras mais importantes que você, como curador, pode incluir no seu dicionário e que usei repetidamente ao longo deste livro: *não sei*.

Não sei como as pessoas "obtêm" a ativação do seu fluxo de energia quando interajo individualmente com elas. Não sei como as pessoas que se encontram nos mais distantes cantos de um salão de baile de hotel ficam ativadas quando caminho por entre a multidão. Não sei como, quando me dirijo a grandes auditórios e posso apenas passar através de estreitas fileiras perto do palco, as pessoas que estão no balcão e nos mezaninos começam a sentir as sensações que indicam a presença dessas energias.

E que dizer dos telefones? Tenho sido convidado para aparecer em mais de um programa de televisão devido ao que o produtor sente enquanto falamos ao telefone. Essas frequências parecem transferir-se igualmente por gravações de áudio, CDs, rádios e televisões. Você verá. As pessoas começarão também a sentir a ativação quando interagirem *com você.*

Mas o mais estranho de tudo é a ativação ser igualmente transmitida por meio da *palavra escrita* – Internet, revistas, jornais e livros. Não estou falando de um tipo qualquer de transferência intelectual em que descrevo o que esperar, você pensa nisso e finalmente acontece. Estou falando de transmissão de verdade, da própria energia passando para você através deste livro. Como isso pode acontecer? *Não sei.* Não é como se você vestisse uma túnica branca com um cinto dourado e passeasse de braços estendidos por entre pilhas de livros no depósito do editor, agitando uma varinha de condão e dizendo: "Cure!", "Energize!", "Cure!", "Energize!".

Uma explicação plausível é que a ativação é uma energia transmitida e comunicada pela minha escolha de palavras – não necessariamente a minha escolha *consciente* – talvez em conjunção com a minha intenção original ao escrever o livro. Isso parece ser verdade para as gravações de áudio. Descobri que, em muitos casos – Deepak Chopra, Lee Carroll e Caroline Myss, para nomear apenas três –, o dom para a transmissão de informação é intrínseco, em larga medida, às respectivas vozes. Tanto é comunicado em tantos níveis através das sutilezas e das ondas das suas vozes, que ouço suas gravações, embora já tenha lido os livros.

Naturalmente, há outros autores cujas vozes são tão empolgantes quanto um sonífero e cujos audiocassetes deviam trazer alertas para a pessoa não dirigir ou operar maquinaria pesada durante a audição – e, de qualquer modo, alguma coisa é transmitida. Portanto, talvez a ativação seja alguma coisa transmitida *através* da voz. No caso dos livros, talvez seja transmitida pelas imagens visuais recebidas pelos leitores. De uma maneira ou de outra, parece ser codificada na comunicação. Lembre-se: os cinco sentidos dos seres humanos não funcionam separadamente. Utilizam todos a mesma energia, mas em diferentes pontos da faixa. Por exemplo, a luz e o som são ambos (pelo menos em determinado sentido) vibrações – mas as frequências são muito diferentes.

Por outro lado, talvez a ativação nada tenha a ver com qualquer dos nossos sentidos conhecidos e não requeira qualquer dos nossos meios atuais para ser transmitida. Tanto quanto sabemos, essa comunicação continua para fora dos limites do espaço e do tempo, enquanto nós estamos aqui, no interior dessas ilusões limitadas, determinados a descobrir um mecanismo que a explique. Pela nossa própria cegueira, podemos acabar encurralados nessa bicicleta com rodinhas, correndo indefinidamente sem sair do lugar, como hamsters.

Seja qual for o mecanismo por trás dessa comunicação, a capacidade de ativar a receptividade dessas energias em pessoas com quem nunca interagimos diretamente não é a primeira nem será a última coisa que discutiremos e que não consigo explicar. De qualquer modo, é uma forma muitíssimo fascinante de transmissão que continua a ocorrer.

Avançando sozinho

Esta seção do livro consiste em muito mais do que apenas reconhecer, reforçar e usar a energia reconectiva. Ela trata dos aspectos práticos dos tipos de perguntas que os potenciais curadores habitualmente me fazem durante os seminários. Mas, antes de entrarmos em qualquer dessas áreas, deixe-me mais uma vez enfatizar uma coisa que já disse várias vezes: *o leitor não precisa de mim.* Não *precisa* de mim para fazer isso, não *precisa* de mim para fazer aquilo e não *precisa* de mim para fazer outra coisa. Então, por que gastar tempo e dinheiro para ir mais longe ouvindo uma gravação ou, talvez, assistindo a um seminário?

Há várias razões, mas comecemos pela principal. Por que você acha que há tanta gente ganhando a vida como professores, treinadores e monitores? Porque, via de regra, nos beneficiamos ao ser *ensinados* a fazer alguma coisa nova ou desconhecida. Receber instrução de alguém mais experiente pode, pelo menos em teoria, ajudar os recém-chegados a avançar mais rapidamente.

Mas, repito: você não precisa de mim constantemente a seu lado, e não necessita de instruções específicas – como diagramas dizendo-lhe exatamente como estender as mãos, como mover-se e o que evitar fazer ou pensar e assim por diante. Essas coisas são apenas rodinhas adicionais de treino.

Como muitos de nós recordamos da nossa infância, aprender a andar de bicicleta sem as rodinhas de apoio pode levar a mais ferimentos e a uma curva de aprendizagem muito mais acentuada do que aprender *com* elas. Esforços e fracassos contínuos raramente resultam em competência – na verdade, tendem a resultar no contrário: capitulação. E, embora todos saibamos que, em alguns casos, capitular é um caminho válido a tomar, não entre em discussões semânticas comigo nesse assunto. Aqui estamos falando de *desistir*.

Quando se trata de curar pessoas, todos os tipos de "coisas" – físicas e simbólicas – são usadas como rodinhas de treino: cristais, estatuetas, emblemas, orações, etc. Então, que há de errado em usar talismãs, desde que nos ajudem a ganhar poder? É que se trata de um falso ganho de poder. É poder originado externamente – artificial, ilusório e não autêntico. É o resultado da tentativa inconsciente de conferirmos nosso poder autêntico a objetos externos. Igualmente, descartá-los simbolicamente nos anula tanto quanto nos anularia se pudéssemos descartar a própria coisa. Felizmente, só podemos nos livrar da ilusão.

Visualize o seguinte cenário. Você está fora da cidade o dia inteiro. Conhece uma mulher, por exemplo, e no decorrer da conversa, descobre que ela tem em casa uma criança que pode se beneficiar grandemente de uma sessão de cura, e ela pede sua ajuda. O que você diz? "Puxa, eu adoraria, mas deixei a minha pirâmide portátil em casa."? Pelo amor de Deus, caia na real!

Mas, como saber que chegou o momento de abandonar as rodinhas de apoio, as redes de segurança, as muletas? Na verdade, o momento sempre esteve aí. Você, simplesmente, não tinha percebido até agora.

Capítulo Dezessete

O espaço terapêutico dos curadores

"Sempre projete uma coisa considerando-a no seu contexto seguinte mais ampliado – uma cadeira numa sala, uma sala numa casa, uma casa no seu meio ambiente, o meio ambiente num plano urbanístico."
— Eliel Saarinen, revista *Time*, 2 de Julho de 1956

Antes de lidarmos com as próprias energias, falarei um pouco de aspectos mais mundanos, mais práticos de ser um curador, especialmente dos que concorrem para um ambiente favorável à cura. Muitas pessoas irão preferir ter um local físico específico a que podem chamar de seu, que represente elas próprias. Por conseguinte, antes de começar a trabalhar e a aplicar as energias, você vai querer resolver algumas dessas coisas terrenas mais práticas.

O mundo é o seu consultório

Se você for como a maioria, quando visualiza um médico trabalhando com um doente, a imagem que lhe vem à mente inclui um médico de jaleco branco, uma sala com aspecto de esterilizada, uma cama ajustável e uma ou duas enfermeiras circulando em sapatos com sola de borracha que rangem. Poderá também haver alguma máquina fazendo bip, bip, equipamento para administração de intravenosos, tubos, eletrodos e alguma comida horrível numa bandeja de plástico... só para dar um efeito.

A não ser que você esteja trabalhando num hospital, esse tipo de ambiente tem muito pouco a ver com Cura Reconectiva.

A verdade é que você pode simplesmente dirigir-se às pessoas na rua e deixar fluir a energia para e através delas, e elas podem muito bem ficar curadas na hora. Isso se aplica também a alguém que não está fisicamente no mesmo lugar que você.

À medida que suas capacidades aumentam, você se sentirá cada vez mais confortável trabalhando em ambientes cada vez menos controlados. A cura à distância também é uma opção, embora, por muitas razões, possa não ser sua intenção na maior parte do tempo.

O que é, então, um espaço terapêutico "ideal"? O que há e o que não há nele?

Na verdade, não é preciso muito: o lugar onde você conduz a cura deve ser apenas tão agradável quanto possível para si e para o paciente. Seguem-se algumas generalidades a se levar em conta.

Criando uma zona de conforto

Um paciente imerso em energia reconectiva vivencia mais que um trabalho de "reparação". É permeado pela luz; troca informações numa conferência de "alto nível" com o universo. Embora sua consciência do aspecto experiencial da sessão possa ou não ser parte integrante de receber uma cura, é uma dádiva rara e valiosa muitas vezes reconhecida como a experiência de uma vida. Respeite isso como sendo parte do seu objetivo de aperfeiçoar seu ambiente terapêutico.

Por conseguinte, se tiver essa opção, o conforto do paciente é a maior prioridade. Normalmente, o paciente fica deitado, de preferência em algum tipo de maca ou numa cama. Geralmente, é melhor colocá-lo de costas, principalmente por essa ser a posição mais confortável para a maioria das pessoas, e também a mais "aberta" – permite-lhes maior receptividade e consciência da experiência. Pessoalmente, prefiro que o paciente não use almofada para apoiar a cabeça. Não por achar que a almofada vá interferir com o fluxo de energia (uma parede de *chumbo* não interferiria com essa energia), mas porque as almofadas podem impedir movimentos da cabeça ou de outras partes do corpo. Mas, se um paciente tiver problemas no pescoço ou nas costas, pode ser necessário apoiar sua cabeça ou colocar uma almofadinha debaixo dos seus joelhos. Por favor, note que a eficácia das curas independe do fato de as pessoas estarem deitadas de bruços, de costas ou de lado, se têm os olhos abertos e estão falando ou os olhos fechados e estão caladas. A diferença está no aspecto experimental da sessão, algo que muitas vezes oferece informações bastante valiosas e capazes de alterar a vida das pessoas.

Lembre-se, o conforto é a prioridade número um, a fim de manter o paciente descontraído e receptivo.

O *seu* conforto também é importante, porque você quer manter certo estado de espírito quando se une às energias de cura, e a tensão física pode diminuir essa possibilidade. Ser distraído pelo seu próprio desconforto não é uma dádiva para quem o procura. Por isso advogo que deve manter a maca numa altura confortável, que não o obrigue a se curvar, a se abaixar ou a se ajoelhar. Se a sala for suficientemente grande, coloque a maca ou a cama numa posição que lhe permita andar sempre em redor do paciente. Se você estiver trabalhando num espaço menor, como eu fiz durante os primeiros anos, pode colocar a maca encostada a uma parede, de modo a ter a liberdade de se mover confortavelmente em torno dos lados abertos. Isso não irá interferir com coisa alguma.

Descobri que, com muita frequência, as pessoas abriam os olhos no meio das sessões, bastante assustadas. Olhando para mim, apontavam para a parede ou batiam na parede à qual a maca estava encostada e diziam: "Senti o senhor ali de pé". De qualquer maneira, a Luz não reconhece o que percebemos como limitações físicas ou espaciais.

Seja como for, se você quiser andar em redor da maca, então ande em redor da maca.

Os efeitos da luminosidade

Como regra geral, você vai querer que seu paciente feche os olhos para eliminar as distrações e permitir que se descontraia. Uma luz brilhando sobre as pálpebras do paciente não é particularmente reconfortante. Por outro lado, uma luz insuficiente não o beneficia enquanto curador, porque, durante a cura, você vai querer usar a "sensação" das energias na sala *e* o seu sentido da visão. Portanto, um nível de iluminação suave e neutro é o melhor. Minha preferência seria uma iluminação incandescente suave, para cima (um abajur de pé ou de parede), com regulador de intensidade. Minha segunda opção são as lâmpadas de halogêneo, também com regulador. As lâmpadas fluorescentes no teto seriam uma escolha terrível, mas aceitáveis se você mantiver o interruptor desligado – ou se todas as lâmpadas estiverem queimadas.

Um aspecto muito importante da iluminação tem a ver com as sombras. Enquanto se movimenta em volta do paciente, você deve estar consciente das sombras projetadas sobre as pálpebras deles. O paciente reage a essa mudança de luz pestanejando, o que imita um dos mais comuns "registros" físicos (reações involuntárias às energias) que indicam uma conexão com as energias de cura. Como consequência, isso pode iludir sua consciência de como o paciente está reagindo, uma vez que você começará a concentrar a atenção nas suas falsas reações.

Uma vez mais, você deve respeitar o aspecto experimental da sessão. Não deve produzir "falsas leituras" no, ou para o, paciente. Se ele piscar os olhos ou se der conta de uma sombra se movendo, você tem de saber que isso não foi causado por você... ou por qualquer outra coisa neste plano de existência.

Perfumes, fragrâncias e aromas

Pela mesma razão, se puder evitar, não deve levar perfumes para a sala. No estado transensorial, muitos pacientes sentem o cheiro de fragrâncias específicas durante as sessões, portanto, não deve expô-los forçadamente ao *seu* conceito de um aroma agradável, sobrepujando uma experiência olfativa vinda de *outro* lugar. Lembre-se de que eles podem nunca mais ter a oportunidade de sentir esse cheiro único. Portanto, evite queimar incenso ou acender velas aromáticas; ou usar perfumes, colônias ou óleos – e, *sim, isso também inclui a aromaterapia*. Inclusive mantenha-se longe de flores aromáticas (ou altamente polinizadas) e também de purificadores do ar ou líquidos de limpeza fortemente aromáticos.

Uma nota ainda mais prática: você pode receber pacientes sensíveis a alergias ambientais. Para algumas dessas pessoas, a mais leve fragrância residual de incenso ou de velas aromáticas pode desencadear uma resposta como um aperto na garganta ou dificuldades respiratórias. Eles podem também reagir a resíduos químicos dos detergentes de lavanderia (nos lençóis que cobrem a maca) e a produtos de limpeza. Os purificadores de ar só pioram a situação. Essas são situações que não se corrige rapidamente – o que significa que você arruinou a sessão para todos os efeitos.

Moral da história: é melhor deixar o ar tão puro quanto possível.

Distrações musicais

Quando eu trabalhava como quiroprático, tinha sempre música na sala de tratamentos, tanto para meu prazer como para prazer dos pacientes. Mas, agora que trabalho com essas energias de cura, não toco música no recinto, uma vez que isso tende a conduzir as pessoas a uma determinada experiência *artificial*. Se elas estão se lembrando da primeira vez que ouviram uma canção em especial ou pensando no quanto gostam dela ou a detestam – ou seguindo o fluxo de pensamentos que a melodia desencadeia na mente delas, serão provavelmente menos capazes de perceber suas reações *genuínas* ao processo de cura. Em outras palavras, a música transporta as pessoas para determinados lugares... e as mantém lá.

Isso não quer dizer que a sala deva ser à prova de som ou tomada por um silêncio de morte. Pessoalmente, gosto de ter um pouco de ruído de fundo na sala, e é tudo. No caso de não estar familiarizado com esse termo, "ruído de fundo" é um tipo de som suave e regular, muito parecido com o som monótono de um ventilador antigo. É bom para abafar as distrações vindas de fora da sala. O ruído de fundo deve ser regular e uniforme (como o oposto do som da "chuva" ou da "rebentação das ondas"), porque as gravações desse tipo contêm muitas vezes espaço entre os sons. Nesse espaço vazio, os ruídos exteriores podem provocar um sobressalto no paciente.

O seu vestuário profissional

Enquanto curador, você não precisa vestir um jaleco branco; tampouco uma batina de padre. Não é necessário estetoscópio; nem um bracelete de uma liga metálica específica. Vista-se confortavelmente.

Contudo, você *deve* evitar vestir camisas largas para fora das calças; ou mangas de estilo medieval, folgadas e pendentes; ou bijuterias pendentes que podem encostar no paciente. Preste também atenção em pulseiras chocalhando; em relógios tiquetaqueando muito alto e tecidos rígidos e barulhentos como o tafetá e o veludo cotelê. Se tiver o cabelo muito comprido (do tipo que vai para todas as direções, entra na sala antes de você e sai dela vinte minutos depois), mantenha-o puxado para trás ou para cima e fora do caminho. Uma vez mais, o objetivo é evitar dar falsos "sinais" ao paciente. Isso é particularmente importante com o sentido do tato porque, se o paciente sentir alguém tocando seu braço ou acariciando seu rosto, você vai querer que ele saiba que não foi você.

Acompanhantes

Sugiro que as únicas pessoas na sala de tratamentos sejam você e o paciente. Há várias boas razões para isso, mas, a que supera todas é a necessidade de ambos, você e o paciente, de se manterem "no processo" sem que seus efeitos sejam direcionados. É difícil se manter à parte dos resultados se tiver amigos ou familiares do paciente esperando ansiosamente que aconteça algo importante. A presença de uma "plateia" pode gerar distrações.

Por favor, note, contudo, que há certas situações em que é preferível ter alguém com você na sala. Por exemplo, é uma boa ideia ter um dos pais ou um responsável presente quando o paciente é menor de idade. Uma situação que pode surgir com certas crianças – e alguns adultos também – é se sentirem um pouco incomodadas por estarem sozinhas numa sala com alguém que acabaram de conhecer. A presença de um rosto familiar pode aliviar seu desconforto.

À parte seu desejo de "fazer bonito" ou "representar" para o acompanhante, há outro fato a levar em conta quando você se vê numa situação em que estão presentes entes queridos de alguém. É aquilo a que chamo *intensidade parental*. A intensidade parental – melhor dizendo, a intensidade dos parentes – é muitas vezes caracterizada no acompanhante familiar por rápidos, intensos e minúsculos murmúrios labiais; mãos entrelaçadas; gotículas de suor no lábio superior e olhos virados para cima em desespero. Se você não estiver olhando diretamente para a pessoa, como saber se ela está experimentando *intensidade parental*? Quer o membro familiar esteja ou não exibindo os clássicos sinais exteriores dessa síndrome, uma pista é que seu paciente está reagindo pouquíssimo. Meu conselho para minimizar a intensidade parental é manter à mão algumas revistas e, explicando por que, instruir o acompanhante a usá-las para manter seu nariz enfiado nelas e a mente ocupada. Muito provavelmente, você verá os registros físicos recomeçarem, o que permitirá ao paciente vivenciar todo o potencial da sessão.

Duração das sessões

E aqui estamos nós. Agora que todo o seu aparato de cura está completo, você está pronto para atender aos pacientes e se juntar a eles na experiência de cura. Mas como saber quanto tempo vai demorar ou quantas sessões podem ser necessárias para que a cura alcance sua expressão completa?

O fato é que você *não* pode saber quanto tempo vai levar até que um dado paciente responda à energia de cura. Ele pode responder imediatamente ou pode parecer não reagir de jeito nenhum, no caso de o universo decidir que ele necessita de uma cura diferente daquela que *ele acha que* necessita – ou mesmo daquela que *você* acha necessária.

Por outro lado, aprendi que pouco se ganha em manter as pessoas na maca durante muito tempo. Do ponto de vista da cura, *o tempo não interessa*. Algumas das curas mais impressionantes que vi ocorreram em sessões que duraram menos de um minuto. No entanto, é necessário reservar certo tempo para uma sessão a fim de estabelecer e manter a harmonia com a pessoa que disponibilizou seu tempo para consultá-lo. Se alguém dirige durante trinta minutos para consultá-lo e você trabalha nele apenas dois minutos e lhe diz: "Pronto, já acabou", muito provavelmente essa pessoa irá sentir que qualquer coisa não está certa. Portanto, mesmo que o tempo não seja um fator para as curas propriamente ditas, para muitas pessoas é um fator *relacionado* e, para algumas, pode representar um papel importante nos benefícios que se permitem receber.

A maior parte das pessoas espera que uma sessão dure entre 45 minutos e uma hora. Para outros, trinta minutos é um bom tempo – tanto tempo quanto você *reconhece* como sendo necessário na sua própria mente. A cura é uma viagem, não uma meta. O processo não se desliga quando termina... porque nunca *termina*. Você pode sempre evoluir; pode sempre melhorar.

As sessões podem ser tão breves ou tão longas quanto quiser, muitas vezes continuando para além do tempo "marcado". Predeterminar a duração da sessão fornece, entre outras coisas, maior eficácia: permite-lhe organizar seu dia. Acredite ou não, isso é importante, porque as outras pessoas têm os seus próprios horários e compromissos e não querem esperar interminavelmente, até que seu pêndulo se digne a dar a sessão por terminada.

Quantas sessões são necessárias? Tantas quantas a pessoa levar para aceitar a cura. Assim como não há dois flocos de neve iguais, também não há duas sessões de cura iguais. Na verdade, nem duas pessoas iguais. Tendo isso em mente, algumas pessoas podem marcar *várias* sessões; outras, uma. Pessoalmente, tendo a considerar que, se ao fim da terceira visita não ocorrer qualquer mudança perceptível, este pode não ser o passo mais apropriado para o paciente conseguir os resultados por ele conscientemente pretendidos. Isso não é "terapia", e vir com uma atitude de "tratamento semanal" não é necessário nem desejável.

A maioria dos meus pacientes vinha de avião para me consultar. Eles tinham de fazer planos antecipadamente, levar em consideração o tempo afastados do trabalho, tarifas de aviões e acomodações em hotéis. Portanto, naturalmente, queriam ter uma ideia de quanto tempo ficariam em Los Angeles e de quantas sessões iam precisar. Muitos queriam reduzir ao mínimo o tempo em que ficavam afastados do trabalho e da família. Por essas razões, eu achava preferível agendar sessões em dias consecutivos ou alternados. Não queria manter meus pacientes longe de casa por mais tempo do que o necessário, e não queria que tivessem que partir antes de sentirem que o tratamento estava completo.

Quando alguns me perguntavam quanto tempo duraria tudo aquilo, "três" sempre me escapava da boca. "Fique o tempo suficiente para três sessões. Pode decidir a cada visita se quer ou não manter a segunda e a terceira sessões, mas pelo menos tem o tempo reservado para decidir."

Além disso, as pessoas me diziam repetidamente que, embora cada visita fosse única, havia qualquer coisa de muito especial na terceira.

Não estou dizendo que o número necessário de sessões seja três. Uma sessão – talvez mesmo *parte* de uma sessão – pode ser suficiente. Se a pessoa que vai consultá-lo for da mesma localidade e sua agenda permitir, você pode preferir marcar à medida que vai efetuando cada sessão.

Esteja atento àqueles indivíduos que podem desenvolver um sentimento de dependência em relação a você. Os pacientes não necessitam de visitas semanais regulares ou consultá-lo "continuamente". Algumas pessoas vão ao médico ou ao curador apenas para receberem um pouco de atenção, mas não é disso que se trata a Cura Reconectiva.

Do mesmo modo, não se trata de uma série de eventos. As pessoas deitadas na sua maca não precisam ficar ali chorando e descarregando dolorosas experiências do passado. Isso as mantém presas ao passado em vez de lhes permitir andar para a frente. O universo recria-se em volta da nossa imagem da realidade. Se continuarmos a assistir às nossas velhas fitas, tendemos também a reproduzi-las. O conceito "o que arde cura" já não é aplicável.

Há duas coisas que se permitem funcionar no interior das nossas fronteiras ilusórias do tempo: a nossa decisão de aceitar a cura e a proximidade e plenitude de sua demonstração. Se alguém chora e se queixa na sua maca, você pode lhe dizer que isso não tem de ser uma parte da experiência. Se *várias* pessoas ficam ali deitadas chorando e remoendo, compreenda que é *você* que está com problemas em se livrar dessa crença – e as pessoas que o consultam limitam-se a ser "contagiadas" por você. Façamos-lhes – e a nós próprios – um favor e abandonemos esse velho conceito. Ele só nos puxa para trás. A cura que vai testemunhar terá lugar num instante com a força da Graça – e muito provavelmente por meio dela.

Medicação em uso

Os pacientes irão lhe perguntar: "Devo deixar de tomar meus remédios antes de vir a uma sessão?" Por mais tentador que seja, sugiro que, por várias razões, você se abstenha de lhes dar qualquer conselho. Uma razão importante é: a menos que seja o médico do paciente, você não deve brincar de Deus com o tratamento que ele segue – foi para isso que os médicos foram à faculdade. Pode haver consequências graves – físicas, emocionais, éticas e, mesmo, legais. Não se meta nessa.

Mas há outra razão para não interferir com o tratamento em curso de um paciente: lembro-me de um paciente com um ar de inquietação durante sua sessão. Perguntei-lhe o que se passava e descobri que ele decidira parar de tomar os medicamentos. Como reação, desenvolveu um perturbador problema de coceira e não foi capaz de se deitar quieto e aproveitar completamente a sessão.

Para que introduzir uma nova variante na situação? Se um paciente alcançou um estado de equilíbrio com seus medicamentos (que é frequentemente o caso daqueles que vêm tomando remédios durante longos períodos), retirar subitamente um ou mais pode produzir resultados imprevistos e, às vezes, desagradáveis.

Capítulo Dezoito

Ativando o curador em você

"A maior revolução na nossa geração é a descoberta de que os seres humanos, modificando as atitudes interiores das suas mentes, podem modificar os aspectos exteriores das suas vidas."
— William James

Antes de começar a aplicar a energia reconectiva, é melhor aprender a reconhecê-la. Ela está pronta para conhecê-lo agora – mas, tal como um estranho esperando por você no aeroporto, se a energia for identificável, ajuda. Como podemos aprender a reconhecer algo que nunca sentimos antes? São realmente suficientes as descrições feitas num livro?

Uma das coisas mais surpreendentes que você descobrirá quando começar a interagir com a energia é que, ao contrário da abordagem da cura baseada em algumas das técnicas do passado, este processo nos dá sinais muito claros da sua presença e do nosso envolvimento com ele. Desse ponto de vista, não é "energia sutil" – *é tudo menos sutil* – nem é algo tal que você tenha de dedicar a vida a cultivar uma sensibilidade favorável. A Cura Reconectiva não é apenas algo que *nós* sentimos, ou que o *paciente* sente – é algo que podemos realmente ver em ação.

Deixe-me reenfatizar: sua relação com essa energia vem se desenvolvendo durante todo o tempo em que você vem lendo este livro.

Está na hora de dar um passo em frente.

Ativando as mãos

Quando dou aulas em seminários, a primeira parte prática ou "mãos na massa" é quase literalmente o seguinte: eu "ativo" suas mãos. Com "ativar", quero dizer que ajudo você a permitir uma abertura para que receba essa energia de cura e aja como um canal para que ela passe do universo para cada um. Esse passo é o agente catalítico de um processo que o inicia na trajetória para a mudança, possibilitando-lhe carregar e acomodar essas novas frequências.

Pelo fato de nossas mãos serem tão conscientemente receptivas, elas são a parte do corpo que uso como uma espécie de "para-raios" para guiar a energia. Começo por pedir a cada participante para estender uma mão em "posição anatômica normal". Isso é terminologia médica para a posição que as suas mãos assumem automaticamente quando você não está consciente delas. Para encontrar a posição anatômica normal, deixe cair os braços ao longo do corpo, deixando as mãos penderem descontraidamente. Sacuda-as um pouco para libertar qualquer tensão residual. Agora, sem movê-las, olhe para baixo e verifique a posição em que ficaram: dedos ligeiramente curvados, muito provavelmente sem tocarem uns nos outros. Essa é a posição anatômica normal. É a posição, ao dar ou receber, em que as suas mãos devem permanecer enquanto trabalha. É uma posição confortável. Se quisermos auxiliar pessoas com, entre outras coisas, "desconforto", devemos começar nós mesmos a assumir uma posição de "conforto". O conceito de conforto permeia todos os aspectos da Cura Reconectiva. Nossas mãos estão numa posição de conforto, mantemos nosso corpo em lugares confortáveis, nossa mente e processo de pensamento mantêm-se num estado de conforto e, tanto quanto possível, o paciente está confortável.

Para ativar suas mãos, posiciono as minhas, que também mantenho em posição anatômica normal, afastadas cerca de trinta centímetros, com uma das mãos receptoras no meio.

E então começa. Limito-me a "senti-la, encontrá-la e esticá-la", permitindo à energia que trouxe já para as minhas mãos expandir-se e fluir para trás e para a frente entre minhas palmas, muitas vezes envolvendo não só minhas mãos, mas também meus antebraços – e, por isso, não apenas *em volta,* mas *através* das suas mãos. Depois, a energia viaja pelo resto do seu corpo, muitas vezes fazendo-se notar em certos lugares, como sua cabeça ou seu coração. Esse processo ativa sua receptividade latente para acessar essas novas frequências de cura. Há um arrastar de ressonância, de uma pessoa para a outra, que de certo modo faz lembrar o modo como os relógios com pêndulo se arrastam uns aos outros quando estão na mesma sala.

Uma ativação serve ainda a outro propósito: mostra a realidade da energia aos participantes, porque eles podem *senti-la* em suas mãos. Essas frequências são alta e inequivocamente palpáveis. As sensações exatas experimentadas pelas pessoas podem diferir de indivíduo para indivíduo e até de uma mão para outra, embora haja uma linha de continuidade que se torna incontestavelmente evidente à medida que se ouvem mais e mais relatos das experiências dos participantes. É comum ouvir relatos de tudo, desde formigamento, palpitações, frio, calor, empurrar e puxar, até sentir como se um vento passasse através das mãos.

É importante lembrar essa variedade porque tendemos a julgar tudo que sentimos com base em histórias que ouvimos. Por exemplo, na cultura ocidental a cor branca é geralmente percebida como representando "o bem"; e a preta como representando "o mal". Mas, em outras culturas, o *branco* é a cor da morte.

Pensamos nas mãos do curador como sendo quentes, e consideramos o frio como não indicativo de saúde, mas de doença ou morte. Em muitas escolas de saúde asiáticas, o calor representa cura vinda da terra e o frio, cura vinda dos céus. Nenhum é melhor ou pior que o outro. Não podemos viver dentro de caixas definidas e limitadas e esperar ter uma perspectiva apropriada do todo. É essa variabilidade – e a sua determinação por um Poder Superior – que permite que aconteça o que é mais apropriado. Esse processo é autorregulado, autodeterminado, autoajustado e dá sempre uma resposta perfeita.

A Cura Reconectiva proporciona uma perspectiva sobre essas crenças que põe em relevo a futilidade de tentar atribuir-lhes um significado específico. As sensações que chegam até você e seus pacientes são especificamente uma parte do seu processo, representativas do que você e eles necessitam e estão recebendo.

Tudo bem, mas o que *significa* quando as pessoas sentem – *sentem* realmente – essas sensações inesperadas nas mãos? É como se tivéssemos recebido certo tipo de *células receptoras* com códigos de DNA apropriados para "ligar", a seu tempo, nossa interação com essas frequências. E esse tempo já chegou. Quando nossas mãos – ou qualquer outra parte de nós – ficam ativadas, esses receptores ganham vida – e uma vez que isso aconteça, a receptividade está lá; de agora em diante, faz parte de nós.

É importante que você compreenda isso porque, depois de ter sentido a energia uma vez, você pode voltar a encontrá-la ao simplesmente focar sua atenção nela. Começou em você a mudança para integrar e acomodar essas frequências.

Reagindo à energia

Outra coisa sobre as sensações que você sente quando suas mãos são ativadas é que elas variam em intensidade e caráter. Algumas pessoas suspiram ou riem às gargalhadas face à magnitude da energia que sentem nas mãos; uns poucos franzem a testa e ficam tensos, desesperados para dizer: "Sinto alguma coisa!" E bem poucas pessoas ficam, a princípio ou até trabalharem com ela, relativamente cegos à diferença entre esta e seja qual for a "técnica" que tenham usado. Muitas vezes, isso acontece porque elas insistem no que lhes é familiar, aquele primeiro degrau da escadaria no qual se viram e pelo qual há muito se apaixonaram. Logo as frequências da Cura Reconectiva se fazem inequivocamente conhecidas, e quase sempre essas pessoas afirmam que já não conseguem encontrar as energias da sua técnica anterior.

Não é que essas energias estejam "perdidas". É mais como se fossem inundadas, e incorporadas, pelas frequências reconectivas, tal como uma onda do mar pode inundar uma pocinha na praia. Embora você possa nunca mais encontrar essa mesma pocinha, ela não se perdeu; apenas se tornou parte de um todo maior. Em outras palavras, você começou a subir a escadaria.

Se você tocar numa parede com a mão, vai saber imediatamente. Se outras pessoas tocarem nela, também o saberão imediatamente, e descreverão a sensação de modo muito similar ao seu. Obviamente, nenhuma dessas propriedades é necessariamente verdadeira acerca das energias sentidas pelas pessoas quando o corpo delas está ativado. Portanto, um cético pode provavelmente dizer: "Isso é porque a ativação é imaginária. A força e a natureza das sensações que as pessoas sentem são baseadas no poder da sua imaginação, não no poder de alguma força ativa. Por outras palavras, ela não existe".

É uma suposição compreensível, embora no mundo atual das descobertas tenhamos encontrado outra coisa.

Entre as experiências que conduzimos na Universidade do Arizona, havia uma em que colocávamos um grupo de estudantes numa sala completamente fechada. As paredes e o teto eram pretos, havia cortinas pesadas nas janelas e as portas estavam todas trancadas. Não queríamos influências não controladas vindas do exterior.

O projeto da experiência era o seguinte: três pessoas ao acaso desempenhavam alternadamente três papéis diferentes – o Receptor, o Emissor e o Transcritor. O Receptor usava uma venda grossa forrada de pele. O papel do Emissor era direcionar energia para o Receptor. A função do Transcritor era controlar o tempo de cada sessão e anotar os resultados. Além disso, eram colocadas várias câmeras de vídeo para gravarem tudo, inclusive todos os movimentos do corpo e todas as vozes.

O objetivo do estudo era simples: determinar se o Receptor, separado praticamente de todos os estímulos físicos, conseguia detectar quando e de onde a energia estava sendo direcionada. Na prática, o Receptor devia manter as mãos numa de duas posições predeterminadas – algumas vezes em movimento e outras em repouso. As posições e seus componentes ativos ou passivos eram escolhidos aleatoriamente. O Emissor tinha de dirigir a energia para as mãos direita ou esquerda do Receptor e o Receptor tinha de indicar verbalmente em que mão a energia havia sido detectada. O Transcritor selecionava aleatoriamente um cartão impresso previamente, segurava-o no alto para ser visto pelo Emissor e lia para o Receptor a posição da mão selecionada. Apenas o Transcritor e o Emissor podiam ler para que mão iria ser direcionada a energia.

Naturalmente, havia cinquenta por cento de possibilidades de o Receptor adivinhar corretamente – as mesmas probabilidades que ao atirar uma moeda para o ar.

Fizemos a experiência durante cinco dias consecutivos. No primeiro, o número de "êxitos" foi em média de aproximadamente 65 por cento, bem acima dos cinquenta por cento, que representariam um resultado "aleatório". No segundo dia, a percentagem aumentou. No terceiro, continuou a aumentar. No quarto dia, provavelmente por todos estarem estressados por ficarem fechados num laboratório dez horas por dia, a precisão caiu. Mas, no último dia da experiência, o quinto, o nível de precisão não apenas voltou a subir, como se estendeu até aos noventa e poucos – e para algumas pessoas subiu até cerca de 96 por cento.

Esse resultado ficou tão além da quantidade considerada "estatisticamente relevante" que não há qualquer possibilidade de falarmos acerca das *chances* de essa energia ser imaginária. A elegância e a simplicidade desse estudo mostram o desenvolvimento de uma curva de aprendizagem na detecção das energias reconectivas – uma boa e clara curva de aprendizagem. E, é claro, você só pode desenvolver uma curva de aprendizagem para lidar com alguma coisa... se essa *coisa* existir.

Sem as mãos

Como já discutimos, com a Cura Reconectiva as pessoas tendem a concentrar-se em suas mãos. Bem, por que não? Mas, a verdade é que, com essas energias, você não *precisa* usar as mãos. Poderia removê-las cirurgicamente que a energia curativa de modo algum seria afetada – embora eu não queira ser o modelo dessa experiência. Participei de curas em que usei apenas os olhos; participei até de curas nas quais o paciente estava a vários milhares de quilômetros de distância.

Contudo, prefiro usar as mãos, e a maioria de vocês provavelmente também. A verdade é esta: não estou cem por cento interessado em fazer sessões longas usando apenas os olhos. Com tão pouco movimento da minha parte, não se sente muita interação com as energias, pelo que as sessões se tornam menos interessantes do que poderiam ser. Por enquanto, é o que *eu faço* e o que recomendo que *você faça*. Por quê? Porque, mesmo que essa energia seja invisível, nós, os que a usamos, somos criaturas físicas. Usar as mãos ajuda a concentrar a atenção. Mantém você no agora, no presente... mantém você no processo.

O processo em grupo

Apesar do fato de que, pela sua ativação através da leitura deste livro, as pessoas possam não *precisar* de qualquer ajuda adicional para a aquisição ou o desenvolvimento da sua conexão com as frequências da Cura Reconectiva, recomendo que, se possível, elas assistam a um seminário de Cura Reconectiva, onde suas mãos podem ser ativadas pessoalmente.

A verdadeira simplicidade com que essas frequências podem ser dominadas é raramente tão notória como durante esses fins de semana.

Pela leitura deste livro, os níveis pelos quais essas frequências se manifestam em você podem alcançar os níveis dos que assistiram aos seminários, embora isso possa demorar mais tempo. Uma razão pode ser o grau de intensidade gerado pela interação ao vivo. Outra razão é que podemos ser nossos piores inimigos. Em tentativas de simplificação como esta, somos muitas vezes perturbados pela crença de que algo que possua o poder e a magnitude dessas frequências deve requerer mais método ou complexidade do que alguma vez nos foi dada ou podemos compreender e implementar lendo estas páginas. Além disso, embora os livros sejam muitas vezes uma fonte de conhecimento, ver e sentir uma coisa em primeira mão leva-nos *além* do conhecimento.

Ao observar, você obtém conhecimento; no conhecimento se encontra sua perícia. Há muito para dizer sobre um fim de semana imerso nessas energias. Há muito para dizer a favor da supervisão direta, da resposta imediata às suas perguntas e da sua evolução à medida que se descobre capaz de integrar e acomodar as frequências em níveis cada vez mais elevados. Ver e conhecer outras pessoas enquanto elas passam por essas experiências com você garante uma riqueza adicional. Ser parte de mudança tão vasta e imediata – ver-se não apenas a si, mas a outros também caminhando para a perícia com tanta facilidade – fornece um grau de confiança e de compreensão além do que pode ser comunicado através da palavra escrita.

Os seminários e os livros fornecem valores complementares. Enquanto os seminários permitem interação pessoal, intensidade e o dinamismo das trocas em livre curso, os livros presenteiam-no com material muitas vezes mais pensado e conciso – apelando e interagindo com um aspecto diferente da sua consciência. Você lê e absorve livros a um ritmo diferente – o *seu ritmo* – e a informação é codificada e incorporada na sua essência de modo diferente, sem mencionar o fato de estarem disponíveis para consultas imediatas.

Todavia, o que você não consegue obter destas páginas é a inestimável interação proporcionada pelas perguntas, a incerteza, o ceticismo e a surpresa vista nos outros. O processo da descoberta é espantosamente diferente em cada seminário, embora em cada caso a imprevisibilidade e a evidente honestidade das emoções partilhadas contribuam para a evolução de cada grupo como um todo.

Todos estão no mesmo nível, independentemente da sua experiência ou educação – e, acredite em mim, ela é vasta. Os grupos são de aproximadamente cinquenta por cento homens, cinquenta por cento mulheres. Eles se compõem de Mestres Professores de Reiki e massagistas, donas de casa e estudantes, médicos e enfermeiras, membros do clero e trabalhadores da construção civil, cientistas e professores, analistas de computadores e funcionários do governo, encanadores e eletricistas, banqueiros e advogados. E, na maioria dos seminários, encontra-se também uma pessoa que de modo algum queria estar ali, sentada ao lado de quem a levou.

A diversidade constante na sala é a garantia de que, durante um fim de semana, a natureza desse trabalho, tal como se aplica a quase todos os aspectos da vida, é discutida. Aqueles que no início do seminário estavam funcionando apenas com os seus hemisférios cerebrais esquerdos, no final podem evoluir tão além dessas limitações que podemos perguntar se realmente se passaram apenas um dia ou dois. E quando se nota que o trabalhador da construção civil está agindo com a mesma confiança e integridade que o Mestre Professor de Reiki – ali mesmo e naquele momento –, pode-se apenas tomar consciência da beleza simples dessa dádiva.

Esses seminários não consistem apenas em um profeta ou guru qualquer, de pé atrás de um pódio, dirigindo-se a um grupo de estudantes sentados passivamente. Somos nós criando ambientes de participação interativa que promovem exploração e aprendizagem; eles tratam da partilha da experiência do grupo. Quando um grupo trabalha com essas energias, acontece que os níveis de todos aumentam a uma velocidade espantosa. É como se houvesse uma espécie de campo que conectasse todos mais intensamente numa situação de grupo, acelerando exponencialmente nossa nova evolução. Todos estamos mudando a cada segundo – e isso é dizer muito de um fim de semana imersos nas energias... juntos.

Buscando as energias

Digamos que você tenha decidido tentar encontrar e sentir por si mesmo essas energias. O que você faz? Coloque-se em frente de um espelho de corpo inteiro, permitindo que suas mãos assumam a posição anatômica normal, bem descontraída. Depois, olhe para o espelho enquanto levanta suavemente os antebraços à altura dos cotovelos e coloca as palmas face a face, uma virada para baixo e a outra para cima, separadas por aproximadamente quinze centímetros. Certifique-se de que suas mãos não se tocam. Agora, elas devem rodar naturalmente de modo a que os dedos da sua mão direita apontem para as dez horas, enquanto os dedos da esquerda apontam para as duas.

Agora, fixe a sua atenção nas palmas das mãos e aguarde a chegada de uma sensação. Pode ser uma sensação de pressão, um formigamento ou uma mudança na densidade do ar. Pode ser como uma brisa. Pode igualmente ter componentes de mudança de temperatura, peso, flutuação, expansão, eletricidade e/ou atração ou repulsão magnética. Não fique obcecado com a ideia de vê-la fluir em qualquer direção ou ter qualquer cor específica. Fixe simplesmente a atenção nas mãos e espere que chegue.

Habitualmente, a sensação vai se centrar na sua palma. Às vezes será forte e inequívoca; outras, ou para outras pessoas, poderá parecer fraca a princípio. Você poderá também experimentar outras reações sensoriais – ver, ouvir ou cheirar coisas aparentemente originadas fora da sala, ou mesmo do planeta. Um pequeno número de pessoas poderá não sentir absolutamente nada – pelo menos no início...

Um dos benefícios de empreender uma pesquisa foi que tivemos condições de explorar, de uma perspectiva mais científica, se algumas dessas sensações eram realmente de energia fluindo ou apenas um tipo de resposta nervosa ou vascular provocada pela posição da mão ou do braço.

Foram realizados testes preliminares em voluntários que mantiveram as mãos no alto, embaixo, dos lados, pousadas em tampos de mesas e cadeiras de braços (almofadadas e não almofadadas) e flutuando livres no ar por variados períodos de tempo. O resultado foi que a vascularidade (alterações físicas induzidas do fluxo do sangue ou de outros fluidos) foi descartada como causa dessa sensação. O interessante acerca disso é o fato de a mudança fisiológica aparecer muito rapidamente, tanto para a pessoa que ensina como para o sujeito dos testes, muitas vezes manifestando-se através de mudanças visíveis da pele e movimentos involuntários dos músculos num curto espaço de tempo como 15 a 45 segundos numa sessão – e praticamente de modo instantâneo, assim que aprendemos a reconhecê-los.

Dito isso, deixem-me salientar dois pontos importantes: o primeiro é que, como já disse, *isso não é uma técnica*. Embora eu possa estar descrevendo uma forma de encontrar uma posição inicial confortável (a posição anatômica normal) para permitir às suas mãos sentirem as energias, uma vez que você as tenha encontrado, pode encontrá-las seja qual for o método escolhido.

O segundo ponto é: *não force*. Deixe que a sensação chegue por si mesma. Ela chegará. Não se trata de tentar, empurrar ou enviar. Fixe simplesmente a atenção nas palmas das mãos e espere até a sensação chegar. Libere a mente, o ego, as expectativas e limite-se a deixar acontecer o que está para acontecer.

Está funcionando?

Vamos explorar um pouco mais o ponto "sair da frente": você não tem necessariamente de *sentir* uma resposta para ter uma resposta! É importante compreender isso se quiser trabalhar com essa energia. Essa é uma boa hora para abandonar juízos de valor e averiguações; a essa altura, isso irá simplesmente atrapalhá-lo.

O que quero dizer com juízos de valor e averiguações é dar importância à sensação, ou torná-la certa ou errada. Não estou dizendo que você abandone seu poder de discriminação, o qual lhe permite tomar nota das várias sensações que experimenta. Isso conserva seu interesse e o mantém no momento presente. Julgá-las, contudo, tem o potencial de interferir no seu fluxo. Seja qual for a forma das sensações – é a forma apropriada para essa interação. Tenha em mente que as frequências reconectivas são autoajustáveis e autorreguláveis e guiadas pela Altíssima Inteligência do Universo.

As curas acontecem pela unidade e harmonia. Juízos de valor no sentido de certo ou errado, bom e mau, produzem separação. Uma das melhores maneiras de aumentar sua capacidade como curador é permanecer num estado de não julgamento. Um primeiro passo nesse sentido será ver se você pode passar cinco minutos sem julgar. A princípio não tente por um dia, ou mesmo por uma hora. Isso muito provavelmente iria levá-lo ao fracasso, tão profundamente enraizados em nós estão nossos padrões de julgamento. Logo que domine períodos de cinco minutos, estenda-os para dez, depois quinze e depois vinte. Não é tanto conseguir ficar completamente sem criar juízos de valor como desenvolver uma consciência da presença deles na sua vida. Não estou sugerindo que podemos ou vamos atirar os juízos de valor pela janela. Tal como o ego nos foi dado com um propósito, também a capacidade de julgar nos foi dada por uma razão.

Capítulo dezenove

Encontrando a Energia

"O único modo de conhecer uma pessoa ou qualquer outra coisa no chamado mundo exterior é sentindo seu próprio corpo.
O cosmos todo é vivenciado como sensações no corpo."
– Living This Moment, Sutras for Instant Enlightenment

Desmistificando o processo

Assim que você tenha uma ideia de como a energia ressoa em sua personalidade, é hora de começar a brincar com ela. "Brincar" é um conceito importante na Cura Reconectiva. Não se trata de ser frívolo ou tolo; trata-se de desenvolver um sentido de relaxamento e admiração enquanto trabalha com essas frequências. Lembre-se: tudo o que você está fazendo é interagir com as energias para permitir uma mudança na outra pessoa. Não está tentando dirigi-la, concentrá-la, suavizá-la, ou mudar sua cor ou frequência vibratória. Está apenas brincando com ela e desfrutando da sua evolução.

Esse conceito pode ser surpreendentemente difícil para algumas pessoas. Ou simples demais, descomplicado demais, infantil demais. Porém, para dominar verdadeiramente essas energias, é essencial permanecer infantil.

A Cura Reconectiva não é uma técnica nem um aglomerado de técnicas. Pouco tem a ver com regras ou procedimentos. É um novo estado de existência. Torna-se *você*. Você torna-se *ela*. E isso modifica-o para sempre. Ponto final.

Quem estudou várias técnicas pode muito bem ter sido exposto a alguns dos exercícios iniciais que estou prestes a mostrar. Embora alguns métodos para entrar em contato com essas sensações possam não ser novidade, não fique confuso: *você agora está praticando esses métodos com outra coisa*. Está trazendo algo novo e diferente. Isso tudo se tornará mais do que evidente muito em breve.

Concentrando a atenção

Coloque as mãos em posição anatômica normal, palma contra palma, do modo como descrevemos antes, com cerca de trinta centímetros de espaço entre elas. Sinta agora suavemente a energia numa ou noutra palma, ou em ambas. Espere por ela e deixe-a vir. Se sente energia em apenas uma das duas palmas, abra ligeiramente as mãos de modo que ambas as palmas estejam à vista. Olhe para a palma onde consegue sentir a energia. Preste atenção à forma como sente essa energia e fixe seu olhar na outra palma. Aguarde simplesmente que essa sensação chegue ali. Isso acontecerá normalmente em dez ou quinze segundos. Assim que a sentir, olhe de novo para a outra mão e espere que a sensação regresse. Repita o processo lentamente e depois a velocidades diferentes. Para algumas pessoas, a sensação transitará de mão para mão à medida que fazem isso. Para outros, a sensação permanecerá em ambas as mãos e continuará a se intensificar.

A bola de pingue-pongue

Agora que você dominou esse processo pela sua atenção, vamos dar alguma forma e substância à sensação. Visualize e sinta as energias na forma de uma bola de pingue-pongue. Imagine essa bola numa das mãos e com cuidado dê-lhe um ligeiro "toque". Ao fazer isso, visualize a trajetória que a bola seguiria ao voar em arco para a outra mão. Concentre-se na mão que recebe e mais uma vez espere a sensação de a bola pousar aí. Assim que ela pousar, dê-lhe um leve toque e espere que chegue novamente à mão oposta. Por vezes, no início, a bola demora um pouco mais passando de mão para mão. É apenas uma questão de se sentir à vontade com o processo e familiarizar-se com a sensação.

"A Mola Maluca"

Esta é uma variação do processo da bola de pingue-pongue. Você pode imaginar a energia como um tipo de mola etérica. Se não está familiarizado com a "mola maluca", trata-se de um brinquedo simples que consiste numa mola achatada, comprimida numa espécie de cilindro solto. Pensando bem, se não conhece a mola maluca, você provavelmente é um alienígena e não tem necessidade de ler esta seção.

Se você agarrar uma ponta da "mola maluca" e empurrar o resto do cilindro para fora, ela vai se desenrolar até um comprimento surpreendente e regressará com sua forma sinuosa. Você pode também "despejar" os aros de uma mão para a outra, e novamente para o mesmo lugar, de trás para a frente, estabelecendo um ritmo que faz a "mola maluca" saltar de uma mão para a outra mão.

Outra imagem que você pode usar para ajudá-lo a sentir essa energia é a da "mola maluca" na palma de uma mão virada ao contrário. Mande-a para cima e visualize-a a formar um arco ao deixar uma mão e passar para a outra. Sinta o peso deixando sua mão. Agora sinta esse mesmo peso descendo sobre a outra mão em unidades cada vez maiores até toda a "mola maluca" estar em repouso. Inverta o processo e brinque com ela em velocidades diferentes.

No início, use os olhos para seguir o fluxo da energia de uma mão para outra. No fim, não será mais necessário usar os olhos.

Sinta-a, encontre-a, estique-a

Quando sentir a energia (ou mesmo que não a sinta), imagine que há uma espécie de vínculo etérico ligando o lado de dentro das suas palmas, como um caramelo mole que você pode puxar. Sem mudar a posição das mãos – em outras palavras, deixando-as permanecer na posição anatômica normal – sinta a energia mover-se e esticar. Talvez você queira mover as mãos lentamente em pequenos círculos antes de começar a esticar, para ajudá-lo a familiarizar-se com essa nova sensação. Esse processo serve também para ajudar a localizar a relação, em termos de posição, entre suas mãos, o que lhe permite sentir muito mais nitidamente a sensação. Enquanto mantém a sensação nas mãos, quero que as afaste lentamente uma da outra, ao mesmo tempo em que leva a sensação consigo – porque cada ponta desse "caramelo etérico" está ligada às palmas das suas mãos: uma ponta a uma palma, a outra ponta à outra palma. Enquanto estica o caramelo, afastando lentamente as mãos cada vez mais, você pode sentir o caráter etérico do alongamento. Se a sensação diminui em certo momento, junte novamente as mãos um pouco e repita o pequeno processo circular uma vez mais até que a sensação regresse. Então recomece a esticar.

Não há necessidade de se mover rapidamente quando aprende pela primeira vez esse processo. Demore o quanto for preciso. Brinque. Mais tarde, quando estiver trabalhando com pacientes, você vai se lembrar de que tem apenas uma responsabilidade: *receber* e *sentir* com clareza. É tudo o que você está fazendo agora.

Quando chegar a esse ponto, o próximo passo é começar a trabalhar com algo ou alguém entre suas mãos. Comece de um modo simples, com a mão de alguém no espaço entre as suas, e então repita o exercício anterior. Depois disso, você pode expandir o processo colocando as mãos em cada um dos lados do corpo de alguém, e mais uma vez repetir o exercício anterior. Lembre-se, para o bem desse processo: a mão ou corpo dessa pessoa *não existe*. Você está simplesmente permitindo que a energia passe entre as *suas* mãos; não está tentando enviá-la através das mãos dessa pessoa.

Exercício de boiar

O próximo exercício que você irá fazer chama-se "boiar". Imagine que a sala em que se encontra está cheia de água até à parte inferior do seu peito. Começando com as mãos e braços em posição anatômica normal, deixe-as flutuar até a superfície da água. Sinta-as flutuar sustentadas pela água. Além disso, sinta a tensão superficial da água sustentando levemente as palmas das suas mãos. Enquanto isso, repare nas várias sensações que você experimenta. Quando estiver trabalhando com um paciente, essa é uma das maneiras de conseguir estabelecer uma conexão com o seu campo energético. Fazer isso corretamente, na maioria das pessoas, iniciará a demonstração dos seus registros (respostas físicas involuntárias, que são frequentemente visíveis).

Se você não encontrá-la, está se esforçando demais

No início, haverá momentos em que você nem sempre estará seguro de que a energia está presente. Ela só não virá se você estiver com receio que ela venha – ou se estiver se esforçando demais. Uma vez ativada, *ela está* chegando por seu intermédio. Já está ali. Você nunca vai perdê-la. Todavia, para ajudar a encontrá-la durante esses momentos de incerteza, olhe ligeiramente para cima, para um ou outro lado. Você deve estar habituado a ver essa posição visual em alguém que ouve atentamente ao telefone. Ela acessa a parte do seu cérebro que ouve e interpreta – não só com os ouvidos, mas com sua própria essência. Não tente *enviar* a energia; não se trata de forçar ou induzir. Trata-se de *receber*. Trata-se de "escutar" outra sensação. De "ouvir" com um sentido diferente.

Se você esperar para receber e sentir a energia, a outra pessoa normalmente vai senti-la também. Serão capazes de confirmar a sensação. É um modo de saber que ela ainda está lá; você ainda a tem. Com o tempo, a sensação irá se tornar tão familiar como a sensação da água ou do vento na sua pele.

Embora o centro da nossa atenção esteja em "receber", esses exercícios contêm um elemento de "enviar" também. Lembre-se que foram concebidos para ajudar a ajustar suas percepções. Depois que desenvolver sua acuidade, sua aptidão para discernir e discriminar entre os dois será muito maior.

Capítulo vinte

O terceiro elemento

"Nada que jamais tenhamos imaginado está além do nosso poder, só além do nosso atual autoconhecimento."
— Theodor Rozak

Sobre a maca

Você ativou suas mãos, descobriu como é sentir a energia e aprendeu como brincar com ela e mantê-la presente enquanto faz movimentos com as mãos. Agora você está pronto para ver o que acontece quando introduz o terceiro elemento – o paciente – na equação.

Como incluir o paciente no fluxo de energia entre você e o universo? Que tipo de respostas pode esperar – tanto do paciente como de si próprio?

Antes de responder a essas perguntas, permita-me sugerir que talvez seja mais fácil se seu "paciente" for alguém conhecido que esteja disposto a deitar-se e a deixá-lo praticar com ele. Em suas sessões iniciais, certifique-se de que nem você nem a outra pessoa têm qualquer expectativa em relação aos resultados. Em outras palavras, pratique em alguém que nem está empenhado em obter uma cura nem determinado a *provar que você está enganado*. Sugiro que diga simplesmente a alguém: "Sabe, estou lendo este livro especial... Posso ver sua mão por um momento?" Se não houver objeção, mantenha suas mãos em posição em volta das mãos da outra pessoa, dê início à abordagem "procurar sentir, encontrar, esticar", e uma vez que a sinta reagir nas suas mãos, pergunte-lhe o que sente. Não é preciso que a pessoa peça efetivamente uma cura – embora haja sempre benefício para os envolvidos. Vá com calma. A última coisa que deseja é um sentimento de pressão para "fazer algo" ou ter um desempenho. Não a oriente dizendo-lhe o que pensa que ela devia estar sentindo. Simplesmente brinque. Procure sentir, encontre, estique. Espere que chegue e acompanhe-a. Ouça com as mãos. Ouça... com um sentido diferente.

Se estiver num ambiente mais relaxado, talvez você queira pedir ao seu amigo que se deite de barriga para cima numa maca ou noutra superfície que vocês escolherem. Peça-lhe que feche os olhos, lembre-o para se limitar a *reparar*, peça-lhe que abdique do processo mental participativo e simplesmente observe quando houver algo para observar, bem como quando não houver nada para observar; deixe-o ficar deitado e se descontrair, como se tivesse inesperadamente lhe concedido uma pequena pausa para descansar.

Não sugiro que esvaziem a mente ou que tentem não pensar em nada. Por norma, as pessoas têm dificuldade com o conceito de não pensar em nada. A mente não para. Sugira que o "paciente" repare simplesmente em seja o que for que lhe chame a atenção. Isso lhe dá algo que fazer e tende a aliviar o *stress* que frequentemente resulta de se tentar não pensar em nada... e descobrir que não se sabe como. Diga-lhe que volte a atenção para o interior do seu corpo e deixe-o viajar através dele. Observar seja o que for que lhe pareça fora do comum pode dar-lhe bastante com que ocupar a mente sem que se perca com outras questões.

Agora você está pronto para começar.

Dê espaço

Como foi mencionado antes, no que diz respeito à Cura Reconectiva, grande parte da experiência para a maioria dos pacientes está nas várias sensações que terão durante a sessão. Mas também há nisso um benefício para aquele que cura, e este consiste em que quase todos os pacientes irão demonstrar registros visíveis à medida que você trabalha com eles. Alguns pacientes também irão ouvir, ver ou cheirar coisas de que ninguém mais na sala está consciente. Não interfira de modo algum nesse processo, o que, como disse antes, é a razão por que você deve evitar usar roupas largas que possam cair sobre o paciente a cada movimento seu; evitar deixar cair o cabelo sobre o paciente, tocar-lhe inadvertidamente o cabelo, rosto ou corpo; usar perfume ou fragrâncias na sala; cantarolar ou pôr música para tocar; ou até projetar sombras aleatórias nas pálpebras do paciente. Com isso em mente, é tempo de brincar mais uma vez – mas agora com um companheiro.

Movimentando-se ao longo do corpo

Primeiro, coloque-se perto do corpo do paciente. A que distância você deve ficar? Depois de estabelecer minha conexão com o campo do paciente, verifico que gosto de mover as mãos para qualquer ponto a uma distância de trinta centímetros ou mais do seu corpo. A energia muda quando as afasto mais? Sim. Torna-se *mais forte!* Por que será? *Não sei!*

Aproxime-se e afaste-se do paciente, continuando ciente das suas sensações e em contato com elas, à medida que observa as reações da pessoa na sua maca. Embora ela tenha os olhos fechados, você, como praticante, terá de manter os olhos abertos durante as sessões de Cura Reconectiva. Seus olhos fazem parte integrante do processo de cura, e têm um propósito muito maior do que simplesmente reparar na perpendicularidade das paredes.

Explore enquanto segue a energia. Deixe-a guiá-lo. Observe como os registros são afetados pelo seu movimento. Observe como as mudanças do paciente correspondem às diferenças em intensidade e caráter que sente dentro das suas mãos e à volta delas. À medida que ficar mais à vontade com o processo, você começará a notar registros de sentimento – registros internos de resposta dinâmica – que ocorrem no interior do seu corpo também.

Que parte do corpo do paciente você deve trabalhar primeiro? A cabeça? As mãos? Deveria começar por trabalhar um chakra específico? Na verdade não importa. Muitas vezes começo pela cabeça ou pela área do peito. Também não é incomum começar pelos pés. Varia, dependendo do instinto, e é frequentemente influenciado pelo meu ângulo de abordagem. Em outras palavras, não dê mais atenção do que daria ao aproximar-se de uma cadeira pelo lado esquerdo ou direito. Quanto mais análise premeditada dedicar às suas ações, mais você se afasta da porta de entrada.

Se escolher começar por cima, posicione-se de pé, de modo a conseguir colocar confortavelmente uma mão em cada lado da cabeça do paciente, braços relaxados e esticados em posição anatômica normal. Agora encontre a energia – ou para falar mais apropriadamente, deixe que a energia o encontre. Mais uma vez, procure senti-la, encontre-a, estique-a. Sinta o formigamento, ou o frio ou o calor ou seja o que for que sinta. Não se preocupe em saber se está experimentando a sensação correta. Seja qual for a sensação que tenha, é a apropriada. *Não se trata* do que *você sente; trata-se* do fato de *você sentir*. Assim que ela estiver lá, trabalhe-a um pouco, estique o caramelo ou faça mover a "mola maluca".

Agora, deixando as mãos numa posição relaxada, mova-as para perto e para longe com facilidade, ou mova-as em pequenos círculos. Misture, junte e combine até encontrar a confluência. Esse é o ritmo da sua vida. A sua energia está agora entrando num reino diferente, e o seu ser reconhecerá uma maior profundidade perceptiva e integrará essa força na sua existência. Você está encontrando o ritmo que amplifica o comprimento de onda, que amplifica a força que vem através de você. Esse instrumento de medida, esse mostrador, está na sua vida e sob seu controle.

Muitas vezes começo rodando as mãos num plano vertical se estou perto da cabeça ou dos pés, ou num plano horizontal se estou sobre o corpo. Ou posso deixar uma ou ambas as mãos divagar em movimentos exploratórios. Não analise demais; deixe simplesmente que suas mãos se movam e explorem segundo seu instinto.

O que você está fazendo é desenvolver um contato ou comunicação entre o seu campo energético e o do paciente. Está juntando sua energia com a dele, e com a do resto do universo. Não só o paciente pode sentir, mas você será muitas vezes capaz de sentir numa mão o movimento da sua outra mão.

Por exemplo, imagine alguém deitado de barriga para cima numa maca, você de pé à esquerda da pessoa, de frente para ela. Com a palma da sua mão esquerda para baixo, mova a mão num pequeno padrão circular sobre uma área acima das pernas do paciente, permitindo que um aumento contínuo de sensação chegue à sua mão. Agora estenda-a para cima só um pouco e mantenha-a esticada ao máximo. Com a mão direita localize um ponto a cerca de quinze centímetros acima do peito da pessoa. Mais uma vez, comece a explorar com um pequeno movimento circular; e estique para cima. Enquanto mantém o "esticamento" em cada mão, repare que pode detectar nitidamente o padrão circular que sua mão direita executa num vórtice de energia na palma da sua mão esquerda. Quando atingir esse grau elevado de sensibilidade, você ganha consciência de novos níveis no circuito do *feedback*. Esse é o passo seguinte do seu progresso para ganhar perícia, dado que o *feedback* é extremamente útil nessa fase. É do seu ser que essas energias fluem através você, que não é só uma parte, mas um participante, nessa troca. Ela não está fora de você; está *dentro* de você.

Pela primeira vez, você está envolvendo no processo a energia de outra pessoa. O que sente é uma confluência – e essa confluência permite-lhe ter experiências de uma profundidade perceptiva maior, não só durante as sessões de cura, mas na sua vida.

Não há interferência

Uma palavra-chave acima é *confluência*. Outra palavra esclarecedora é *essência*. Visões de mundo mais antigas, mais baseadas na matéria sólida, produzidas pela nossa suposta existência quadridimensional, podem dizer que o corpo físico de uma pessoa bloqueará ou impedirá o fluxo da energia. É frequente ver indícios de "curadores" que aceitam essa ilusão quando voltam a pessoa para baixo ou lateralmente, para "chegar ao outro lado". Não *há* outro lado. Isso é uma ilusão *baseada no medo*. O ser humano vivo à sua frente não é de modo algum uma interferência no fluxo de energia reconectiva. Na realidade, os corpos são uma parte integral da interação. Sua essência é o componente que dá existência a essa nova confluência. Não só a pessoa contribui como ela não conseguiria bloquear a energia nem que jogasse futebol na primeira divisão.

Se isso está ficando um pouco "complicado", deixe-me explicar a partir de uma perspectiva da física. Se você extraísse todo o espaço vazio de um corpo humano, o impacto da matéria resultante seria proporcional ao de uma bola de golfe caindo num campo de futebol vazio. Ou pense deste modo: se fizesse um átomo de hidrogênio se expandir até a dimensão do mesmo campo de futebol, o núcleo seria a bola de golfe, enquanto o elétron estaria orbitando à distância no perímetro do campo. Entre um e outro não há nada senão espaço vazio – espaço suficiente para que a energia de uma das suas mãos chegue à outra.

Faça o que achar certo

Nesta fase, você e o paciente partilham a mesma energia. Comece a percorrer lentamente seu caminho ao longo do corpo dele. Deixe as mãos continuarem a se afastar e se aproximar com a energia. Em que direção você vai? Naquela que sentir ser a mais apropriada. Como mover as mãos: você faz círculos, estica, deixa-as flutuar? Deixe que suas mãos lhe digam. Você está interagindo com a força vital. Sua energia existe numa esfera de influência que é central para sua compreensão de uma esfera de influência *diferente*. Está transportando a força dessa energia de um modo variado e multidimensional.

Você é um receptor. Esse não é um processo consciente de tomada de decisão. É como quando você caminha de um lugar para outro. Sabe que está se movendo de um ponto para outro, mas não pensa: *Tudo bem, vou levantar o pé esquerdo e pousar o calcanhar, depois o dedão do pé; agora vou deslocar meu peso para a frente e levantar o pé direito e baixar o calcanhar, depois o dedão...* você simplesmente caminha.

Se estiver tendo dificuldades para se desligar, relembremos um exercício de alguns capítulos atrás. Imagine mais uma vez que está falando com alguém ao telefone. Desvie um pouco o olhar para cima e para um lado. Você está ouvindo atentamente. Lembra-se? *Ouça* com as mãos. *Simplesmente* preste atenção – não pense no que sente. Não analise. Não interprete. Simplesmente sinta.

Para fins de ilustração, vou partilhar o que *eu* posso fazer durante uma sessão típica de cura. Posso começar aos pés da maca, fazendo um movimento circular com uma mão na direção das plantas dos pés do paciente. Posso ter a impressão de estar mexendo uma panela com uma colher, embora a verdade é que não sei por que começo tão frequentemente uma sessão nesse lugar. Não tenho consciência de fazer a escolha, e, com igual frequência, posso começar sobre a área do estômago ou no topo da cabeça. O movimento circular eleva minha consciência da sensação inicial, tal como, ao colocar os pés num lago ou piscina de água fria, mexemos um pouco os dedos dos pés.

Normalmente começo por procurar áreas no corpo do paciente nas quais observo uma reação ou que me proporcionem sensações mais intensas. Os olhos da pessoa podem estar ainda abertos e conversamos enquanto movo uma mão num percurso circular, enquanto a outra mão puxa ou empurra. Finalmente, peço ao paciente para fechar os olhos e relaxar e continuo a partir daí.

Sua mão direita sabe o que a esquerda está fazendo

A propósito, raramente movo as mãos em sincronia. Quando faz isso, você está apenas criando padrões por criar padrões. Como saber isso? Pense nos limpadores de para-brisa – eles se movem ou paralelamente um ao outro ou em oposição, mas sempre de um modo fixo e sincronizado. Esse padrão funciona porque os limpadores de para-brisa podem tratar todas as gotas de chuva do mesmo modo. Mas não é o mais apropriado para *nós*. Uma área ou um lugar pode dar-nos uma sensação, enquanto outra nos dará uma sensação diferente. Como cada uma tem características únicas, não estamos sendo fiéis ao processo se desconsiderarmos esse fato e simplesmente movemos por mover.

Digamos que você esteja sentado numa sala de cinema às escuras. Sua bebida está no chão perto do seu pé esquerdo e as pipocas estão num saco no colo da sua amiga, que se sentou à sua direita. Feche os olhos agora e procure buscar sua bebida e as pipocas ao mesmo tempo. Repare como a sua mão direita e a esquerda se movem de duas maneiras diferentes. Isso é porque você está na verdade demorando para se instalar na sensação, permitindo que suas mãos reajam individualmente à informação sensorial de dois objetos com localização, densidade e estrutura diferentes. Se as suas mãos seguissem ambas os mesmos padrões de movimento, as pipocas ficariam espalhadas sobre sua amiga e a bebida molharia as pessoas à sua frente. Você pode também pensar num pianista ou violonista, cujas mãos fazem coisas diferentes cada uma, no entanto trabalham juntas para produzir um único resultado harmonioso.

De modo semelhante, ao fazer os movimentos ao lado do paciente, "ouça" com as mãos, esteja alerta a variações ao sentir a energia. Quando constatar que a energia está mais forte ou mais fraca ou de algum modo incomum, brinque com ela – estique-a, mova-a, interaja com ela. Repare se lhe provoca a sensação de bolhas, como o jato de água de uma jacuzzi ou um refrigerante gasoso; fresca e arejada como uma brisa generalizada; ou quente e delineada, como se você tivesse acabado de tocar em cera quente com as pontas dos dedos. Seja o que for que lhe chame a atenção na energia do paciente, pare e brinque com isso – mas não com quaisquer objetivos específicos em mente. Concentre-se no processo, não no resultado. Brinque com ela enquanto lhe parecer interessante e estimulante. Depois siga em frente.

Entretanto, preste atenção ao resto do corpo do paciente. Observe os olhos do paciente sem perder de vista o resto do corpo. Esteja ciente de todas as mudanças, o melhor que seja capaz, e correlacione essas respostas com o que sente em suas mãos ao mesmo tempo.

Isso é muito importante, porque lhe garante que você não vai confundir sensações aleatórias ou imaginadas em suas mãos com fluxo autêntico de energia e conexão.

Registros comuns

Como mencionei anteriormente, um registro é uma reação física ou fisiológica involuntária às frequências. Esses registros são tão variados e aleatórios como as sensações que experimentamos durante as sessões de cura. Não há um registro único. Alguns pacientes registram mais vigorosamente do que outros – mas é provável que algo se evidencie no paciente quando você estabelece sua conexão. Enquanto move as mãos, explorando e descobrindo mais das complexidades dessa comunicação, os registros irão variar não só em intensidade, mas em caráter. Nos seminários, algumas pessoas ilustram isso de um modo suficientemente vigoroso para que quem esteja sentado no fundo do auditório possa ver com clareza, enquanto outros voluntários exibem-no de uma forma tão suave que só o consigo mostrar às filas de participantes mais próximas. Uma vez que você e seu paciente se ajustem às energias é provável que comece a ver claramente esses registros.

Seja qual for o registro ou a resposta, fique à vontade com a ideia de *não* lhes definir ou atribuir um significado. Essas são reações automáticas, muitas tão reflexivas como o movimento involuntário de um joelho sob o martelo de borracha de um médico. As lágrimas tanto podem indicar alegria como tristeza, ou o alívio da dor. Um registro é uma indicação de que você encontrou um bom "ponto" no campo de energia – um lugar conectado para estar.

Você vai reparar que, quanto mais trabalha numa área que originou um registro, mais o paciente tende a exibir esse registro. E quando o registro diminuir, ou quando o seu interesse por aquele registro específico começar a decrescer, passe à frente e descubra outro. O que significam essas exibições involuntárias? Os registros são uma indicação de que a pessoa na maca foi para o lugar onde se tomam decisões no que diz respeito à sua cura.

Há três coisas que, superficialmente, parecem nada ter a ver entre si: a localização dos sintomas da pessoa, o lugar onde você mantém as mãos e a área dos registros da pessoa. Em outras palavras, os registros frequentemente não corresponderão de jeito nenhum com a área do corpo onde se pensa que a lesão ou a doença do paciente existe.

Por exemplo, trabalhar perto dos pés pode ter como resultado a pessoa deixar de ter uma dor de cabeça, assim como trabalhar perto da cabeça poderá ter o mesmo resultado. Trabalhar perto da cabeça pode resultar no restabelecimento da audição de uma pessoa tão facilmente como poderia resultar no desaparecimento dos joanetes. Além disso, seus registros podem manifestar-se nos joelhos tão prontamente como no rosto. Não importa onde você se posiciona ou onde mantém as mãos. Sua função é encontrar um lugar interessante no campo de energia do paciente, e brincar com ele até lhe apetecer mudar de lugar. Por que um lugar interessante? Porque quando o seu interesse aumenta, ele o mantém presente e conectado. E a cada vez que se dirige a um novo lugar no corpo, você renova sua presença e reconecta-se.

Sim, isso é na verdade tudo o que você faz. Sinta a energia num ponto, depois *brinque com ela, descubra-a, explore-a* – sem expectativas ou objetivos. A energia tem ressonância em suas mãos e na sua vida interior. É circular por natureza. Aproxime suas mãos ou afaste-as mais, faça-as rodar em círculos e faça o que quer que lhe pareça certo ou aumente sua conexão no momento. Não gesticule nem faça padrões "bonitos" no ar apenas pelo movimento. Mantenha plena consciência das sensações que você está percebendo relativamente aos registros no paciente. Você vai notar que, quanto mais trabalhar nesse ponto, mais o registro se exibe... ou maior é a tendência de outros registros se juntarem à sinfonia. Você está orquestrando essa energia de um modo que é apropriado a um tipo de "convergência harmônica" nas vidas que está tocando.

Seguem-se alguns dos registros mais comuns.

Rapid Eye Movement (REM)

O Rapid Eye Movement (movimento rápido dos olhos), que é frequentemente o registro inicial de uma pessoa, representa uma dicotomia fascinante porque, embora o paciente muitas vezes sinta um incrível estado de quietude, do exterior ele parece tudo menos tranquilo. É semelhante ao que acontece quando uma pessoa adormecida passa para um estado onírico. Mas, no caso de uma pessoa que tem uma experiência reconectiva, a causa é claramente diferente porque, mais uma vez, o paciente *não* está adormecido. O REM que ocorre com as frequências reconectivas tende a assumir uma série de padrões distintos. Às vezes é um ligeiro tremor das pálpebras, mas outras vezes é forte. Às vezes é rápido, às vezes lento. Normalmente é regular, mas por vezes o padrão é difícil de distinguir. Em metade dos casos, são as pálpebras que se movem; na outra metade, são os próprios olhos. Por vezes quando o olho se move, é um movimento lento, quase divagante;

em outros momentos é um dardejar rápido, para trás e para a frente. Por vezes, um ou ambos os olhos estão parcialmente abertos; normalmente, ambos permanecem fechados. Quase sempre os olhos mostram um registro. Seja REM ou não, o paciente está ciente do que se passa, na maioria dos casos.

Mudanças respiratórias

As mudanças respiratórias são um dos registros iniciais, geralmente ocorrendo logo após o registro dos olhos ou simultaneamente com ele. Há muitos modos pelos quais esse registro pode se manifestar: respiração mais rápida, mais profunda, ou irregular; e aquilo a que chamo "respiração lufada". Cunhei esse termo para me referir a um tipo de respiração incomum que ocorre quando os lábios estão relaxados e ligeiramente afastados, de modo que cada fôlego sai com uma *lufada* suave e delicada de ar. A respiração lateral é uma variação da respiração lufada, onde a lufada de ar ocorre no canto da boca. Também há o ronco – que difere da forma tradicional pelo fato de o paciente estar acordado e consciente de fazer o som.

Pode acontecer que o paciente deixe completamente de respirar! Acredite ou não, essa é uma resposta desejável, um estado elevado de unidade em que se pode ter a experiência da quietude e do silêncio do universo. A respiração recomeçará no momento apropriado.

Há uma linha de continuidade que atravessa todas essas modificações da respiração. O termo védico *samadhi* refere-se a uma singularidade, um estado de unidade e felicidade. É nesse estado que frequentemente se diz que não estamos acordados nem dormindo, mas num estado mais real do qualquer um dos dois casos. Isso é o que relatam muitos que têm a experiência dessas alterações na consciência, essas alterações na respiração. Embora possam não conhecer o termo *samadhi,* esses pacientes descrevem um estado muito similar, e não raro estão conscientes em parte das mudanças e padrões incomuns na sua respiração.

É preciso um enorme cuidado em certas situações. Não é bom querer caracterizar a experiência de alguém dizendo-lhe o que pode esperar; por outro lado, não é bom que experiências inesperadas os façam sair correndo das sessões. Na sua maioria, as pessoas encontram-se em tal estado de felicidade no momento em que têm experiência dessas modificações respiratórias que simplesmente desfrutam o êxtase que elas lhes proporcionam. Contudo, numa ou noutra ocasião, a mente lógica de alguém irá impedir-lhes o caminho. Vai perceber que parou de respirar e, embora a experiência seja magnificamente extraordinária, tenta forçar-se a respirar novamente. Se for isso o que lhe dizem depois de uma sessão, informe-os, para referência futura, que estão perfeitamente seguros naquele lugar e que não precisam tentar forçar novamente a respiração. No decorrer de uma cura, por vezes sua respiração para por um momento porque *supostamente* sua experiência tem de incluir um momento de completa quietude, um reflexo da sua conexão total com a "unidade" que você está experimentando. Quando for hora de o seu paciente respirar mais uma vez, ele o fará. Simples assim.

Engolir

Engolir tende a ocupar o terceiro lugar na disposição inicial dos registros. Muitas vezes há um aumento na frequência e/ou intensidade no gesto de engolir por parte do paciente. Às vezes prolonga-se durante quase toda a sessão; normalmente só está presente durante a parte inicial. É um registro muito comum e normalmente manifesta-se, quando o faz, nos primeiros minutos da sessão, porém aparece menos frequentemente e com menor intensidade do que o REM e os registros respiratórios.

Lágrimas

O aparecimento súbito de lágrimas também é um registro fascinante. Aparentemente sem aviso, as lágrimas chegam aos olhos do paciente, derramam-se e correm incessantemente pelas faces enquanto a expressão facial do paciente continua a ser de felicidade. As lágrimas são uma reação ao toque da Verdade, à experiência e reminiscência da Verdade. É o reconhecimento da Verdade como o lugar de onde todos viemos e o lugar para onde regressaremos, o lugar que não vemos aparentemente há muitíssimo tempo. Quando recebemos a honra de tocar a Verdade e interagir com ela, mesmo por um momento, vêm à tona as nossas emoções pelo sentimento de estar em Casa, e saber que logo estaremos ali mais uma vez.

Riso

Às vezes o paciente na sua maca desatará a rir incontrolavelmente. É muito provável que ele lhe diga que não sabe do que está rindo. É bom informá-lo de que não há problema algum em rir. Se você não sentir que é aceitável, ele vai rir ainda mais e pode interferir com os aspectos experimentais da sua sessão. Em geral, dar-lhe verbalmente permissão para rir, uma vez que comece, fará com que a risada se dissipe.

Movimentos dos dedos

Um registro que, para muitos, só se manifesta depois de vários minutos de sessão, é o movimento dos dedos. Movimentos involuntários dos dedos tendem a ocorrer bilateralmente, sincronicamente ou sem sincronia. Às vezes os dedos de ambas as mãos podem se mover; às vezes apenas os de uma. Às vezes os dedos de ambas as mãos movem-se simultaneamente; outras vezes os dedos de uma mão movem-se e os da outra seguem esse movimento. À medida que a sessão progride, você verá com frequência o envolvimento da mão e do pulso no processo. Para algumas pessoas, o braço também entrará. Variações sobre esse padrão ocorrem igualmente com os pés.

Rotação da cabeça e movimentos corporais

Às vezes a cabeça irá rodar lentamente ou sentir-se impulsionada para um lado ou para o outro.

Os movimentos corporais que são comumente observados relacionam-se com o abdômen e o peito. Você verá também os braços e/ou as pernas "saltarem".

Estômago gorgolejante

É frequente os estômagos das pessoas "gorgolejarem" ou fazerem ruídos durante as sessões, especialmente quando você está com as mãos sobre aquela área do corpo delas. Sugiro que informe as pessoas, antes de começar a sessão, que se trata de uma ocorrência normal. Algumas pessoas podem ficar envergonhadas e, se não lhes disser que isso pode acontecer, isso poderá impedi-las de desfrutar a experiência.

Deixar as coisas seguirem seu próprio rumo... e a sua responsabilidade

Permita-me parar aqui um pouco para ponderar acerca de deixar as coisas seguirem seu rumo. Embora seja verdade que, a partir do exterior, você não pode realmente interpretar com precisão as experiências que seu paciente está tendo, essa força tem sua própria inteligência – uma Inteligência muito Elevada. Ela sabe o que é apropriado para a pessoa na maca apesar de nossa mente limitada, educada e indutivamente orientada não saber.

As sessões reconectivas são quase sempre percebidas como agradáveis, valiosas e únicas. Numa rara ocasião, alguém pode interpretar sua sessão de outro modo. *A interpretação que fazem da sessão não é da sua responsabilidade.* Será desejável, contudo, usar um pouco de bom senso. Como vimos antes, alguém que chore ou que pareça estar em aflição física geralmente não está tendo interiormente experiência daquilo que aparenta exteriormente. Se uma pessoa aperta o peito na zona do coração e aponta para o céu, soluçando: "Estou chegando, Ethel!", talvez isso justifique verificar seu estado. Você aprenderá a usar a prudência e o discernimento para saber se interrompe ou não a sessão.

Até agora, nas poucas vezes que decidi intervir desde que tudo começou em 1993, meus pacientes disseram-me que estavam maravilhosamente bem e que desejavam continuar as sessões.

Pode nunca haver realmente uma razão para intervirmos, já que isso está sendo mediado por uma força além da nossa compreensão. Contudo, se por acaso decidir fazê-lo, uma palavra gentil de sua parte irá normalmente abrir a comunicação, permitindo-lhe verificar o estado da pessoa. Se seu paciente não reagir, pode optar por fazê-lo sair da sessão delicadamente tocando-o de leve – ou com firmeza, se a situação exigir – bem abaixo da clavícula (ou no ombro) e chamá-lo pelo nome. Muito raramente, senti necessidade de estalar em simultâneo os dedos algumas vezes perto de um dos ouvidos durante o processo descrito acima. Você poderá instruir seu paciente a abrir os olhos e mantê-los abertos durante alguns momentos até que se sinta bem. Também é útil deixar um copo de água nas proximidades.

De vez em quando, alguém pode não reconhecer uma cura. Você também não é responsável por isso. Ela pode surgir numa forma que se tornará visível mais tarde, ou pode surgir numa forma que não será prontamente reconhecível em momento *algum* no futuro próximo. E, como mencionei antes, quando me perguntavam: "Todo mundo tem cura?", costumava responder: "Não". Já não acho isso. Creio que todo mundo *tem* uma cura; simplesmente a cura pode não chegar com pompa e circunstância.

O que você pode sentir

Até este ponto do livro, referi-me apenas a algumas sensações que você poderá sentir nas mãos ou no corpo. Isso foi para lhe dar algum tempo para fazer suas próprias descobertas à medida que avançávamos. Agora gostaria de lhe dar uma lista ligeiramente mais ampla para que possa ver em letra impressa algo do que sem dúvida já encontrou na sua evolução para o transensorial. A relação e interação entre você e as energias é única, individual e muito íntima. É essencial que você eleve sua consciência e sua familiaridade com as complexidades dessas sensações porque é desse ponto de reconhecimento que você começa a desenvolver sua capacidade. Os níveis de competência a que isso o levará são indescritíveis.

Eis algumas das sensações mais frequentemente relatadas pelos praticantes:

Borbulhas: uma sensação de minúsculas borbulhas gasosas; ou borbulhas do tamanho de bolas de gude; ou do tamanho de uma bola de bilhar ou de tênis sobe até as palmas das suas mãos.
Água: ocorre frequentemente como uma sensação de garoa ou de chuva leve.
Faíscas: você alguma vez se perguntou qual seria a sensação das faíscas que chovem de um fogo de artifício? Bom, é assim.

Eis algumas das outras sensações comuns que você pode ter:

- Secura
- Calor
- Frio
- Quente, frio, úmido e seco ao mesmo tempo (não posso explicar esta sensação, mas uma vez que a tenha sentido, saberá do que falo)
- Puxão
- Empurrão
- Palpitação
- Eletricidade
- Atração magnética
- Repulsa magnética
- Mudanças na densidade do ar
- Brisas (normalmente frias e localizadas)
- Expansão – sentimento do seu corpo aumentando de tamanho – frequentemente comparável a um "traje espacial" ou "traje aéreo" moldado com a forma do seu corpo, porém não raro muito maior. Isso é às vezes concentrado na área de um braço ou perna; às vezes específico a um quarto ou metade do corpo; outras vezes mais abrangente.

Mantenha o movimento

Continue a movimentar-se pelo corpo do paciente, descobrindo pontos na energia com que tenha vontade de brincar. Se não sente coisa alguma, está provavelmente se esforçando demais. Simplesmente relaxe e espere. Não precisa entrar em "modo de desempenho", levando as mãos à cabeça e invocando melodramaticamente o Espírito ou Deus; não precisa entrar numa grande produção para trazer o sentimento de volta. Simplesmente relaxe e diga a si próprio: *Tudo bem, estou um pouco mais concentrado nisto do que devia. Vou recuar e deixar que o sentimento venha às minhas mãos.* Então, acalme-se. Dirija de novo a atenção para as mãos e espere até que a sensação regresse. É simples assim.

Procure senti-la, encontre-a, *investigue-a!* À medida que sua competência cresce, você pode mover-se muito mais rápido. Quando encontrar um local, vá mais devagar e examine-o. Mantenha o contato. Traga-o à tona, amplifique-o, trabalhe com ele. Às vezes são as explorações mais intricadas que dão os resultados mais poderosos. Pode usar as duas mãos sobre a área, ou uma delas pode se desviar para encontrar um segundo ponto – um ponto de novo interesse de modo que cada uma delas tenha uma área em que trabalhar. Durante esse processo, deixe que suas mãos tenham vida própria – que tenham sua própria *curiosidade*.

Mas lembre-se de que *você não* está procurando pontos *preexistentes*. Essa noção é muito importante, uma distinção entre este novo nível de cura e a evolução, e as limitações e interpretações errôneas de algumas das abordagens "técnicas" anteriores.

No passado, você talvez tenha assistido a aulas onde o curador/instrutor afirmou que ia lhe ensinar a "perscrutar". Permanecendo acima do paciente, o instrutor fazia as mãos flutuar no ar e dizia: "Vejamos, é... oh, aqui está, está mesmo aqui. Agora, ponham-se todos em fila e vejam se conseguem sentir. Consegue sentir ali? Ótimo. O próximo. Consegue sentir ali? Ótimo. O próximo..."

Bom, *não* é "isso", e *não* está "ali". Não há "ponto" fixo para sentir. Lembre-se: uma cura não consiste num paciente sobre uma maca e um curador pairando sobre ele, dirigindo a energia para seu corpo ou procurando uma área de congestão preexistente. Essas transformações são uma equação – e tal como em qualquer equação, se você mudar os números, obterá respostas diferentes. Do mesmo modo, se duas pessoas tentam encontrar o mesmo ponto, não o encontrarão – *porque o ponto não está lá.*

A descoberta, como a ciência indica, pode muito bem ser um ato de *criação*. O ponto que aparece para *mim* não é o ponto que se deixa conhecer por você. O ponto é uma criação conjunta, um produto do amor e sentimento e comunicação entre você, o paciente e o universo. Dessa tríade emerge uma transmissão: a essência eterna e sem forma do nosso universo em permanente evolução.

Pontos de conexão omnidirecional

Tendo em mente essa questão, deixe-me acrescentar que as respostas mais fortes tendem a ser produzidas por áreas específicas do corpo. Você continua a criar os *pontos* de interesse, porém pode dirigir-se a áreas mais férteis no campo. É provável que obtenha as maiores reações enquanto brinca com a energia na proximidade do topo da cabeça (aquele que é comumente conhecido como o *chakra da coroa*), o centro da testa (o que é conhecido como a área do *terceiro olho*), a garganta; o coração; o baixo-ventre; as costas ou a parte de cima das mãos e pulsos; a parte de cima dos pés e as áreas suaves acima dos tornozelos. Chamo a essas áreas intensamente reativas de *pontos de conexão*. Acessar, conectar e comunicar-se com o campo de uma pessoa pode ser muito fácil a partir desses pontos, e frequentemente revelam registros com maior grau de demonstrabilidade. Pode concebê-los como "eixos" onde se troca informação.

Um sistema de *feedback* dinâmico, recíproco e multicamada

O *feedback* que você receberá do paciente na maca ultrapassa os registros mencionados antes. Ele não só é multicamada, é dinâmico e recíproco. Numa camada, aí está você. Está esticando a energia, por exemplo. Sente a sensação. Então, quando a puxa para cima, os olhos do paciente movem-se de certo jeito. Isso é o registro. Mas ao mesmo tempo, você sente uma mudança de intensidade nas *suas* sensações. É assim que você sabe que aquilo que fez é *responsável* pela mudança nos olhos.

Num nível de *feedback*, o paciente tem uma resposta externa. Noutro nível, pode não haver uma resposta visível, porém você tem uma reação interna nas mãos ou no corpo. Contudo, quando combina as duas, há um sistema de *feedback dinâmico* que admite mais ajustamentos precisos. É mais do que sentir algo e reparar na resposta da pessoa. É você em "sintonia", permitindo-se sentir o que se passa, e reparando no momento de uma mudança (uma mudança clara e reconhecível) no seu sentimento ou sensação, aquele *buum!* Há uma mudança simultânea ou resposta específica no paciente.

Você está entrando num estado de consciência em alerta. Ajustamentos adicionais irão permitir, ao usar as mãos independentemente, sentir numa mão o que a *outra* mão está fazendo! Em outras palavras, você pode "rastrear" com a mão esquerda e encontrar um determinado ponto, depois rastrear com a mão direita e descobrir um segundo ponto. Você move a mão direita em círculos aí, depois ganha consciência desse movimento circular na sua mão esquerda, que não está em círculos. Quando faz isso, o campo à volta da pessoa parece se intensificar mais e você começa a desenvolver registros mais fortes no paciente.

Você pode dizer, não só pelo que faz, mas pelo que sente e pelo que vê *em relação* ao que faz, que o novo nível de intensidade que descobriu por si correlaciona-se com uma resposta mais elevada e impressionante no paciente. Muitas vezes, você parece ter reações mais fortes com movimentos menores. Mesmo quando se sente perdido no êxtase, subitamente o braço ou o joelho do paciente dá um "salto". É como uma partícula subatômica *aqui,* respondendo simultaneamente ao movimento de uma partícula subatômica *ali*. Essa é uma das premissas sobre as quais funcionam a cura à distância, a cura ausente e a cura remota.

Enquanto continua a observar o paciente, talvez você não veja muito movimento ou perceba qualquer mudança de sensação nas próprias mãos. Você continua a procurar em volta e *buum!* De novo: ali está outra grande virada de olhos ou outro registro, e ao mesmo tempo, o *paciente* sente algo nas mãos *dele*.

Você tem que aceitar o fato de alguns pacientes exibirem muito mais registros do que outros. Isso não significa que uma cura é melhor ou pior do que outra cura. Tampouco significa que é mais ou menos eficaz. É como comprar dois carros. Um tem todo o tipo de mostradores imagináveis no painel – RPM, pressão do óleo, temperatura do motor, nível do fluido dos freios – o que quiser. O segundo carro é um veículo mais antigo, e o seu painel de instrumentos diz-nos quando o radiador está superaquecido ou quando tem pouca gasolina, nada mais.

Moral da história: só porque o carro velho lhe dá menos informação, isso não significa que não ande tão bem quanto o novo. Portanto, não avalie o que faz com base no que vê.

Ainda assim, você tem de desenvolver sensibilidade, um tipo de talento do toque, de modo a reconhecer a "sensação". Não perca de vista os principais gestos de registro no paciente, tais como o olhar, a respiração, o ato de engolir; mas deixe que também sua visão periférica capte sinais – indicadores que podem aparecer também nos dedos das mãos ou dos pés, ou em qualquer outro lugar. Ao mesmo tempo, aprenda a reconhecer as sensações que acompanham os movimentos. Esse é o seu sistema de *feedback* recíproco, dinâmico e multicamada.

Façamos de conta que você está dirigindo um carro automático. Com o pé, você *procura sentir* e *encontra* o acelerador. Está agora configurando o início de um sistema de *feedback*. Quando você pressiona o pedal do acelerador e o carro começa a acelerar, está agora se fundindo com o sistema de *feedback*. Os receptores sensoriais no seu pé criam um sistema de *feedback* que lhe diz continuamente quanta pressão e tensão dinâmicas você está mantendo sobre o acelerador. A aceleração do carro dá-lhe um *feedback* diferente acerca da quantidade de pressão e tensão que mantém sobre o acelerador.

Dado que você tem dois conjuntos de *feedback*, o sistema é *multicamada*. Como cada um afeta o outro, o sistema é *recíproco*. E como receber *feedback* é um processo contínuo que muda com variações, na aceleração ou na pressão sobre o acelerador, o sistema é *dinâmico*. Você está agora num *sistema de feedback dinâmico, recíproco e multicamada*. A certa altura, a velocidade aumenta, a transmissão automática irá "mudar" para outra marcha e você sentirá o sutil impulso para a frente do veículo.

Nessa fase, você entrou numa relação com outro sistema de *feedback*, enquanto permanece no sistema dinâmico recíproco multicamada original. Não só você está recebendo informação sobre a pressão e tensão que exerce no acelerador a partir do sistema sensorial do seu pé e da aceleração do carro, como também está recebendo informação da pressão do seu corpo contra o encosto do assento. Você tem agora três camadas de *feedback* dando-lhe informação acerca da pressão e tensão no acelerador. Mesmo a informação visual, que esteve funcionando simultaneamente a tudo isso, tem de captar múltiplas camadas à medida que você avalia a velocidade, quer pelos objetos em repouso, como as árvores, e os que não estão em repouso, como as aves e outros veículos – todos os quais se movem a velocidades diferentes.

Quando sua transmissão automática "muda" para outra marcha, você registra um espasmo corporal quando o carro dá um solavanco para a frente mais perceptível. Registra uma mudança de pressão no acelerador, e seu cérebro tem uma vez mais de levar em conta e compensar a mudança de pontos de referência visuais (veículos, aves, árvores, etc.). Você está num sistema de *feedback* dentro de um sistema de feedback dentro de sistemas de *feedback*.

Façamos de conta que você comprou um carro novo, com câmbio manual – e você só sabe como dirigir um automático. Agora não só tem de levar em conta a totalidade do anterior sistema de feedback, como tem de incorporar o saber *como* e *quando* tem de mudar marcha, desenvolvendo uma nova curva de aprendizagem que inicialmente leva em conta a mudança segundo medidas de RPM, a ser superada mais tarde pela mudança de marcha de acordo com o som e outras medidas internas novas e refinadas. Esse não é senão um de muitos sistemas de *feedback* dinâmicos recíprocos multicamada com que trabalhamos no dia a dia. É um sistema *aprendido,* tal como o sistema de que trata este livro. Você está desenvolvendo uma *curva de aprendizagem* porque, embora muito do *feedback* seja sutil, ele é *real – como o estudo da Universidade do Arizona.*

Assim como aprendemos a discriminar a profundidade quando crianças e aprendemos a perceber a diferença entre uma janela, uma pintura, um espelho ou uma abertura numa parede que leva a outra sala, podemos aprender a perceber essas energias. Todas essas coisas são reais. Nenhuma é inventada – embora, para quem não é iniciado, possam parecer desse modo. E nenhuma dessas energias, uma vez reconhecidas e tornadas automáticas ou uma "segunda natureza" (um termo que agora considero fascinante), *é* sutil. Tal como a minha mensagem.

Capítulo vinte e um

Interagindo com seus pacientes

"A coisa mais poderosa que você pode fazer para mudar o mundo é mudar suas próprias crenças sobre a natureza da vida, das pessoas, da realidade, para algo mais positivo... e começar a agir em concordância."
– *Visualização Criativa*, por Shakti Gawain

Você é o seu instrumento

Você desenvolveu agora a capacidade de reconhecer quando a energia reconectiva flui através de você. Sabe como detectar registros, está familiarizado com a "sensação" da energia em volta do corpo de um paciente, e sente-se à vontade brincando com essa energia e permitindo que aconteça o que vai acontecer.

Em outras palavras, está pronto para ajudar alguém a se curar.

Lembre-se: seu objetivo principal numa sessão de Cura Reconectiva é impedir que você mesmo seja um obstáculo no caminho. À medida que o seu corpo continua na sua mudança e ajustamento ao transporte das novas frequências, e depois de ter desenvolvido alguma familiaridade com o *feedback* que faz parte do uso dessas energias, você descobrirá que tudo se encaixa no lugar. Ainda assim, vai desejar cultivar uma certa maneira de pensar antes de começar a trabalhar com outros seres humanos. Afinal de contas, agora que, esperamos, você se livrou da sua velha dependência de "brinquedos de cura", o único "instrumento" que vai usar neste tipo de cura é *você*.

Conselhos a seguir na cura

Permaneça deslumbrado.
Como pode manter o deslumbre? Sendo pueril. Vendo tudo com novos olhos. Não sendo tão rápido em presumir que compreende aquilo de que é testemunha. A compreensão que você presume é muito provavelmente uma explicação superficial que lhe foi passada por meio de inúmeras filtragens e interpretações equivocadas, deixando-a tênue, diluída e sem substância. Saiba que sua conexão única com essa maneira de pensar, que ninguém pode desfazer, é sua capacidade de dizer: "não sei". Com isso, você tem a faculdade de ver tudo com genuíno assombro.

Lembra-se de ser criança e sentir-se deslumbrado diante de tudo? Lembre-se desse dom!

O dom de sentir deslumbre e assombro, de ver tudo com curiosidade genuína, dá à sua reverência a pureza cristalina da infância, uma conexão inerente com Deus. Liberta-o de seu desejo de diagnosticar, de explicar, de tentar, de fazer, de forçar, de empurrar, de fazer esforço. Até o liberta da necessidade de obter um reconhecimento.

Agora você se lembra desse dom?
É hora de pôr em ordem seu coração, sua mente e suas intenções. Você está prestes a se tornar parte de uma equação de cura.

"Preparando" o paciente

Por norma, os novos pacientes se encaixam em um de dois grupos. Há os que chegam ao seu consultório, deitam-se na maca, e relaxam, esperando ter qualquer experiência que surja. E há os que chegam à maca com pressa, fazendo todo o possível que acham que "deviam" fazer durante a sessão. A mente deles gira a um quilômetro por segundo. Eles rezam, visualizam, repetem mantras, respiram com a barriga, respiram com o peito, mantêm as palmas voltadas para cima, em meditação, segurando as mãos numa posição de oração etc.

Seus lábios movem-se debilmente, com lágrimas a correr – por vezes em silêncio, por vezes juntamente com lamentos, enquanto mentalmente pedem a Deus tudo o que poderiam querer para eles e possivelmente para todos os outros que conhecem. Se não forem contidos, esse monólogo e esse aglomerado de processos irão prolongar-se durante toda a sessão, e essa pessoa terá privado a si própria dos aspectos experienciais da sessão reconectiva. Será o mesmo que se estivesse num grupo de oração, uma sessão de cura do tipo técnico ou simplesmente meditando em casa.

Você não vai querer que isso aconteça. Mas também não vai querer dizer-lhes o que *não* fazer antes de o fazerem. Isso é como dizer: "Não imagine a cor vermelha". Portanto o que tem que fazer quando vê que tem na maca alguém que *faz coisas* ou um *falador* é cortar-lhe as asas.

Eis o que talvez eu diria: "Vamos lá. Deite-se, feche os olhos. Deixe-se ficar à deriva, sem adormecer. Confie que, seja quem for que ouve os pensamentos e orações, já ouviu os seus. Não só ouviu o que você já pediu, como também ouviu aquilo que *não* pensou em pedir. Sempre soube. Mesmo antes de você chegar. Portanto pare de falar, pare com o diálogo mental e simplesmente ouça; deixe que o universo lhe traga seja o que for que considera que você precisa. Limite-se a deitar-se aí e esteja tão receptivo a ter a experiência de *nada* como está para ter a experiência de *algo*. Nesse estado de abertura, sua experiência chegará".

Para muitas pessoas, esse não é um conselho fácil de seguir, mas é o melhor conselho que você pode dar a elas. Na melhor das hipóteses, elas relaxam e ficam deitadas, sem expectativas. É desejável que se encontrem num estado de expectativa, abertas a receber *algo*. O ponto de equilíbrio é não passar a um estado de expectativa em que a concentração muda para o que deveria ser o resultado exato. Primeiro, porque isso pode não ser o que realmente precisam ou o que o universo tem em mente para elas, de acordo com o que é melhor; segundo, as expectativas fixas podem constringir, limitar ou substituir o que do contrário poderia se interpor no seu caminho.

Do mesmo modo, cabe a você ser receptivo e tolerante, também – esperar e fazer parte do que vai acontecer – seja isso o que for. Esperar é uma maneira de "ouvir com o espírito". Você espera até que a energia chegue. O que acontece. E de repente, ela atravessa o paciente e está conectada *com você, através* de você e ao seu *redor*.

Não nos cabe determinar que tipo de cura uma pessoa precisa ter. É nossa tarefa oferecer-nos como parte da equação e deixar que a cura tome sua forma natural.

Como parte da abordagem de tolerância que descrevi acima, normalmente não me fixo num problema específico que um paciente traz. Deixo-os falar sobre isso até certo ponto porque o ajuda a sentir-se ligados a mim, o que pode ser importante. Mas a verdade é que, quer você saiba ou não qual é o problema de um paciente, ele vai ter a experiência da mesma cura. Creio que há uma inteligência no universo envolvida nisso, uma inteligência muito além da sua ou da minha, e a cura apropriada irá se manifestar por si.

Deixe que seja

A necessidade de manter nosso ego fora da equação é mais profunda do que você poderia esperar. Por exemplo, muitos agentes de cura querem concentrar-se no *como* – algo tão aparentemente inócuo como imaginar o paciente "saudável" ou fazer subir a energia pelos seus pés até a cabeça, ou fazê-la sair pelo nariz; colocar o paciente sob luz violeta, ou envolvê-lo em nuvens cor-de-rosa... tentar projetar saúde no paciente de qualquer modo que pensem poder ajudar. Por quê? Porque isso é o que eles ouviram ou que lhes ensinaram no passado. A dúvida já se introduziu aqui. Todas essas coisas são apenas formas diferentes de interferência. Quanto mais você tenta *fazer*, menos é capaz de *ser* – e é esse estado de ser, antes de mais nada, que permite à energia fluir através de você. O estado de ser é o que impede o nosso *eu* de se tornar um obstáculo, permitindo que o nosso *Eu* se torne parte do processo. É quando nos encontramos nesse estado que a cura chega.

Fomos educados para assumir o controle e o rumo de nossa vida. Uma vez que tenhamos determinado o modo como sentimos que as coisas "deviam" ser feitas, a ideia de subitamente mudar nossos métodos pode ser assustadora. Eis um exemplo.

Minha bisavó, Annie Smith, tinha uma pequena lanchonete num bairro predominantemente católico. Na época, os católicos não podiam comer carne às sextas-feiras, por isso todas as sextas-feiras ela fazia seus famosos bolinhos de peixe: purê de batata, cebola, sal, pimenta, temperos especiais e bacalhau – passados em farinha de rosca e fritos até ficarem perfeitos.

Havia sempre uma fila de pessoas à porta da lanchonete, à espera daqueles bolinhos, mas nesta noite de sexta-feira em particular, a fila dava a volta no quarteirão. Durante todo o dia, quanto mais pessoas ela servia, maior a fila parecia ficar. "Ei, Annie, estes são os melhores bolinhos de peixe que você já fez!", bradavam. Com o estoque se esgotando, Annie vendeu tudo e fechou o restaurante naquela noite. Minha bisavó, que tinha 1,40m e era um verdadeiro motor para trabalhar, foi para a cozinha fazer uma limpeza final. Enquanto arrumava as coisas, abriu a geladeira e ficou chocada ao ver que a grande tigela de peixe limpo e sem espinhas que preparara com tanto cuidado para os bolinhos ainda estava ali. Minha bisavó esquecera-se de acrescentar o peixe. Ficou horrorizada. Servira àquelas pessoas nada mais do que purê de batata frito com cebola e tempero. Como puderam ser tão elogiados: bolinhos de peixe sem peixe dentro? O mais perto que as pessoas estiveram do peixe naquele dia foi do aroma que saía do balcão e algum possível resíduo dos recipientes de mistura. O que ela vendera, em parte, fora a *essência* dos bolinhos de peixe. Annie nunca contou a ninguém e, na sexta-feira seguinte, voltou a acrescentar o bacalhau. Será que os bolinhos de peixe sem peixe, que Annie poderia ter vendido além dos seus bolinhos de peixe normais, poderiam ter se tornado a atração da cidade? Nunca saberemos. Essa história é um exemplo de como alguém pode ser confrontado com algo diferente ou pode sair da sua zona de conforto e, no entanto, permanecer – ou, neste caso, regressar – ao que era já conhecido.

Às vezes somos confrontados com novos modos de fazer as coisas. Às vezes temos a coragem de segui-los.

Regras de etiqueta

Outro aspecto de deixar seu ego fora da equação é manter-se num saudável estado de distanciamento – não se envolver demais no processo do paciente. Como vimos antes, a pessoa sobre a maca está muito provavelmente num estado de quietude e felicidade, frequentemente com movimentos corporais involuntários. Em raras ocasiões, como foi mencionado, pode verter lágrimas subitamente. Isso não é um convite para que você interfira com abraços e palavras reconfortantes. Por favor, resista ao impulso culturalmente reforçado de interferir dessa maneira. Essa é a experiência *do paciente* e faz parte do seu processo. Não o prive disso. Muito provavelmente, e apesar das aparências exteriores, ele está "curtindo" o que se passa. Se você se sentir compelido a fazer alguma coisa, pergunte-lhe delicadamente se ele está bem ou se gostaria de terminar a sessão. O mais certo é ele lhe dizer que tudo está bem. Se quiser sair, muito provavelmente sairá. Como afirmei antes, se alguém quiser sua ajuda para sair de uma sessão, um leve toque, chamando a pessoa pelo nome, e um copo de água nas proximidades são o suficiente.

Permaneça sensível e disponível no caso de essa situação inesperada surgir. Caberá a você ajudar o paciente – não só como curador, mas como um ser humano compassivo. Nesses casos, simplesmente tranquilize o paciente, garantindo-lhe que tudo está bem, que essas reações são normais e aceitáveis, e que, no caso dele, são provavelmente até necessárias. Quando se acalmar, você pode continuar, ou adiar o tratamento para outra ocasião – seja o que for que pareça melhor para os envolvidos.

Adormecendo

Você quer que os seus pacientes "saiam" do processo sem pensarem ou sem se preocuparem com o que acontece enquanto estão deitados na maca, mas por vezes a "saída" vai longe demais e o paciente adormece. Esse não é meu modo preferido de trabalhar. Tenho o sentimento inato de que um paciente adormecido pode não estar obtendo o benefício integral do processo de cura. Para não falar que meu ego quer que o paciente desfrute da sessão conscientemente.

Contudo, tenha em conta que, se o paciente adormece durante a sessão, isso é o apropriado para essa pessoa. Além disso, se um paciente é simplesmente ativo demais para que você consiga lidar com ele de outro modo – ou seja, alguém que é hiperativo (ou uma criança), não tenha receio de trabalhar enquanto ele está adormecido.

E quanto a você, o curador? É possível que *você* adormeça durante uma sessão? Sim, mas normalmente isso indica que você não está dormindo o suficiente e/ou não está "no momento presente". Seja como for, respeite o paciente e a situação cuidando das suas necessidades de modo a poder ajudá-lo. Lembro-me do aviso de segurança que ouvimos nos aviões: *Mães, por favor, coloquem a máscara de oxigênio em si mesmas antes de a colocarem nos seus filhos.*

Lembre-se: você está deixando que sua mente alcance um lugar onde você não está exatamente acordado nem exatamente dormindo – onde você está em outro lugar. Esse é o lugar de onde a energia de cura vem à Terra.

Interrogando o paciente

> *Uma velha ave sábia pousou num carvalho.*
> *Quanto mais ouvia, menos falava.*
> *Quanto menos falava, mais ouvia.*
> *Por que você não é como aquela velha ave sábia?*
> — Autor desconhecido

Para os que pretendem manter relatórios – e encorajo-os a fazer isso, se não por vocês mesmos, pelo menos para me enviarem material para os próximos livros! – há uma arte a que chamo "interrogar" o paciente. Acredite ou não, o paciente encara você como uma autoridade e quer agradá-lo. Se você o deixar descobrir, consciente ou inconscientemente, que tipo de respostas você quer, serão essas as respostas que irá obter. A fim de conseguir uma informação precisa, manter em ordem os fichários dos pacientes e não distorcer seus dados, minha sugestão é a seguinte.

No final da sessão, toque delicadamente na pessoa logo abaixo da clavícula e com cuidado informe-a de que a sessão terminou. Quando ela abrir os olhos, tenha a caneta e papel ou uma ficha (com o seu nome, residência, números de telefone e outra informação que já esteja presente) preparados para tomar notas. Cabe a você dirigir essa parte da sessão e sugiro veementemente que o faça. Você pode proceder da seguinte maneira:

1. Pergunte ao paciente: *Como foi sua experiência?* Ou: *Do que se lembra?* À medida que ele responde às suas perguntas, certifique-se de que se restringe aos fatos: *Senti isto, vi aquilo, ouvi isto, senti o cheiro daquilo.*
2. Peça ao paciente para descrever em detalhes aquilo de que se lembra. Se ele viu um homem com um jaleco branco, peça-lhe para descrevê-lo. Convide os pacientes a lembrar-se por si próprios, formulando as perguntas sem lhes dar qualquer orientação, como: *O que mais se lembra sobre ele?* Deixe o paciente falar, depois faça-lhe perguntas sobre a cor do cabelo, altura, comprimento do jaleco, que idade aparentava. Enquanto prossegue, ajude-o a exprimir ou a relembrar tanto quanto seja capaz sobre cada experiência. *Tenha o cuidado de não induzir.* Um exemplo de indução seria perguntar se o homem era alto, se tinha cabelo escuro, se aparentava estar na casa dos 30. Se a pessoa está de algum modo confusa, esse tipo de indução pode afetar indevidamente sua memória. Depois de sentir que obteve toda a informação que pode sobre o homem, pergunte: *Do que mais se lembra?* "O que mais" é uma boa formulação porque convida o paciente a procurar na sua própria consciência por outros detalhes. Perguntar: *Lembra-se de mais alguma coisa?* não é a mesma pergunta. Você a colocou num contexto de sim/não e quando formula as frases desse modo a tendência natural, especialmente no estado sereno em que se encontram depois de uma sessão, é responder com um *não*.
3. Depois de conseguir todas as respostas – e detalhes relacionados com suas perguntas: "O que mais?", faça perguntas adicionais relativas aos cinco sentidos: *Houve mais alguma coisa que tenha visto? Ouvido? Sentido? Cheirado? Saboreado?* (Sim, às vezes algumas pessoas até sentem aspectos da sua sessão relativos ao "paladar".) Gosto de perguntar às pessoas se as toquei em algum ponto durante a sessão. Se elas respondem, por exemplo: "Tocou

o meu pé", peço-lhes que me mostrem como o fiz. Por quê? Porque "tocar" pode ter diferentes significados para pessoas diferentes. Para algumas pessoas, significa um toque rápido com um dedo; para outras, significa um "aperto" ou um ligeiro afagar com dois dedos. Uma vez que perceba que tipo de "toque" é, pode descrevê-lo com maior precisão nas suas anotações.

Alguns apontamentos para si próprio

Eis algumas "anotações" para *você*. Primeiro, no final da sessão, mantenha o paciente concentrado naquilo *que efetivamente ele experimentou durante a sessão.* Nesse ponto, não o deixe dar a própria interpretação do que a experiência significa para ele, como ela se relaciona com o que se passa na sua vida, ou contar-lhe sobre as experiências anteriores que teve em outro lugar. Se ele começar a fazer isso, conduza-o novamente às especificidades *desta* experiência sem interpretação. Por quê? Em primeiro lugar, a interpretação do paciente sobre o que significa um homem com um jaleco branco é normalmente pouco mais do que a reafirmação da ideia de outra pessoa sobre o que isso significa, algo que alguém lhe contou ou que ele leu num livro. Não raro é a maneira que têm de impressioná-lo com o que pensam que sabem e muito provavelmente terá pouco a ver com ideias sagazes precisas acerca da realidade da qual acabaram de ter experiência.

Mais importante: cada segundo que o paciente gasta passando-lhe suas impressões, é um tempo em ele está esquecendo detalhes acerca do que realmente aconteceu durante essa sessão. Por essa mesma razão, não partilhe quaisquer das *suas* histórias com os pacientes nessa fase. Sugira educadamente que permaneçam concentrados em relatar o que efetivamente sucedeu, e informe-os de que podem dar suas interpretações e outras histórias no final desse interrogatório. Com sorte, eles vão se esquecer.

Outra coisa: você pode não saber o quanto certos apontamentos poderão vir a ser importantes até bastante tempo depois de tê-los redigido. Se eu não tivesse tomado notas da primeira vez que um dos meus pacientes disse "Parsillia" ou "George" ou algum dos outros, não as teria para efeitos de comparação, quando esses seres se manifestaram mais tarde a outros pacientes.

Além disso, mantenha um semblante imperturbável. Não me refiro a uma expressão pétrea. Seja tranquilizador e mostre-se genuinamente interessado; mas não mostre excitação em resposta a certos tipos de reações dos pacientes em contraposição a outros. Se você se "iluminar" a cada vez que seu paciente disser que viu alguém, numa tentativa subconsciente de agradá-lo ele pode acabar por enfeitar a história de um modo não intencional com coisas de que "pode" estar se lembrando. No entanto, se você não exibir o mesmo grau de "interesse" na recordação seguinte, o paciente pode ter a tendência a saltar alguns dos detalhes importantes. Esse é um modo inconsciente de distorcer seus próprios dados.

Espere até o final da sessão para começar o interrogatório. Pedir-lhe que relate as coisas à medida que ocorrem, a menos que você tenha uma razão específica, não é justo para com o paciente. Interrompe a continuidade e a profundidade da sessão, privando-o da totalidade do aspecto experimental. Faço as seguintes sugestões antes do início da sessão: se algo sentido pelo paciente na sala capta sua atenção, ele pode abrir calmamente os olhos para satisfazer a curiosidade e fechá-los depois novamente para que possa continuar com a sessão.

Não sugiro o que esse algo possa ser porque, se a pessoa *de fato* tem uma experiência, não quero influenciá-la inadvertidamente. Também lhe digo que, se algo acontece durante a sessão que lhe pareça muito importante relembrar, deve me dizer calmamente quando ocorrer. Ao fazer isso, explico, posso tomar nota para relembrá-lo mais tarde e ele não tem de tentar se lembrar disso conscientemente.

Capítulo vinte e dois

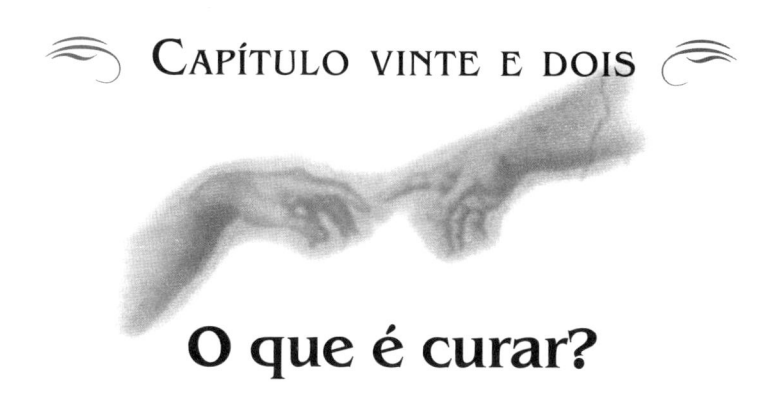

O que é curar?

"A verdade não muda, embora sua percepção da verdade possa variar ou alterar-se drasticamente."
– Eyes of the Beholder, por John e Lyn St. Clair Thomas

Se nada parece estar acontecendo...

Se nada parece estar acontecendo durante uma sessão, é porque ou você ou o paciente estão se esforçando demais. Observe o paciente, observe seu rosto. Se você quase vê as engrenagens girando na mente dele ou se o vê mover-se impacientemente, é provável que esteja fazendo algo mais na maca além ficar receptivo. Normalmente quando pergunto o que estão fazendo, eles respondem: "Rezando". Na cabeça deles, estão dizendo: "Jesus, concedei-me esta cura; meu Jesus, concedei-me aquela cura, Deus concedei-me isto, não vos esqueçais daquilo, e quero que seja desta forma...", e assim por diante.

Não estou tentando dissuadi-lo ou ao seu paciente de rezar; estou dizendo: "Tenha fé de que pode fazer uma oração – *uma vez* – e saber que ela foi ouvida".

Autocura

As pessoas perguntam frequentemente se é possível alguém usar essas energias para curar a si próprio. Claro que é.

A autocura é muito simples. Quase simples demais. Tal como a cura à distância, se tentar torná-la mais complexa, ela será menos eficaz.

Nesta fase, você já está mais ou menos familiarizado com a sensação de ter a energia se movendo em algum lugar no seu corpo. Portanto, descubra um lugar confortável – talvez uma cama ou uma cadeira reclinável. Esteja ciente de que sua intenção é entrar na energia com o propósito da autocura e reconheça esse fato.

Agora deixe que a sensação da energia apareça em suas mãos. Observe como ela se torna mais forte. Não tente *forçá-la;* simplesmente *repare* nela. *Dê-lhe espaço,* e espere que ela chegue. Ela aparece quando você lhe dá atenção. Ao manter a atenção sobre ela, ela se torna mais intensa. Quanto mais forte se torna, mais você repara nela. Quanto mais repara nela, mais forte se torna. É um ciclo.

Esteja ciente de que, à medida que a sensação fica mais forte, ela também começa a se espalhar. Repare em outras áreas do seu corpo, como os braços, e espere que a sensação chegue aí – o que acontecerá. Desloque sua atenção para os pés e repare que ela começa aí. Em breve ela irá para suas pernas. Enquanto a energia se apodera do seu corpo, você começa a vibrar num nível mais elevado. A energia então vai se tornar tão forte que começa a bloquear outros sons e pensamentos dispersivos. Basicamente, ela começa a tomar o controle.

Sinta-a enquanto ela toma conta da situação, tornando-se cada vez mais intensa. Deixe-se então entrar no vazio. Não, não é o vazio da futilidade, mas sim o vazio entre cada pensamento. Quando entrar nesse vazio, você já não está em modo de pensamento consciente. Se estiver deitado pensando: *Estou curando, estou curando, estou curando* – bem, a verdade é que: "não está, não está, não está". Liberte-se desse pensamento.

De repente, você já não repara em mais coisa nenhuma – porque está *no* vazio. Embora tampouco repare nisso enquanto não sair desse estado. Subitamente você abre os olhos – cinco minutos, vinte minutos, uma hora e meia mais tarde. Ou, se se empenhar nesse processo no meio da noite, pode escolher não sair dele até a manhã seguinte. Quando for hora de sair do vazio, de repente você percebe que está novamente no presente. É isso. É mesmo assim tão simples.

Depois relaxe. Não volte a repetir. Saiba que a cura apropriada teve lugar e *afaste-se*. Por quê? Porque a cada vez que regressa para ter mais, está reforçando a crença de que *não conseguiu tudo* da primeira vez. *Afaste-se e não olhe para trás.* Isso informa à sua essência que a cura é integral e completa, dando assim lugar à sua totalidade. Sua intenção foi a oração. A energia foi o meio de comunicação. Libertar-se dela e não olhar para trás foi o seu agradecimento e aceitação.

Cura à distância

O médico Richard Gerber, no seu livro *Vibrational Medicine**, discute o Modelo Tiller-Einstein do espaço-tempo positivo e negativo: matéria física que existe no espaço-tempo positivo; energias com velocidade superior à velocidade da luz (tais como frequências etéricas e astrais) que existem no espaço-tempo negativo. Gerber explica que a energia (e a matéria) do espaço-tempo positivo é basicamente elétrica por natureza, enquanto a energia do espaço-tempo negativo é de natureza basicamente magnética. Em conformidade com isso, o espaço-tempo positivo é também o reino da radiação electromagnética (EM), enquanto o espaço-tempo negativo é o reino da radiação magnetoelétrica (ME). A energia do espaço-tempo negativo, além da sua natureza primariamente elétrica, tem outra característica fascinante: uma tendência para a entropia negativa. A entropia é uma tendência para a desordem, desorganização – doença. Quanto maior a entropia, maior a desordem. A entropia negativa

---

* *Medicina Vibracional*, Editora Cultrix, SP, 1992.

é a tendência para a ordem, organização – a tranquilidade. É a tendência para a regeneração e a cura.

O que isso tem a ver com a cura à distância? As frequências da Cura Reconectiva não são constrangidas pelas leis do espaço-tempo positivo. Pelo menos em alguns níveis, são congruentes com os conceitos de espaço-tempo negativo. Trata-se de um sistema de referência completamente diferente. Essa é provavelmente uma noção parcial do porquê não há razão para usar suas mãos com autocura ou cura à distância e por que não há necessidade efetiva de usar as mãos quando você está fisicamente presente na sala com seu paciente para sentir esse fenômeno.

Como foi já dito, um dos princípios fundamentais da mecânica quântica é o de que as forças na verdade se tornam mais fortes com a distância. Trabalhar com alguém que não está fisicamente presente com você dá-lhe a oportunidade de ter a experiência desse fenômeno.

Para iniciar o processo da cura à distância, procure um lugar confortável. Feche os olhos se quiser e, como vimos antes na seção "Autocura", deixe que as sensações sobrevenham: das suas mãos aos seus braços; dos seus pés às suas pernas; ao seu corpo e ao seu ser. Torne-se conscientemente a sua essência e esteja com a pessoa com a qual está se conectando – ou naquilo que concebe que seja o seu ambiente físico, ou em algum lugar lá fora no espaço ou na escuridão, no vazio – tudo e nada. Saiba que você está lá e que a outra pessoa está lá com você. Não importa se você sabe qual a sua aparência. O "sentir" bastará. *Não* precisa estar ao telefone com ela, nem precisa da sua fotografia, uma joia, uma amostra de caligrafia, nem uma mecha de cabelo.

Esteja com essa pessoa. Permita que as vibrações dessas frequências se tornem maiores e mais fortes. Às vezes uso algum trabalho que ensino em seminários avançados, mas não é necessário para isso. É só algo que gosto de fazer.

Mantenha-se nesse processo tanto tempo quanto desejar – seja por um minuto ou uma hora. Você pode até escolher ir mais longe e entrar no "vazio". De início, esteja consciente da sua intenção e depois se permita entrar.

A outra pessoa tem de estar consciente do que você faz? Não.

Tive um amigo no sul da Flórida que telefonou porque sua mãe estava num hospital, a cerca de quatro ou cinco horas de carro do local onde ele estava. Aparentemente ela tinha piorado e ligaram-lhe do hospital para dizer que não havia esperança de que ela sobrevivesse. Na verdade não esperavam que ela vivesse o suficiente para que ele fizesse a viagem de carro para vê-la. Ele me telefonou para Los Angeles e perguntou se eu podia fazer uma cura à distância nela.

Eu não conhecia a mãe do meu amigo e ela não estava conscientemente acessível para que eu lhe pedisse autorização ou sequer para ter noção do que eu ia fazer – mas concordei.

Então fui para aquele *lugar* e nos encontramos, ela e eu, aí. Deixei que as sensações me percorressem e passassem através de mim. Quinze minutos depois, senti que a cura estava completa. Meu amigo ligou-me no dia seguinte e disse-me que o estado da mãe dele sofrera uma mudança completa para melhor, surpreendendo completamente a equipe do hospital. Ela teve alta no dia seguinte. A mudança de estado ocorreu enquanto ele estava no carro, na viagem para o hospital. Aconteceu enquanto eu e ela estávamos juntos no vazio.

Será que sua recuperação se deveu à nossa interação? Não sei. Será que as frequências reconectivas se movem a velocidades superiores à da luz? Muito provavelmente – e dado que tudo é luz e a luz é tudo, talvez devamos dizer velocidades superiores às da luz *visível*. Estamos funcionando nos níveis espaço-temporais negativos dos componentes dimensionais superiores das pessoas? Será que o que estamos fazendo, então, é organizar e sustentar as estruturas moleculares/celulares do corpo físico? Talvez reorganizando-as?

O conceito de reinos magnetoelétricos e entropia negativa permite potencialmente algumas ideias intrigantes quer sobre a cura reconectiva à distância, quer sobre as frequências reconectivas e sua interação com a autocura e cura presencial.

Escolha e autorização

> *"Karmageddon: é, tipo, quando todo mundo envia uma série de vibrações muito ruins, certo? E, então, tipo, a Terra explode e é um baita de um problema."*
> – The Washington Post

A escolha e a autorização são dois conceitos que estão de algum modo interligados. Não que todas as pessoas e todas as coisas não sejam "um", de qualquer modo. Acontece apenas que essas duas noções têm uma relação interessante no que diz respeito à cura. Uma discussão sobre as duas tende a suscitar algumas emoções fortes nos meus seminários, por isso frequentemente guardo esse tópico só para depois de almoço – para o caso de alguma refeição pesada ter provocado sonolência nos participantes.

Comecemos pela *escolha*. Um dos maiores sentimentos de culpa que há muito tempo tem afetado as pessoas relaciona-se com esse conceito. Não pretendo fazer uma análise exaustiva, mas quero dar-lhe suficiente informação para esclarecer minha opinião.

Vá a qualquer livraria ou evento Nova Era por tempo suficiente, e inevitavelmente, assim que a falta de saúde de alguém se torne tema de conversa, alguém vai dar um palpite, em geral com um tom de voz *espiritual*, e dizer: "Bom, imagino o que essa pessoa terá feito para provocar isso a si própria". Os outros tenderão a assentir com a cabeça, numa atitude treinada de sabe-tudo.

Todos já vimos isso. Ora, essa pobre pessoa, seja ela quem for, já tem o bastante sobre os ombros sem um grupo de doces mexeriqueiras Nova Era tentando se sentir superior à sua custa. "Bob (ou Mary ou seja quem for) devia simplesmente escolher ficar bem", continua a conversa. "Olha só o que isso está fazendo aos filhos deles." A "superioridade" espiritual é tão densa que poderíamos cortá-la com uma varinha mágica de cristal.

Se fôssemos capazes de fazer nossas próprias escolhas tão facilmente como somos capazes de selecionar uma camisa ou uma fatia de *pizza*, eu seguramente escolheria ser feliz, saudável, viver numa relação amorosa com alguém que satisfizesse todos os meus desejos e necessidades, e ser próspero na carreira de minha preferência. E, ao mesmo tempo, escolheria ser incrivelmente atraente (não custa nada!). Sei que muitos de vocês escolheriam essas mesmas coisas. Também sei que, se houvesse um comprimido que pudesse nos dar isso, todos estaríamos à porta do consultório do médico logo de manhãzinha, à espera na fila para pegar a receita.

Sendo assim, por que razão não manifestamos todas essas coisas na nossa vida no grau que consideramos desejável? Porque a parte de nós que faz a escolha não é a parte de nós que muitos gostariam de *achar* que faz a escolha. Não é a nossa parte consciente que decide pela camisa azul ou pela *pizza* de mussarela. É a parte de nós que vê a imagem geral, a foto panorâmica da nossa vida. É a parte de nós que tem a compreensão de que estamos aprendendo nossas lições aqui na Terra e que nossas experiências têm de se desenrolar dentro de certos parâmetros – aqueles com que muito provavelmente concordamos antes desta encarnação. Sabemos disso com absoluta certeza? Não. Faz sentido? Sim.

Então, talvez Bob (ou Mary) não possa simplesmente pedir uma dose instantânea de "saúde". Talvez culpá-los por isso, *ou por terem ficado doentes, para começo de conversa,* não ajude realmente ninguém. Quanto mais conseguirmos ver as coisas numa perspectiva mais vasta, menor será a dor infligida a outros por aqueles que na verdade têm boas intenções.

Então, o que isso tem a ver com pedir a autorização a alguém antes de uma cura?

Basicamente, pedir a autorização de alguém que veio ao seu consultório e já está deitado na maca é, obviamente, redundante – para não usar outro adjetivo. (E, sim, já vi alguns curadores fazerem isso.) Se você já está ficando zangado, *volte* atrás e releia os parágrafos anteriores sobre a "escolha", prestando especial atenção à parte sobre *quem* a faz – porque essa é a mesma parte de você que concede a autorização.

Digamos que você tenha um filho de 5 anos, muito bonito. "Johnny" está doente desde um ano e meio de idade e vive diariamente com dores. Seu cabelo está caindo e os medicamentos causam-lhe náuseas. Passa a maior parte dos dias entre o quarto e o banheiro. É muito querido, é belo, é valente.

Um dia você ouve falar de um extraordinário curador, um monge que vive numa gruta no Himalaia. Você entra em contato com o monge e toma providências para trazê-lo de avião, porque Johnny não tem forças suficientes para aguentar a viagem para fora do país. Você instala o monge num simpático hotel e, após um dia de descanso, vai buscá-lo e o leva para sua casa. Quando ele chega, você o conduz ao andar de cima, até o quarto do Johnny. Após alguns minutos de conversa, é bastante visível que o menino e o monge estabeleceram uma ligação. Ora, com um tom de gravidade e respeito, o curador inclina-se para a frente e diz ao seu filho: "Johnny, você me autoriza a fazer uma cura em você?" Johnny, que não consegue imaginar como é a vida sem dores – e, portanto, associa "cura" apenas a uma vida mais longa cheia de mais dor – pensa por um momento. Então, de forma calma e tristinha, responde: "Não". Quem você tem vontade de estrangular primeiro: Johnny ou o curador?

Falando sério, o consentimento informado aqui na Terra não é sempre consentimento *informado*. O consentimento verdadeiramente informado é mais um consentimento *mal informado.*

Johnny não deu sua autorização porque não podia ver além da sua situação presente. Baseou sua decisão em informação equivocada. Seu consentimento, ou a falta dele, não era *informado,* era *mal informado.* Quantos têm realmente todas as respostas? Quantos podem ver o que nos reserva o futuro?

Por muito que alguns façam parecer o contrário, você só pode *oferecer* uma cura; não pode *infligir* uma cura. A autorização, portanto, é automaticamente requerida como parte do ato de ofertar. A cura, quando se realiza, é a concessão da autorização. Assim, se a pessoa é um destinatário consciente, como alguém que lhe telefona e marca uma consulta, ou um indivíduo que não é capaz de fazer uma escolha consciente no momento, oferecer-lhes uma cura, seja verbalmente, seja no silêncio do seu próprio pensamento, é sempre apropriado. Tanto a aceitação como a forma que ela assume são feitas tendo em vista o bem maior dessa pessoa.

O que é uma cura bem-sucedida?

O que determina uma cura bem-sucedida? Será alguém levantar-se de uma cadeira de rodas e andar? Será o desaparecimento da doença? Será a reestruturação e transformação do nosso DNA?

Ou talvez a vida seja a doença e a morte a cura.

Um dia recebi um telefonema de um oncologista que perguntou se eu poderia ver um dos seus pacientes. Respondi: "Claro". Essa mulher não podia sair do hospital, por isso me encontrei com ela e o marido lá, no meio da noite. Quando cheguei, ela estava dormindo e então falei com o marido durante algum tempo, antes de a sessão começar. Depois de uns instantes, ela abriu os olhos. Ele nos apresentou e durante toda a sessão o casal travou uma conversa muito animada e divertida. Podia-se ver os efeitos que a quimioterapia e outros tratamentos a longo prazo tiveram nela, porém também se podia ver a centelha de beleza no seu sorriso e nos seus olhos.

Era um casal jovem, provavelmente na casa dos 30. Quando falavam um com o outro, seus olhos prendiam-se como os de dois amantes que tivessem acabado de se reencontrar após uma longa separação. Era bastante visível que gostavam um do outro e estavam muito apaixonados. Ela falava, ele ouvia; ele falava, ela ouvia. Riam e puxavam-me para a conversa como se eu fosse um amigo de longa data. Partilharam histórias sobre coisas diferentes que fizeram juntos e descreveram-me as viagens que fizeram e as pessoas da vida deles.

De súbito, a mulher sentiu uma imensa vontade de tomar sorvete – três tipos diferentes! Eu já ficara no hospital mais tempo do que o previsto, mas ofereci-me para ficar mais tempo enquanto o marido ia buscar os sorvetes. Quando ele estava prestes a sair, ela decidiu que um *cheesecake* também seria bom. Eram onze horas da noite; no entanto, nada poderia ter feito o homem mais feliz do que encontrar todas aquelas coisas e trazê-las à esposa. Ele prometeu voltar rapidamente, embora todos soubéssemos que não levaria menos de 45 minutos até que ele saísse do complexo hospitalar, encontrasse um lugar que estivesse aberto e regressasse com tudo. E assim foi. Foram também os 45 minutos *mais longos* que passei porque, quando a porta se fechou atrás dele, ela se voltou para mim e disse:

– Vou embora agora.

– Vai o *quê?* – perguntei. – Eu sabia o que ela queria dizer, contudo não podia acreditar no que ouvia.

– Vou embora agora – ela repetiu.

– *Agora?* – perguntei.

Ela acenou afirmativamente.

Fiquei em choque. A aparência e a expressão da mulher não deixavam lugar a interpretações errôneas. Disse-me que planejava morrer e que pretendia fazê-lo *naquele momento*. Mandara o marido buscar comida para garantir que ele não estivesse presente quando ela morresse.

– Oh não, não vai, não! – eu lhe disse.

Eu não tinha intenção de que ele voltasse carregado de sorvetes e *cheesecake* para me encontrar sentado à cabeceira da sua esposa morta.

– Vou embora agora – ela repetiu.

– Você vai ficar bem aqui até o seu marido voltar – informei-a, em resposta a essa terceira e última ameaça, olhando de relance para o relógio e reparando com que lentidão o tempo parecia correr. A questão é que eu não duvidava de que ela pudesse "ir embora" naquele preciso momento. O único modo de impedir que isso acontecesse era mantê-la conversando. Sabia que assim que a deixasse parar de falar ela se libertaria e atravessaria para o outro lado.

Disse à mulher que, se ela ia tomar a decisão de ir embora, seu marido devia ter a oportunidade de se despedir. Eu estava mantendo ativos seus processos de pensamento, o que era bom. Nessa hora, eu teria pegado num *ukelele* e tocado *Tiptoe Through the Tulips* se achasse que isso a manteria viva até que ele regressasse. Conversamos. Ela "ficou".

Cerca de 45 minutos depois, o marido regressou. Não se falou em ela "ir embora". Retomaram a conversação normal como se nada tivesse acontecido. Meu coração ainda saltava no peito enquanto a mulher tomava o sorvete. Ofereceram-me um pouco. Eu... não tinha muita fome. Dei boa-noite e parti sem demora.

O marido ligou-me no dia seguinte para me informar que a esposa falecera. Eu já sabia. Ele disse-me então que ela estivera dormindo e/ou incapaz de se exprimir coerentemente na maior parte do tempo nos dois meses anteriores à nossa visita. Aquela fora a primeira vez em que esteve lúcida durante mais de um minuto. Ele me agradeceu por lhe ter dado a mulher de volta naquela última noite.

Quem recebeu a cura e em que consistiu? Bom, *ambos* tiveram uma cura. Ele precisava, ao fim de dois meses, ver a mulher uma última vez, para se despedir e deixá-la partir. Ela precisava vê-lo mais uma vez e saber que ele ficaria bem se ela partisse. Ambos receberam seu presente.

As pessoas morrem. Seguimos em frente. Reciclar faz parte da nossa experiência cósmica.

Quando alguém atravessa para o outro lado, não quer dizer que não tenha recebido uma cura. A cura pode muito bem ter sido a facilidade com que lhes permitiram fazer sua transição, a paz que receberam através da sua visita para aceitar e deixar partir – e aquela oportunidade de sorrir e dizer "eu te amo" a alguém que precisava ouvir – uma última vez.

Portanto, não interprete, não analise. Simplesmente seja. E saiba que você transporta o dom de curar – em qualquer forma que ele possa assumir.

Pensamentos finais

A maravilha de tudo

Neste livro discutimos a cura como descoberta, a cura como teoria, a cura como prática. Mas, ao concluir, há um aspecto que eu gostaria de enfatizar: curar é um *milagre*. Por "milagre" entendo exatamente isso – um acontecimento maravilhoso que manifesta um ato sobrenatural de Deus. Evidentemente, num universo de quarks e buracos negros e onze dimensões, *sobrenatural* não significa aquilo que costumava significar. Mas tampouco *Deus* significa o que significava.

Ainda assim, o sentimento de assombro e maravilha que advém quando o "impossível" ocorre nunca diminui. Quando você facilita essas energias, não está apenas ajudando na cura de uma pessoa – está contribuindo para antecipar a chegada de uma transformação de uma magnitude nunca antes vista.

As pessoas perguntam-me se *todos* têm a capacidade de transportar essas frequências e de se tornarem curadores. A minha resposta é: "Sim, todos podem alcançar esse nível, mas os olhos são cegos. Só uns poucos se atrevem a abrir os olhos... e não raro os que o fazem são cegados pelo que veem".

Isso, para mim, é o que Deepak Chopra queria dizer quando me exortou a "não deixar de ser criança". Tudo surpreende as crianças; elas veem o mundo como uma nova aventura a cada dia. Sem o nosso contexto limitado onde tudo é rotulado, elas não são *cegadas* por *qualquer coisa* que vejam. Sem que lhes tenham ensinado ainda o medo, não se limitam com os "você pode", "você não pode", ritual obrigatório ou seriedade. Tudo faz parte do maravilhoso universo que vieram habitar.

Sinto o mesmo entusiasmo todos os dias. Sempre que faço este trabalho, faço-o com um sentimento de novidade e descoberta, como se fosse minha primeira vez. Porque, com qualquer pessoa em especial, *é* a primeira vez. Sei que você também se sentirá desse modo. Você está dando existência à luz e informação que transforma os dois num modo único (na verdade, os Três, incluindo Deus).

Quando esse *dom* se apresentou pela primeira vez, eu já era um médico com muita experiência. Portanto, presumi que esse dom era acerca da cura. Sabia que algo *muito grande* estava acontecendo e chamei-o de *cura* porque pensei que *era* acerca da cura (num sentido médico/paciente/milagre ampliado do termo) – e porque *queria* que fosse acerca da cura.

Vejo agora que, desde o início, era minha *intenção* que esse dom fosse acerca da cura. Queria *compreendê-lo, classificá-lo* – e, muito provavelmente, mais tarde *dirigi-lo* e *"aperfeiçoá-lo"*. A cura era o contexto no qual eu exercia e o contexto no qual estavam as limitações escondidas que eu impunha à Reconexão. Não se tratava de limitações intencionais; eram simplesmente as que foram suscitadas pela minha incapacidade de ver mais longe, de reconhecer desde o início que era acerca de algo muito maior.

O que acabei por reconhecer é que isso é cura num sentido muito diferente daquele que nos ensinaram a perceber, compreender ou mesmo a acreditar e aceitar. Essa cura é sobre um processo evolutivo tornado real através da *cocriação* na mais alta interação vibratória com o Universo. Vim a acreditar que é realmente acerca da reestruturação do nosso DNA, ainda que tenha hesitado afirmá-lo a princípio. Quando passamos para o transensorial – ou *transcendsorial* – (ou seja, para além dos nossos cinco sentidos básicos), passamos para um reino de coexistência com uma energia e presença além daquilo que conhecíamos antes.

Minha intenção pode muito bem ter redirecionado uma parte disso de modo a se encaixar no âmbito anterior das minhas crenças e compreensão. E embora eu ensine que devemos evitar tornar-nos obstáculos, a não dirigir ou sequer planejar a forma que a cura irá assumir, percebo que me *tornei* um obstáculo desde o momento que tomei a decisão de que isso tinha a ver apenas com a cura médico/paciente/milagre.

O problema não era ter a intenção – era a *especificidade* da intenção. Tomei o meu estado ingênuo de *antecipação* e, através da especificidade dos meus desejos e intenções, observei-o através do mais estreito âmbito da *expectativa*.

Deepak Chopra, autor de um dos livros mais importantes que qualquer um de nós deve ler: *The Seven Spiritual Laws of Success* [As sete leis espirituais do sucesso], explica que uma das *Leis da Intenção e do Desejo* é "abdicar da sua ligação ao resultado. Isso significa abdicar da sua ligação rígida a um resultado específico e viver na sabedoria da incerteza". Até certo ponto, muitos de nós fazemos isso agora. Eu o fiz na medida em que abdiquei da minha ligação ao resultado *das curas*. Contudo, não abdiquei da minha ligação ao fato de o resultado *ser* uma cura; portanto, limitei minha própria experiência.

Você e eu podemos agora seguir em frente. Para fazer isso, temos de permanecer conscientes das nossas intenções, das que se encontram tão sutilmente arraigadas que ficam suspensas, na sua maioria, logo abaixo do nosso radar consciente. Quando "dão alarme" no nosso monitor temos a responsabilidade de examiná-las. Nossas intenções escondidas afetam a direção que tomamos, muitas vezes mais vigorosamente do que as nossas intenções conscientes, porque não estamos suficientemente cientes delas para trazê-las à luz do escrutínio. Se não sabemos que temos medo, não sabemos como enfrentá-lo.

Por meio da informação comunicada por este livro, você está passando pela sua própria transição evolutiva. É agora capaz de ouvir e escutar com um sentido diferente; de ver com uma nova visão. Você aprendeu a sentir aquilo que outros ainda não sentiram. À medida que aprendeu a sentir esse novo conhecimento, passou para a sua existência enquanto ser transcendsorial.

Quando aqueles que o procurarem para as suas sessões ouvirem *quando nada há de audível para outros, sentirem cheiros quando não têm qualquer sentido físico de olfato, virem quando seus olhos estão fechados e sentirem quando, para o observador, nada há que cause a sensação* – você saberá que está acompanhando-os até o novo nível transcendsorial de existência que é o *deles*. E a cada vez é tão excitante como foi descobrir por si mesmo da primeira vez.

O que você está fazendo é levar luz e informação ao planeta – e onde há luz e informação não pode haver trevas. Através dessa luz e informação, entre outras coisas, chegam a transformação e a cura.

A cura não é o "como" ou o "por quê" nem é uma receita. É um estado de *ser*.

Portanto, com seu medo, entre na luz e na informação. O amor *torna-se* isso. Então *isso* torna-se *amor* – e *isso é* o curador. *Você é* ao mesmo tempo o observador e o observado, o amante e o amado, o curador e o curado.

Torne-se um com a outra pessoa, então cure *a si mesmo*. Ao curar a si próprio, você cura outros. E ao curar outros, cura a si próprio.

Reconecte-se. Cure os outros; cure a si mesmo.

Algumas coisas são difíceis de explicar: os milagres falam por si.